Sur l'auteur

Née en Allemagne, I. J. Parker est une spécialiste de la culture et de l'histoire du Japon. Cet ancien professeur, qui se consacre désormais à l'écriture, est l'auteur d'une série mettant en scène le personnage d'Akitada dans le Japon du XIe siècle. Le premier volume, *L'Énigme du dragon tempête*, a été couronné par le prestigieux Shamus Award en 2000. Le troisième tome, *L'Énigme de la flèche noire*, a paru aux éditions Belfond en 2008.

I. J. PARKER

L'ÉNIGME
DU DRAGON TEMPÊTE
Une enquête de Sugawara Akitada

Traduit de l'américain
par Mélanie BLANC-JOUVEAUX

**10
18**

« Grands Détectives »

dirigé par Jean-Claude Zylberstein

BELFOND

Titre original :
The Dragon Scroll
Publié par Penguin Books, New York.

© I. J. Parker 2005. Tous droits réservés.
© Belfond, un département de Place des éditeurs, 2006,
pour la traduction française
ISBN 978-2-264-04544-7

Pour mon agent, Jean Naggar,
avec toute ma gratitude
pour son soutien indéfectible,
ses encouragements,
et sa foi en moi.

LES PERSONNAGES

(Les noms de famille précèdent les prénoms.)

PERSONNAGES PRINCIPAUX

Sugawara Akitada	Noble âgé de vingt-cinq ans, petit fonctionnaire du gouvernement envoyé en mission spéciale dans la province de Kazusa
Seimei	Serviteur des Sugawara et homme de confiance d'Akitada
Tora	Déserteur entré au service d'Akitada

PERSONNAGES SECONDAIRES

Fujiwara Kosehira	Noble de la capitale ; meilleur ami d'Akitada
Fujiwara Motosuke	Gouverneur de la province de Kazusa ; cousin de Kosehira
Akinobu	Secrétaire particulier et bras droit de Motosuke
Yukinari	Jeune capitaine, commandant de la garnison de Kisarazu
Ikeda	Préfet, subordonné de Motosuke
Seigneur Tachibana	Ancien gouverneur de la province

Dame Tachibana	Sa jeune épouse
Maître Joto	Supérieur du temple des Quatre Nobles Vérités
Kukai	Bras droit de Joto
Higekuro	Professeur d'arts martiaux infirme
Ayako	Sa fille aînée, également professeur d'arts martiaux
Otomi	Sa fille cadette, peintre sourde-muette
Le Rat	Mendiant
Hidesato	Soldat sans affectation ; ami de Tora
Takashina Tasuku	Ami d'Akitada
Dame Asagao	Dame d'honneur de la maison-née impériale
Minamoto Yutaka	Président du Bureau des Censeurs
Soga Ictada	Ministre de la Justice
Sato, Peony, Junjiro	Domestiques du seigneur Tachibana
Le Balafré, Yushi, Jubei	Truands
Jasmine	Prostituée
Jisai	Colporteur

Prologue

LES GUETTEURS

Heian-kyo (Kyoto)
Mois des feuilles tourbillonnantes
(septembre) 1014

Il y avait deux guetteurs dans le jardin, cette nuit-là.

Sur la véranda, le vieil homme se pencha un peu en entendant des pas légers sur le chemin qui menait au petit pavillon.

La jeune femme était de retour, seule ! Il se délecta un instant à la vue du chatoiement de la gaze de soie multicolore et de l'éclat de l'or dans ses cheveux. La lune ne brillait que par intermittence sous les arbres et ses yeux étaient usés par l'âge, aussi ne s'aperçut-il pas immédiatement qu'elle pleurait. Une ample manche pressée contre le visage, bras mince tendu devant elle, l'inconnue trébucha près du portail d'entrée. Là, elle se retourna pour jeter un dernier regard sur le pavillon avant de disparaître dans la nuit.

Le vieillard eut un grand sourire édenté : une querelle d'amoureux ! Son pensionnaire était un jeune homme d'une beauté exceptionnelle, et il n'était guère surprenant qu'il ait réussi à nouer des liens avec une dame d'un rang si élevé qu'elle portait des étoffes et des épingles à cheveux inaccessibles au commun des mortels.

Il était ravi. Son existence s'était réduite à l'étroit pan de jardin qu'il voyait depuis sa véranda, et au plaisir que lui procuraient les amours secrètes des gens bien nés, source de fascinantes conjectures qui occupaient ses longues heures de solitude. Puissent d'autres nuits lui apporter de semblables distractions ! Avec un soupir de contentement, il partit se coucher d'un pas chancelant.

Tapi dans un massif d'arbustes, le second guetteur n'était pas moins ravi.

Il avait suivi le couple jusqu'à la cachette et remarqué lui aussi les bijoux qui ornaient la chevelure de la dame. Remerciant la chance qui l'avait précipitée dans la rue si vite et seule, il la prit en chasse.

La jeune femme courait dans les rues désertes. Jamais elle n'avait fait ce trajet, ni quelque trajet que ce fût, sans escorte. D'ordinaire, elle se déplaçait en voiture ou en palanquin, et toujours avec une suite, mais cette sortie n'avait rien d'ordinaire. Chaque fois qu'elle avait emprunté cette route avec son amant, elle s'était laissé guider, dissimulée derrière son voile. À présent, elle cherchait désespérément des points de repère.

Elle prit une ou deux fois un mauvais tournant et dut rebrousser chemin. Au bout d'un moment, croyant entendre marcher derrière elle, elle fit volte-face, espérant qu'*il* l'avait rejointe, mais ne vit âme qui vive. La plupart des vieilles maisons qu'elle dépassait étaient inhabitées et tombaient en ruine ; les autres étaient masquées par d'épaisses haies et protégées des visiteurs indésirables par des portails verrouillés.

Son pas se faisait de plus en plus hésitant. Elle songeait à leurs rencontres au pavillon, qui avaient toujours eu lieu dans le plus grand secret. Leur passion l'avait emporté sur toute autre considération, et c'était de son plein gré qu'elle avait remis sa vie entre les mains de son amant. Maintenant, elle était seule ; la lune, témoin muet de son désespoir, teintait d'argent les traces de larmes sur ses joues.

Les rues semblaient désertes, mais dans les arbres des formes silencieuses se déplaçaient à la recherche d'une proie. Un petit animal poussa un cri perçant, et des bruits de lutte s'élevèrent. La jeune femme ramena ses longues jupes contre elle et se remit à courir, soudain assaillie par la peur des tigres et des démons assoiffés de sang qui la pourchassaient peut-être dans la nuit.

Dans les jardins abandonnés, d'étranges silhouettes surgissaient de l'obscurité, et de sinistres hululements perçaient le silence depuis les branches des grands arbres. Quand un oiseau de nuit prit son envol et lui effleura la joue de son aile, elle invoqua dans un cri la déesse Kannon[1].

Elle aperçut alors les ornements dorés sur le toit de la pagode. Devant le mur détruit du vieux temple abandonné, elle poussa un soupir de soulagement : elle savait où elle était. Baignés par le clair de lune, les bâtiments sacrés reposaient dans un silence paisible. Protectrice des âmes faibles et tourmentées, la déesse qui résidait en ces lieux avait entendu son appel.

Ce fut juste à côté du temple, dans un champ ouvert où de pauvres gens avaient élevé leurs méchantes huttes, que le second guetteur rattrapa la jeune femme.

Il avait tout prévu : certain que sa proie reviendrait en compagnie de son amant armé de son long sabre, il avait posté ses hommes tout près, n'imaginant pas une seconde qu'on lui faciliterait la tâche de la sorte.

---

1. Divinité de la Miséricorde, forme japonaise féminine du bodhisattva de la compassion, Avalokiteśvara. (*N.d.T.*)

Avec un grand sourire, il se jeta en travers de son chemin. La dame s'arrêta net, laissant échapper un cri étouffé. À cet instant précis, les nuages s'écartèrent et la lune éclaira le visage du prédateur. Reculant avec horreur, la jeune femme hurla, mais cette fois, Kannon ne l'entendit pas.

1

INCIDENT À FUJISAWA

Sur le Tokaido, mois de l'absence des dieux (novembre), la même année

Grande voie impériale qui conduisait aux provinces orientales, le Tokaido était très fréquenté et peu sûr. Le gouvernement avait bien établi des barrières et des postes de contrôle gardés par des militaires qui vérifiaient les papiers des voyageurs et effectuaient des patrouilles, mais ils n'étaient pas nombreux, contrairement aux bandits de grand chemin, une carrière qui attirait beaucoup d'hommes prêts à tout.

Les deux voyageurs venus de la capitale avaient parcouru un long trajet sur leurs chevaux de poste. Le plus grand des deux, un jeune homme en tunique de chasse fanée et simple pantalon de serge, chevauchait en tête. Son sabre le désignait comme une personne bien née. Son compagnon, un homme frêle vêtu d'une robe foncée des plus ordinaires, le suivait sur un cheval de bât.

Akitada, le jeune aristocrate, était un descendant sans le sou du célèbre mais infortuné clan Sugawara. À vingt-cinq ans, il venait d'être nommé fonctionnaire au ministère impérial de la Justice, un poste qu'il devait à son seul mérite, grâce à sa première place aux examens universitaires. À présent, il était en mission officielle pour enquêter sur la disparition des impôts de la province de Kazusa, une tâche qui le remplissait d'excitation non seulement parce qu'elle lui valait son premier voyage hors de la capitale, mais parce qu'il la considérait comme un honneur dépassant ses rêves les plus fous.

Seimei, qui servait les Sugawara depuis toujours, vouait une admiration sans bornes à son jeune maître, toutefois il se gardait bien de le montrer. Il était versé en comptabilité, possédait une excellente connaissance des plantes médicinales et tirait fierté de sa familiarité avec l'œuvre de Confucius. Il le citait d'ailleurs fréquemment à Akitada pour illustrer ses conseils, qu'il dispensait avec la prodigalité d'un père.

Sa confiance en l'avenir du jeune noble allait pourtant être mise à rude épreuve.

Un sourire rêveur aux lèvres, perdu dans la contemplation d'une lointaine chaîne de montagnes bleues, Akitada imaginait les honneurs qui récompenseraient le succès de sa mission lorsqu'une grosse pierre frappa l'arrière-train de son cheval. L'animal hennit, jeta son cavalier à terre et s'enfuit au galop. Le jeune Sugawara heurta si durement le sol qu'il faillit s'évanouir.

Aussitôt, deux hommes barbus et robustes armés de longs gourdins massifs surgirent du bouquet d'arbustes qui bordait la route et saisirent le cheval de Seimei par la bride, ordonnant à ce dernier de mettre pied à terre. Tremblant de saisissement et de rage impuissante, le vieil homme s'exécuta tandis que son maître se redressait en se tenant la tête ; Akitada cherchait à évaluer la distance qui le séparait de son sabre, encore accroché à la selle, lorsque l'un des bandits leva son gourdin et se précipita sur lui. Seimei lui lança un cri d'avertissement et envoya son pied dans l'entrejambe de l'autre gredin. Ce dernier se plia en deux et hurla de douleur.

Hébété, Akitada se ramassa sur lui-même, prêt à se défendre à mains nues contre son agresseur. Il esquiva de justesse le premier coup, conscient que sa brillante carrière d'enquêteur impérial risquait fort de prendre brutalement fin avant même d'avoir commencé, dans une mort indigne au bord de la route.

Mais, à l'instant où l'adversaire de Seimei recouvrait ses moyens et s'apprêtait à le rosser, un autre homme en haillons fit irruption sur les lieux. Jaugeant la situation d'un coup d'œil, il ramassa une branche morte et frappa l'avant-bras du bandit avec une telle force qu'il le brisa, puis, rattrapant son gourdin au vol, il se tourna vers l'assaillant d'Akitada.

L'homme délaissa l'aristocrate pour se ruer au secours de son complice, mais le nouvel arrivant disposait à présent d'une arme identique à la sienne, et une lutte acharnée s'engagea sous les yeux ébahis du jeune Sugawara. Il n'avait jamais assisté à un combat au bâton, et, même si les gourdins n'étaient pas aussi maniables que des bambous, les deux hommes étaient des lutteurs aguerris. Pourtant, l'inconnu providentiel prouva bien vite sa supériorité : il parait même les attaques les plus rapides, bondissait plus vivement qu'une sauterelle, et feintait avec une telle virtuosité qu'il fit reculer son adversaire sous ses coups d'estoc, avant de profiter d'une faiblesse dans sa garde et de l'assommer d'un violent revers en plein front. Voyant cela, le second agresseur prit ses jambes à son cou, et le vainqueur entreprit de ligoter le bandit inconscient avec la corde que ce dernier portait à la taille.

— Beau travail ! s'écria Akitada en s'approchant. Nous te devons la vie, et…

Consterné, il s'arrêta net lorsque leur sauveur se redressa : celui-ci affichait une mine plutôt réjouie, mais un mauvais coup lui avait entaillé la joue, manquant son œil de peu, et le sang coulait abondamment.

— Seimei ! Tes remèdes, vite !

Découvrant des dents parfaites dans un grand sourire, le jeune homme fit non de la tête et, d'un geste vif, essuya le sang du revers de la main.

— Ne vous donnez pas cette peine. Ce n'est rien. Je vais aller chercher votre cheval, messire.

Il s'éloigna au pas de course et revint une minute plus tard avec la monture d'Akitada.

— Si je peux me permettre un conseil, messire, vous devriez porter votre sabre. Comme ça, le prochain voleur y réfléchira à deux fois avant de vous sauter dessus.

Akitada rougit. Pour un vagabond, ce jeune homme était d'une incroyable effronterie ; mais il avait raison, aussi ravala-t-il sa colère.

— C'est probable. Encore une fois, accepte nos remerciements. J'ai été négligent. À présent, laisse Seimei s'occuper de ta blessure, je t'en prie.

En temps normal, sans les nombreuses ecchymoses qui lui couvraient le visage, l'homme devait être beau, se dit l'aristocrate. Leur mystérieux sauveur avait-il donc coutume de se battre ? Pour l'heure, il secouait la tête avec obstination et reculait devant Seimei et son coffret d'onguents et de poudres.

— Ne t'inquiète pas, il est assez doux, assura Akitada.

Après un coup d'œil dans sa direction, l'inconnu se laissa soigner.

— Tu vis dans les environs, j'imagine. Quel est ton nom ? lui demanda le jeune Sugawara en surveillant l'opération.

— Vous pouvez m'appeler Tora. Non, je ne suis pas d'ici. Je cherche à louer mes services pour les travaux des champs.

— Mais la récolte est terminée ! (Akitada l'observa pensivement.) Il se peut que ce soit une heureuse coïncidence, Tora. Nous sommes tes débiteurs, et j'ai besoin d'un serviteur. Tu manies le bâton avec une adresse impressionnante. Serais-tu prêt à voyager avec nous jusqu'à la province de Kazusa ?

Bouche bée, Seimei lâcha son pot d'onguent et regarda son maître comme s'il avait perdu la tête. Tora réfléchit un moment avant d'acquiescer.

— Pourquoi pas ? Je pourrais faire un essai. Vous avez besoin d'être protégé, et si vous me convenez, Kazusa est une destination aussi bonne qu'une autre, ajouta-t-il avec un nouveau sourire.

Seimei manqua s'étrangler.

— Messire, vous ne songez tout de même pas à emmener cette personne avec nous !

Tora feignit d'avoir mal compris et désigna le bandit ligoté.

— C'est de cet individu-là que vous parlez ? Ne vous en faites pas. Il n'ira nulle part. Nous enverrons le chef du prochain village le chercher. Il sera content de toucher l'argent de la prime.

Le marché qu'ils avaient conclu satisfaisait pleinement Akitada. Ils y avaient gagné une escorte, et un serviteur de bonne volonté qui n'attendait pour dédommagement de ses services que le couvert et quelques pièces de cuivre. Et comme Tora courait aux côtés de leurs chevaux à une allure régulière, ils voyageaient presque aussi vite qu'à l'accoutumée.

Après avoir pris le bac pour traverser la baie de Narumi, ils arrivèrent en début de soirée dans la ville de Futakawa. Là, ils s'arrêtèrent devant un grand temple bouddhiste qui possédait un célèbre sanctuaire consacré au *kami* Inari[1], très vénéré par les paysans

1. Inari est une divinité shintoïste qui a le renard pour messager ; il protège des malheurs et apporte les richesses. (*N.d.T.*)

des rizières. À côté du portail du temple était installé un panneau sous abri destiné à recevoir les messages officiels.

Akitada gloussa en désignant un document récent couvert de grands caractères noirs.

— Regardez : « On recherche Tigre de la Montagne, mort ou vif, pour vol et meurtre. Le bandit mesure plus de sept *shakus*[1], il est horrible et hirsute, et possède la force d'un dragon ! » Apparemment, il y a une bande de voleurs qui s'en prennent aux voyageurs dans la région.

Avec un large sourire, Tora banda ses muscles.

— Ils ont vraiment écrit ça ? La force d'un dragon ? C'est très flatteur.

Stupéfait, Akitada se tourna vers lui.

— C'est toi, ce Tigre de la Montagne ? Mais bien sûr ! Tora signifie tigre.

— Eh bien, il est possible que ce soit moi, pour ainsi dire, répondit le jeune homme en rougissant un peu, mais tout cela est un malentendu.

— Comment ? Alors, en plus, c'est un homme recherché ? s'écria Seimei. Un bandit et un assassin, même s'il ne mesure pas sept *shakus* et qu'il n'est guère velu ! Tirez votre sabre, messire ! Nous allons le livrer.

— Quelle que soit son identité, cet homme vient de nous sauver la vie, lui rappela son maître avant de se tourner vers Tora. Fais-tu partie des Tigres de la Montagne, oui ou non ?

— Non, répondit le jeune homme en affrontant son regard sans ciller. Vous n'êtes pas obligé de me croire, mais j'ai été pris alors que je m'étais réfugié dans une grotte avec eux. Les soldats ont déchiré mes papiers en prétendant que je les avais volés. Je n'ai pas eu le temps de protester que déjà ils enchaînaient

1. Environ deux mètres dix. (*N.d.T.*)

tout le monde et parlaient de me trancher la tête. J'ai empoigné le sabre de l'officier et filé sans demander mon reste.

Dans une attitude de défi, il attendit la réaction d'Akitada. Celui-ci le considéra avec attention.

— As-tu tué quelqu'un en t'échappant ?

— Non. Dès que j'ai eu le sabre en main, pas un n'a voulu s'approcher. Je suis redescendu de la montagne aussi vite que j'ai pu et j'ai laissé le sabre contre la demeure du chef du premier village que j'ai traversé.

— Très bien, soupira Akitada. Je te crois. Mais il vaudrait mieux que je te procure des papiers avant le prochain poste de contrôle.

— Je ne mettrai pas les pieds au tribunal, répliqua Tora d'un air effronté.

— C'est absurde ! Je ne peux pas voyager avec un homme recherché.

— Si tout cela n'est qu'un tissu de mensonges, vous risquez fort de le regretter, messire, grommela Seimei d'un ton sinistre. On ne fait pas un rossignol d'un faucon, et une personne au service de Son Auguste Majesté n'emploie pas des bandits de grand chemin.

Akitada l'ignora.

Obtenir des papiers pour leur douteux compagnon se révéla fort simple. Impressionné par les lettres de créance de l'aristocrate, le magistrat local ne s'étonna pas qu'il veuille engager un nouveau serviteur à l'allure de voyou et affublé d'un nom singulier.

Pour témoigner sa reconnaissance, ce dernier fit preuve d'un zèle enthousiaste. Il veillait sur Seimei, qui était de plus en plus las, et leur trouvait les meilleures chambres au meilleur prix. C'était loin d'être négligeable car, bien qu'Akitada voyageât pour le compte de l'empereur, il n'avait pas les moyens d'entretenir une escorte d'hommes armés et devait vivre avec un nombre limité de pièces d'argent et de sacs de riz, lesquels lui servaient tant de provisions de bouche que de monnaie d'échange.

Mais, pour le jeune Sugawara, la meilleure partie de leur arrangement était la leçon de bâton par laquelle débutait et s'achevait chaque journée. Son estime pour son nouveau serviteur s'en trouvait accrue d'autant.

Scandalisé par ces leçons, Seimei répétait qu'aucun gentilhomme ne se battait de la sorte, mais, comme personne ne tenait compte de ses remarques, il se réfugiait dans les récriminations et critiquait le manque de respect de Tora à la moindre occasion.

Lorsqu'ils aperçurent pour la première fois le mont Fuji au loin, Akitada, ébloui, arrêta son cheval. Dans un halo de brume irréel, le sommet couvert de neige leur parut flotter sur un nuage. Le cœur du jeune homme s'emplit d'une telle fierté, d'une telle admiration respectueuse pour sa patrie qu'il ne put prononcer un mot.

Quand Seimei observa que de la fumée semblait sortir du haut de la montagne, Tora se mit à rire.

— Et encore, tu devrais voir le grand *kami*, la nuit. Il crache le feu comme un dragon.

— Le feu et la neige, s'émerveilla Akitada, les yeux embués par l'émotion. Il doit être très élevé.

— Oh oui, il va jusqu'au ciel ! (Tora leva le bras pour illustrer son propos.) Les gens qui arrivent en haut ne reviennent jamais. Ils vont tout droit au paradis.

— Il n'y a pas de remède contre la sottise, déclara Seimei d'un ton brusque, exaspéré par le côté je-sais-tout et l'incorrection du serviteur peu conventionnel. Garde ta langue au chaud jusqu'à ce que tu comprennes qui sont tes supérieurs.

— Comment ? Vous ne croyez pas aux dieux, vous autres de la capitale ? s'exclama Tora, l'air blessé.

Seimei ne daigna pas répondre.

À Mishima, ils commencèrent leur longue ascension vers Hakone, empruntant le défilé le plus long et le plus élevé du Tokaido. Les nuages obscurcissaient le ciel, et un lourd silence pesait sur les pins sombres et les cryptomérias.

Une barrière du gouvernement se dressait entre le versant escarpé et le lac Hakone, une étendue d'eau désolée qui reflétait le ciel et le sommet des montagnes. Là, pour la première fois depuis leur départ du monde civilisé d'Heian-kyo, ils eurent sous les yeux la preuve qu'une justice inflexible s'exerçait aux postes-frontières. Afin de servir de leçon à la population et de dissuader toute personne tentée d'enfreindre la loi, des têtes de criminels étaient exposées à hauteur d'yeux près de la barrière, sur des planches.

Écœuré par ce spectacle, Akitada se força pourtant à lire la vingtaine de plaques qui les accompagnaient et décrivaient leurs forfaits : meurtre, viol, vol, escroquerie… et même un cas de trahison. À l'évidence, les autorités de cette province prenaient le contrôle des voyageurs très au sérieux.

Il rejoignit ses compagnons, inquiet pour le sort de Tora : si on s'intéressait de trop près à lui et qu'il était arrêté, Akitada n'était pas sûr que son influence suffirait à le sauver.

Une vingtaine de personnes attendaient leur tour devant eux, et la file avançait lentement : ici, personne n'échappait à un contrôle minutieux.

Un soldat s'approcha et leur demanda leurs papiers. Après y avoir jeté un œil, il leur fit signe de se rendre directement dans le bureau d'inspection.

Ils soulevèrent un rideau et se retrouvèrent dans une grande pièce au sol en terre battue. Tora et Seimei allèrent s'agenouiller sur un banc peu élevé placé devant une estrade en bois tandis qu'Akitada restait debout.

Sur l'estrade était assis le capitaine de la garde, un homme en uniforme à la moustache menaçante. Derrière lui étaient installés trois employés du gouvernement sobrement vêtus, et sur le côté un scribe prenait des notes.

Le garde tendit les papiers de l'aristocrate à son chef en lui chuchotant quelque chose. Après avoir longuement dévisagé Akitada de ses yeux noirs et perçants, le militaire scruta Seimei et Tora. Puis il lut et relut l'ensemble des documents.

Les mains moites, le jeune Sugawara sentit la transpiration perler sur sa lèvre supérieure. Voilà qui était bien éloigné de l'accueil plein d'égards auquel il s'était habitué aux postes de contrôle. Il eut un petit sursaut lorsque le capitaine aboya :

— Approchez, messire !

En principe, Akitada n'avait pas d'ordres à recevoir de cet homme, mais il préféra ne pas prendre le risque d'attirer l'attention sur Tora et obéit sans protester.

— Je vois que vous avez été envoyé en mission spéciale de la capitale à la province de Kazusa.

L'aristocrate acquiesça.

— Les hommes qui vous accompagnent sont bien vos serviteurs, et vous répondez d'eux ?

Les yeux de fouine de l'officier s'attardèrent une nouvelle fois sur Tora. Le cœur battant, Akitada s'efforça de prendre un ton dégagé :

— Oui. Le plus âgé s'appelle Seimei, et le plus jeune Tora.

— Je vois. Pourquoi avez-vous fait établir des papiers pour Tora à Futakawa ?

— …Eh bien, bégaya Akitada en rougissant, le voyage s'est révélé plus difficile que prévu, et… euh… Seimei n'a pas l'habitude de voyager. Nous avons rencontré quelques problèmes, et il m'a paru plus judicieux d'engager un autre serviteur.

Le capitaine le dévisagea longuement.

— Des problèmes ? répéta-t-il avec une sorte de ricanement. On voit bien que vous n'avez pas l'habitude de voyager. Vous avez en effet parcouru une longue route sans escorte. Nombreux sont les gentilshommes de la capitale qui rebroussent chemin bien avant d'arriver jusqu'ici.

Le jeune Sugawara rougit de nouveau, sous l'effet de la colère cette fois, mais il se mordit la lèvre et ne répliqua rien.

— Qu'allez-vous faire en Kazusa ?

— J'ai reçu des ordres du gouvernement impérial, comme vous pouvez le voir, capitaine… ?

— … Saito. Vous n'allez pas enquêter sur la disparition des impôts, par hasard ?

Akitada avait reçu des instructions qui lui demandaient de faire preuve de la plus grande discrétion, mais cet homme disposait peut-être d'informations précieuses.

— En effet, reconnut-il. Que savez-vous à ce sujet ?

— Voilà des années que je n'ai pas vu passer de marchandises en provenance de Kazusa. Dans l'autre sens, par contre, beaucoup de choses circulent : des rouleaux et des statues bouddhistes, des envois pour le gouverneur, mais pas l'ombre d'un convoi qui apporte les impôts à l'empereur.

L'officier se tourna vers l'un des clercs.

— Apporte-moi les grands livres des deux années passées et la copie de la correspondance concernant les impôts de Kazusa !

S'emparant d'un registre ouvert, il le feuilleta puis le poussa vers son interlocuteur.

— Voyez vous-même ! Lorsqu'ils ne se sont pas présentés à la date habituelle cette année, j'ai prévenu la capitale. Une fois de plus.

Une fois de plus ? Surpris, Akitada se pencha pour lire.

Le clerc revint avec une grande caisse qu'il posa par terre. Le capitaine en tira deux autres registres et trouva l'inscription qu'il cherchait dans le premier.

— L'année dernière, rien. (Il désigna une rubrique.) Et même chose ici, ajouta-t-il en fourrant le troisième registre sous le nez de l'émissaire impérial. Et voici les copies des rapports que j'ai envoyés à la capitale.

Akitada se pencha sur les écritures et les considéra avec incrédulité.

— Cela fait trois ans ou plus qu'aucun convoi d'impôts n'est venu de cette province ?

Cela paraissait incroyable. Pis, les documents prouvaient que personne, jusqu'à présent, ne s'était donné la peine d'enquêter.

— Trois ans tout juste, rectifia l'officier. Avant, tout était toujours en ordre et aussi ponctuel que les oies qui volent vers le sud en hiver.

— Et comment l'expliquez-vous ?

Le capitaine jaugea le jeune enquêteur et serra les lèvres.

— Je ne l'explique pas. Je fais mon devoir, c'est tout. Mes hommes ont pour ordre d'interroger toute personne qui vient de l'est pour savoir si elle a été témoin d'incidents sur la route. Il n'y a jamais eu la moindre rumeur évoquant des pillages ou des bandes organisées. Il faudrait une petite armée pour attaquer un convoi sous escorte militaire. À mon avis, mais ce n'est qu'un avis, les biens n'ont jamais quitté la Kazusa.

Un tic nerveux agita le coin de sa bouche. Il se racla la gorge et lança un nouveau regard déconcertant à Akitada.

— Le fait que les autorités impériales aient pris leur temps et n'aient mandé personne... avant aujourd'hui, remarqua-t-il d'un ton sarcastique, semble me donner raison.

Le sang monta au visage du jeune noble. Il savait ce que pensait le militaire : personne ne voulait qu'on retrouve les impôts disparus. En envoyant un fonctionnaire inexpérimenté enquêter sur une affaire de cette ampleur, le gouvernement indiquait implicitement son souhait de l'enterrer. Et dans quel autre but, sinon de protéger le gouverneur de la province, un Fujiwara apparenté de loin au grand chancelier ? Malheureusement, ce gouverneur était également le cousin du meilleur ami d'Akitada, Kosehira. Les deux jeunes gens avaient étudié dans la même université et, n'ayant pas d'amis – Akitada parce qu'il était pauvre et Kosehira parce qu'il était petit et gros –, ils étaient devenus très proches.

Contrarié par l'attitude du capitaine, il lui lança d'un ton brusque :

— Merci. Si vous en avez fini avec nous, j'aimerais reprendre ma route.

— Bien sûr, bien sûr ! s'exclama l'officier avec un large sourire. Je ne vous retiendrai pas davantage. Bonne chance, messire.

Et il s'inclina avec une déférence narquoise.

— Seimei, les chevaux !

Le serviteur fit le nécessaire auprès d'un soldat, qui se précipita pour aller leur chercher deux nouvelles montures. Le trio s'apprêtait à sortir lorsque le capitaine les rappela :

— Le temps est en train de changer. Vous feriez mieux de passer la nuit dans nos quartiers.

Akitada se retourna et répondit avec raideur :

— Je vous remercie, mais je pense que nous allons poursuivre notre route.

Ils effectuèrent la descente à la lumière du jour, mais une pluie froide se mit à tomber peu après leur départ et les accompagna pendant tout leur trajet. Ses trombes grises masquaient des paysages qu'on devinait magnifiques, et une humidité glacée s'insinuait jusqu'à leur peau à travers les épaisseurs de leurs vêtements. Trempés, gelés, épuisés, ils firent halte à Odawara, au pied de la montagne, et passèrent la nuit couverts de leurs habits humides, dans une auberge infestée de rats, sur des nattes en paille moisie et puante.

Lorsqu'ils s'éveillèrent le lendemain matin, il pleuvait toujours à verse. Ils reprirent néanmoins la route, portant leur manteau et leur chapeau de vannerie imbibés d'eau. La voie serpentait à travers des contreforts avant de se rapprocher de la côte. Dans le vent froid leur parvinrent l'odeur et le goût salé de la mer bien avant qu'elle ne leur apparaisse.

Quand ils sortirent du couvert protecteur de la forêt et aperçurent enfin l'immense océan qui s'étendait devant eux, ils se trouvèrent enveloppés de tourbillons de brume grise et froide. Le vent poussait de sombres nuages effilochés dans le ciel tandis qu'à leurs pieds l'océan d'un noir de charbon montait et refluait dans un grondement continu, vomissant une écume jaune et sale qu'il ravalait aussitôt. Tout autour d'eux, les embruns et la pluie incessante attaquaient leur manteau et rabattaient les brins de paille trempés et chargés de sel de leur chapeau contre leurs joues cuisantes. Seimei fut bientôt pris d'une toux persistante.

Après Oiso, la route s'éloignait de la côte et traversait une immense plaine qui, riche et verdoyante la plupart du temps, fournissait une bonne partie du pays en riz. En cette saison, cependant, les rizières en jachère n'étaient plus que de noires étendues d'eau entre les digues, parsemées çà et là de fermes ou de hameaux qui se serraient frileusement sous des arbres lugubres. De chaque côté du Tokaido, qui dominait la plaine immergée, des pins se courbaient mélancoliquement sous le poids de leurs aiguilles chargées d'eau.

Vers la fin de cette journée sinistre, la pluie battante se transforma en simple bruine. Fourbus, ils atteignirent Fujisawa, où ils devaient embarquer pour traverser la baie de Sagami. De la sorte, il leur faudrait seulement deux jours pour gagner la province de Kazusa au lieu des sept ou huit nécessaires par voie de terre.

Dès qu'ils pénétrèrent dans la ville, Tora quitta ses deux compagnons pour se mettre en quête d'une chambre pendant que ceux-ci se rendaient au relais de poste, non loin du port. Avancer à dos de cheval dans les rues étroites et animées se révéla difficile. Effarouchés par les ombrelles en papier huilé sous lesquelles s'abritaient les passants, les chevaux déclenchaient jurons et cris sur leur passage.

À l'entrée du relais, Akitada consulta l'habituel panneau sous abri. Un grand message officiel marqué d'un sceau partiellement effacé attira son attention car, contrairement aux autres, il était jauni et déchiré. Bien qu'il fût presque illisible, le jeune homme s'approcha pour le déchiffrer. Le document, qui portait le sceau rouge du gouverneur de la Kazusa, offrait une prime substantielle pour toute information concernant le vol des impôts. À l'évidence, personne ne s'était manifesté, mais la demande de renseignements n'avait pas été renouvelée.

Il revint vers Seimei.

— Il s'agit d'une vieille annonce relative aux impôts disparus. Ce gouverneur me fait décidément l'effet d'un douteux personnage. Comment pouvons-nous accepter son hospitalité s'il est notre principal suspect ?

— Je l'ignore, messire, croassa lamentablement le serviteur entre deux éternuements.

Il claquait des dents. Akitada examina le visage congestionné du vieil homme recroquevillé sur sa selle.

— Tu te sens bien, mon ami ? demanda-t-il avec une soudaine inquiétude.

Parcouru de frissons, Seimei toussa.

— J'ai un peu froid, c'est tout. Ça ira mieux quand je serai descendu de cheval et que je pourrai me dégourdir les jambes.

Ils menèrent les chevaux aux palefreniers et laissèrent leurs sacoches au bureau, non sans avoir repris leurs effets de valeur.

La pluie avait cessé mais, faute d'un ciel dégagé, la nuit tombait rapidement. Partout, on allumait des lanternes ; feux et chandelles brillaient dans tous les endroits où l'on attendait des clients, et des odeurs appétissantes de nourriture envahissaient les rues. Seimei et son maître avançaient lentement au milieu de la foule et s'arrêtaient de temps en temps dans des auberges pour s'enquérir de Tora.

Celui-ci semblait s'être évanoui avec la pluie.

Lorsqu'ils se retrouvèrent dans un quartier louche et presque désert de la ville, Akitada prit conscience du pas traînant de son vieux serviteur.

— Voilà une heure que nous le cherchons, Seimei. Il est grand temps d'aller prendre du repos. Tu as besoin d'un bon bain, d'un verre de saké chaud et d'une couche sèche.

À sa grande stupéfaction, le serviteur objecta :

— Je vous en prie, messire, pourrions-nous poursuivre encore un peu ? J'ai un mauvais pressentiment. Cela ne ressemble pas du tout à Tora de disparaître ainsi.

— Sottises ! Il est jeune et fort. Peut-être s'est-il lassé de notre compagnie et nous a-t-il plantés là.

— J'espère bien que non ! s'écria Seimei en se tordant les mains. Oh, c'est ma faute.

— Ta faute ? Pourquoi donc ?

— On dit bien qu'« on peut endurer temps et riz froids, mais non paroles et regards froids ». J'ai été très désagréable envers ce garçon, avoua le vieil homme en baissant la tête.

— Sottises, répéta son maître d'un air distrait.

Son attention avait été attirée par des éclats de voix et des lueurs de torches au bout d'une ruelle sombre.

— Il se passe quelque chose d'anormal, là-bas.

— Allons voir si ces gens n'ont pas croisé Tora, suggéra Seimei.

— Très bien. Mais ensuite, nous irons nous reposer.

Lorsqu'ils arrivèrent sur les lieux, une foule s'était rassemblée : un crime avait été commis dans une maison à étage délabrée dont l'enseigne mal écrite, La Tonnelle de Fleurs Parfumées, était accrochée de guingois à un seul clou. Posté sur le seuil, un *hoben*, un officier de police en manteau rouge, jetait des regards peu amènes sur le petit attroupement de gens pauvrement vêtus.

Akitada joua des coudes parmi les curieux pour s'approcher. À cet instant précis, la porte s'ouvrit et deux autres officiers apparurent, portant sur un brancard un corps recouvert d'une robe de femme tachée de sang.

— Que s'est-il passé ?

Devant cet étranger de haute taille qui s'exprimait avec l'autorité d'un dignitaire, l'homme à l'entrée se rengorgea.

— Un vagabond a tranché la gorge d'une putain, aboya-t-il. (Il sourit largement, découvrant des dents jaunes et mal plantées.) Mais il n'est pas allé bien loin, et il reste plein de femmes à l'intérieur, alors faites votre choix, messire.

Il lui adressa un clin d'œil et partit rejoindre ses collègues à grandes enjambées. Seimei le suivit d'un pas chancelant.

— Officier, attendez ! appela-t-il d'une voix rauque, entre deux quintes de toux.

L'homme ne l'entendit pas. Le visage rouge et tendu, Seimei revint vers Akitada et lui saisit la manche.

— Vous devez le suivre, messire. Il s'agit d'un meurtre. Or vous êtes expert en la matière, et quelque chose me dit que cela a à voir avec Tora.

— Sottises ! Tu es malade et épuisé, et je ne saurais me lancer dans une telle enquête ici. J'ai une mission qui m'attend en Kazusa.

— Je vous en prie, messire. Nous pourrions au moins aller trouver la police pour savoir si on ne l'a pas vu ? Je me sentirais plus tranquille.

Avec un soupir, Akitada céda. Le poste de police était proche du centre de Fujisawa et son entrée indiquée par une grosse lanterne en papier. À l'intérieur, ils découvrirent un lieutenant et deux greffiers occupés à interroger un gros homme vêtu d'une robe de coton bleu graisseux.

— Je reconnais m'être trompé sur la couleur de la veste, déclara l'obèse en écartant ses petites mains aux doigts boudinés. Mais la cicatrice sur son visage, impossible de la manquer. Je jure qu'il s'agit bien du même homme. Pauvre Violette ! Elle qui commençait à se faire une clientèle. C'est une grosse perte, ça, voyez-vous. Qui va me dédommager, moi ? J'ai payé six rouleaux de la meilleure soie pour cette fille, il y a quatre ans. Je l'ai nourrie, formée, et je commençais tout juste à en tirer un petit bénéfice quand... Plus rien...

Il agitait les mains, encerclant le vide, lorsqu'il repéra les silhouettes lasses des deux voyageurs.

— C'est vraiment terrible qu'on laisse autant de racaille emprunter la grand-route de l'Est, de nos jours. Un honnête commerçant n'est plus en sécurité dans cette ville.

Le lieutenant de police se retourna.

— Que voulez-vous ? demanda-t-il avec humeur. Vous ne voyez donc pas que je suis occupé ? Pour des permis de voyage ou des questions d'itinéraire, il vous faudra revenir demain.

Akitada était fatigué et contrarié. Il savait son vieux serviteur encore plus mal en point que lui, et il n'avait aucune intention de perdre davantage de temps.

— Remets-lui mes lettres, Seimei, ordonna-t-il d'un ton brusque.

Avec impatience, il regarda l'officier les dérouler et pâlir en lisant que les instructions impériales indiquaient de donner toute l'assistance possible au porteur. Après avoir respectueusement porté le document à son front, il tomba à genoux et se répandit en excuses.

— Levez-vous ! fit Akitada avec lassitude. Tout à l'heure, j'ai dépêché mon serviteur Tora pour qu'il nous retienne une chambre, et il semble avoir disparu. Je souhaite qu'on le retrouve sur-le-champ.

Le lieutenant se releva d'un bond et sollicita une description. Son visage s'allongea à mesure que l'aristocrate lui fournissait des détails. Un cri de stupéfaction échappa au gros homme tandis que les greffiers écarquillaient les yeux.

— Nous venons d'arrêter cette personne pour le meurtre d'une prostituée, admit l'officier. Il a été arrêté non loin du lieu du crime après avoir été reconnu par le témoin ici présent.

Il désigna le gros homme, qui parut soudain nerveux.

— Eh bien, bégaya ce dernier, il commençait à faire nuit, mais j'ai reconnu la cicatrice quand je l'ai aperçu à l'étal du marchand de nouilles. Peut-être ces gentilshommes n'ont-ils pas conscience du tempérament violent de leur serviteur.

— Pouvons-nous voir le prisonnier ? demanda Akitada.

— Mais certainement, Votre Excellence, tout de suite, répondit le lieutenant en tapant dans ses mains.

Quelques instants plus tard, Tora apparaissait devant eux, enchaîné, couvert de sang et d'ecchymoses, fermement tenu par deux gardes robustes.

— Messire ! s'écria-t-il en faisant un pas vers son maître.

Ses gardiens tirèrent brutalement sur ses chaînes pour le ramener en arrière.

— Il y a erreur, déclara Akitada. Cet homme est mon serviteur. Libérez-le immédiatement.

— Mais, Excellence, protesta l'officier, il a été formellement identifié par un citoyen respecté de cette ville. Je crains que…

Akitada le foudroya du regard.

— Relâchez-le.

Tora fut libéré et se dirigea vers eux en se frottant les poignets et en marmonnant des remerciements.

— J'espère bien que ça ne va pas devenir une habitude, Tora, grommela l'aristocrate. Nous t'avons cherché pendant des heures. Si Seimei n'avait pas insisté, tu croupirais encore dans cette prison à l'heure qu'il est. (Devant les yeux humides du jeune homme, il se radoucit.) Que s'est-il donc passé ?

— C'est bien fait pour moi, messire, répondit humblement Tora. J'étais gelé et affamé, et je croyais avoir du temps devant moi. Je me suis arrêté pour prendre des nouilles avec du bouillon, et je terminais mon bol quand on m'est tombé dessus sans crier gare. En un instant, je me suis retrouvé à terre, roué de coups par quatre officiers de police.

— Quand le crime a-t-il été commis ? demanda Akitada au lieutenant.

— Il y a quatre heures, répondirent en chœur l'officier et le gros homme.

— Comment le savez-vous ?

Le lieutenant jeta un regard mauvais au témoin, qui se fit tout petit.

— Le corps était encore tiède quand nous sommes arrivés sur place, il y a un peu plus de deux heures. Toyama, son patron, est venu nous avertir tout de suite après l'avoir trouvée morte.

— Mais il y a quatre heures, il ne faisait pas encore nuit, observa Akitada en fixant le gros homme d'un air soupçonneux.

Malgré sa fatigue et ses résolutions, cette affaire piquait sa curiosité. Il regretta de ne pouvoir examiner le corps et interroger lui-même les amies de la morte.

— Quand cet homme a-t-il vu le meurtrier ?

— Je l'ai vu à l'étal du *yatai*, comme je m'en revenais avec les officiers, répondit le gros homme, non sans nervosité. J'ai tout de suite su que c'était lui. Les filles m'avaient décrit le client de Violette, voyez-vous. La cicatrice au visage, c'est ça qui l'a trahi. Quant aux vêtements... Comme je l'ai dit, j'ai très bien pu me tromper sur ce point. Bref, quand je l'ai vu manger ses nouilles comme si de rien n'était, j'ai immédiatement alerté la police.

— C'est ridicule, affirma sèchement Akitada. Si le meurtre a eu lieu il y a quatre heures, mon serviteur ne peut pas l'avoir commis, puisqu'il était encore en notre compagnie, à plusieurs *kairis*[1] de Fujisawa. Je vous suggère d'amener les témoins, et je ne parle pas de cet homme, pour leur faire confirmer que ce n'est pas Tora qu'ils ont vu. Ensuite, vous libérerez mon serviteur avec des excuses, j'espère. Nous t'attendrons à l'auberge, Tora.

» C'est-à-dire à l'auberge du Phénix, messire. On dit que c'est la meilleure de la ville, précisa le jeune homme.

---

1. Un *kairi* correspond à 1 852 mètres. (*N.d.T.*)

Akitada hésitait à partir. Il ouvrait la bouche pour prodiguer des conseils au policier maladroit quand Tora poussa un cri. Entendant un bruit sourd dans son dos, l'aristocrate se retourna et vit le corps frêle de Seimei étendu sans connaissance sur le sol en terre.

2

LE COLPORTEUR,
LES MOINES ET LE GOUVERNEUR

Pendant deux jours, Seimei, victime d'un refroidissement responsable de sa fièvre et de douloureuses quintes de toux, fut très malade. Akitada resta à son chevet, furieux contre lui-même de ne pas avoir été plus attentif à la santé de son compagnon, d'avoir poussé à bout la résistance physique du vieil homme et d'avoir accepté cette mission contre l'avis de ses amis. Il était assailli de visions terrifiantes dans lesquelles il perdait Seimei au beau milieu de cette ville étrangère, loin de la famille que cette âme fidèle avait si bien servie durant toute son existence.

Tora prit soin du vieux serviteur avec une patience et une douceur surprenantes de la part de ce rude gaillard. À cet égard, au moins, Akitada ne regrettait pas d'avoir sauvé le jeune homme de la brutalité de la police. Malgré sa réticence à révéler sa véritable identité, celui-ci parlait librement de ses ennuis. Fils de paysan, il avait perdu sa famille pendant les guerres de frontières et avait été enrôlé de force dans l'armée. Il avait déserté après avoir frappé son lieutenant qui avait violé une fille de ferme.

Le troisième jour qui suivit son malaise, Seimei se réveilla d'un profond sommeil et demanda à boire. Lorsque Tora se précipita pour lui apporter du saké, le vieil homme repoussa la coupe et s'exclama avec humeur :

— Jeune sot, ne sais-tu pas que le saké chauffe le sang ? Tu veux donc me tuer ? C'est de la tisane qu'il me faut. Une décoction de baies de genièvre, de moutarde et de racine d'achillée. Eh bien, qu'attends-tu ? Que j'aille les chercher moi-même ?

— Pardon, grand-père, répondit humblement Tora. J'irai cueillir tes baies et tes racines si tu me dis où les trouver.

Akitada posa la main sur le front de Seimei et le trouva sec et frais.

— Ne te donne pas cette peine, Tora. L'apothicaire de la ville aura tout ce qu'il faut. Prends quelques pièces dans ma sacoche et vas-y. Je me réjouis de te voir ainsi, mon vieil ami, dit-il à Seimei. Nous nous faisions du mauvais sang. Tora s'est occupé de toi sans relâche, il veillait à ce que tu sois toujours bien couvert et t'appliquait sans arrêt des compresses fraîches sur le front.

— Ah bon, marmonna Seimei, l'air coupable. J'ai donc été malade longtemps ?

— Deux jours et trois nuits.

Consterné, le vieux serviteur se redressa tant bien que mal.

— Oh non ! s'écria-t-il. Quel retard ! Il nous faut reprendre la route sur-le-champ. Je pourrai me lever après ma tisane, j'en suis sûr.

Avec douceur, son maître l'obligea à se rallonger.

— Rien ne presse. J'aurai besoin de tes talents dès notre arrivée, et pour cela il faut que tu sois bien reposé et en bonne santé. Nous resterons dans cette auberge jusqu'à ton complet rétablissement. Tora prendra soin de toi, et j'emploierai mon temps à me renseigner sur notre affaire d'impôts. Peut-être proposerai-je mon aide à la police, qui ne me semble guère qualifiée pour s'occuper du meurtre de cette prostituée.

Ils demeurèrent deux jours de plus à Fujisawa. Seimei recouvrait peu à peu ses forces et passait sa frustration sur Tora, qu'il harcelait constamment.

Akitada se rendit plusieurs fois au poste de police, malheureusement il n'apprit rien, ni sur les impôts ni sur le meurtre. D'une politesse extrême, le lieutenant lui assura que son serviteur avait été lavé de tout soupçon. Le tenancier de la maison de plaisirs s'était bien vite rétracté quand ses filles avaient nié avoir jamais vu Tora. Son Excellence était libre de poursuivre son voyage.

C'est ainsi qu'au matin du cinquième jour, par un temps doux, ils embarquèrent sur un bateau pour traverser la baie de Sagami à destination de Kisarazu, dans la province de Kazusa. Bien que dangereuse en cas de tempête, la traversée leur épargnait une semaine d'une chevauchée difficile.

Au lieu de se rendre immédiatement au tribunal de la province, Akitada prit une chambre dans une modeste auberge proche du marché : il voulait se faire une idée du lieu et de ses habitants avant d'annoncer son arrivée au gouverneur.

Laissant Seimei se reposer, Tora et lui partirent explorer la ville, qui débordait d'animation. Akitada en estimait la population à dix mille personnes, mais il avait l'impression qu'elle attirait un monde considérable : leur auberge était pleine et, sous un soleil exceptionnellement chaud pour la saison, le marché grouillait de marchands en tout genre, d'acheteurs et de simples promeneurs. La grande enceinte qui entourait l'administration de la province était à la fois imposante et élégante ; même pour un Fujiwara, ce poste de gouverneur semblait fort enviable. Son occupant actuel avait-il encore amélioré son train de vie en s'appropriant l'équivalent de trois années d'impôts destinés à l'empereur ?

Vers l'heure du dîner, ils regagnèrent l'auberge et s'attablèrent dehors. Dès que Seimei les rejoignit, ils commandèrent un repas frugal à une servante d'âge mûr, corpulente et prognathe. Tora fit la grimace en la voyant et s'intéressa aux passants.

— Je mettrais ma main à couper que le grand à l'oreille mutilée a été blessé par un fléau d'armes, affirma-t-il en désignant du menton un groupe de jeunes moines bouddhistes qui longeaient l'auberge.

Akitada suivit son regard et comprit aussitôt la raison de cette remarque. Le fléau d'armes était utilisé par des bandes organisées, or les seuls points communs de cet homme avec les religieux au teint crayeux et au corps ramolli que le jeune aristocrate avait rencontrés à Heian-kyo étaient la robe safran et le crâne rasé. Grand, rougeaud et très robuste, il marchait d'un air fanfaron et tenait plus de l'assassin que du moine. Akitada constata avec surprise que ses compagnons lui ressemblaient. Silencieux, ils traversaient la foule avec mépris, lançant des regards scrutateurs tout autour d'eux. Les gens s'écartaient précipitamment sur leur passage.

— Étrange, observa le jeune Sugawara. S'il a quelque chose à se reprocher, espérons qu'il a compris ses erreurs passées et décidé de se racheter.

En bon confucianiste comme son maître, Seimei se méfiait lui aussi du bouddhisme. Il suivit les bonzes des yeux tout en secouant la tête.

— On ne peut pas blanchir un corbeau, même si on le lave pendant un an.

La servante, qui leur avait apporté leur nourriture et du saké, se mit à glousser bruyamment et lui donna un petit coup de coude, s'attirant un regard courroucé de Seimei.

— Tu disais la même chose à mon sujet, grand-père, lui rappela Tora.

— C'est vrai, et regarde-le maintenant !

Très satisfait, Akitada sourit au jeune homme, qui portait une robe neuve de coton bleu avec une large ceinture noire. Retenus par une cordelette, ses longs cheveux étaient relevés en chignon au sommet de son crâne et son visage rasé de frais, à l'exception d'une petite moustache. Sa cicatrice s'était atténuée, et Tora attirait à présent les regards admiratifs de la gent féminine.

— Je me suis peut-être trompé sur ton compte, concéda Seimei avant de mâcher d'un air pensif une bouchée de son plat. Nous verrons bien. Mais souviens-toi que selon maître Kung Fu, un homme devrait se désoler de ses carences, pas de l'incapacité des autres à reconnaître ses mérites.

— Bien dit, approuva le jeune serviteur en prenant son bol de riz et de légumes. Tu devrais m'en apprendre davantage sur ton maître Kung Fu.

Seimei parut ravi. Akitada espérait que le vieil homme commençait à porter un intérêt paternel à Tora : il aurait ainsi quelqu'un d'autre à réprimander et à instruire.

Ils mangèrent et burent avec contentement, contemplant la foule qui se pressait sur le marché.

— Cette province me semble tout à fait prospère, déclara Seimei, faisant écho aux pensées de son maître. Les rizières et les plantations de mûriers que nous avons aperçues sur notre chemin sont bien entretenues, et l'on trouve une profusion de denrées sur ce marché.

— En effet.

Akitada n'avait pas remarqué le moindre signe d'incurie ou de misère. Or, une administration malhonnête avait tendance à négliger l'entretien des routes et des fortifications et à satisfaire sa cupidité en écrasant la population d'impôts excessifs.

— Il y a quelque chose de suspect ici, affirma Tora. C'est mon instinct qui me le dit. Pourquoi ces salauds de dignitaires voleraient-ils les paysans, s'ils ont gardé tous les impôts pour eux-mêmes ? Le palais du gouverneur est orné comme un temple, avec ses tuiles vertes et ses dragons dorés. Où a-t-il trouvé de quoi payer tout ça ?

Akitada secoua la tête d'un air dubitatif.

— Le vol massif d'impôts s'accorde mal avec ce qui ressemble par ailleurs à une excellente administration.

Soudain, Tora siffla.

— Qu'y a-t-il ? demanda Seimei en levant les yeux du pichet de saké vide.

— Regardez cette fille ! s'exclama le jeune homme en la montrant du doigt. Quelle beauté ! Ce cou, et ces hanches !

Un marchand de quatre-saisons avait posé ses paniers pleins de navets, radis, haricots, herbes aromatiques, patates douces et châtaignes en face de l'auberge. Silhouette mince étroitement enveloppée dans une simple robe de coton rayé, cheveux noués à la manière des femmes de rang inférieur, une jolie jeune fille marchandait une botte de gros radis à grand renfort de gestes.

— Ne la dévisage pas, Tora, le gronda Seimei. On ne devrait ni voir ni entendre les femmes.

Lorsqu'il appela la servante pour commander un autre pichet de saké et des condiments, elle arriva avec empressement.

— Et n'essaye pas de nous faire payer les condiments, cette fois, dit-il à la femme. Ils sont inclus dans le prix du saké.

Elle hocha la tête et lui sourit de toutes ses dents avant de s'éloigner à pas feutrés. La mine renfrognée, il la regarda partir en marmonnant :

— On ne peut pas se fier aux femmes. Je parie que c'est elle qui empoche ce qu'elle fait payer pour les condiments. Suis mon conseil, ne t'approche pas des femelles, ajouta-t-il en se tournant vers Tora. Un jeune homme dans ta situation doit garder un esprit pur, sinon il perdra sa fortune dans les plis du premier jupon qui viendra le frôler.

L'avertissement venait trop tard. Tora, une expression déterminée sur le visage, se leva d'un bond et disparut au milieu des passants.

L'attention des gens parut attirée par quelque incident, et un mouvement parcourut la foule, mais quand elle se dispersa il n'y avait plus trace de Tora ni de la fille.

— Ça alors, vous avez vu ? C'est scandaleux ! explosa Seimei. Il s'est rué sans un mot sur la première qui lui plaisait. Qu'allons-nous faire, à présent ?

— Rien. Voilà la servante, Seimei. Nous allons boire notre saké et manger ces délicieux condiments gratuits. Si Tora n'est pas revenu d'ici la fin du repas, nous nous retirerons. Tu pourras lui faire la leçon sur son comportement demain.

— Pensez-vous ! Autant fouetter les cornes d'un bœuf.

Ils reprenaient leur observation quand un colporteur s'approcha de quelques clients à l'autre bout de la terrasse. C'était le premier miséreux qu'ils voyaient dans cette ville. Vieux, courbé et squelettique, il peinait à porter le panier de marchandises sanglé autour de ses épaules et de son cou d'oiseau. Il clopinait au milieu des dîneurs et posait sa corbeille sur les tables à la moindre occasion. Jambes nues, il était vêtu d'un simple pagne et d'une chemise en loques qui dévoilait largement sa peau tannée.

Les clients, des négociants pour la plupart, le chassaient d'un geste ou d'un cri menaçant. Pourtant, obstination ou aveuglement de sa part, il ne cessait de revenir à la charge. Un homme finit par perdre patience et lui envoya un rude coup de pied dans le bas du dos. Le vieil homme tomba tête la première sur son panier de babioles, lesquelles s'éparpillèrent dans la boue. Les marchands éclatèrent d'un rire tonitruant, et aussitôt des gamins des rues se précipitèrent pour ramasser tout ce qu'ils pouvaient emporter.

En un instant, Akitada fut aux côtés du colporteur : il dispersa les garnements, aida le pauvre hère à se relever et le mena jusqu'à leur banc.

— Je suis désolé qu'on t'ait traité de la sorte, grand-père. Tiens, bois un peu de saké. Cela te réchauffera et te redonnera des forces.

Le vieux colporteur tremblait et gémissait, mais le saké le ragaillardit et ses propos finirent par devenir intelligibles. Akitada comprit alors qu'il était beaucoup plus préoccupé par la perte de ses marchandises que par ses blessures. Les yeux rivés sur lui, le jeune homme s'étonna : curieuse existence où il était plus grave d'avoir le ventre creux que de faire une mauvaise chute.

— Seimei, va voir si tu peux retrouver quelques-uns de ses articles, ordonna-t-il au serviteur dont le visage était l'expression même de l'indignation.

Seimei revint avec le panier d'objets boueux et les posa sur la table devant le colporteur. Puis il sortit une feuille de papier de sa large ceinture, la partagea soigneusement en deux, s'essuya vigoureusement les mains et rangea la partie propre.

Devant l'état lamentable de sa marchandise pillée, le colporteur poussa une série de couinements perçants. Sans réfléchir, Akitada proposa de lui acheter ce qui restait, et le vieil homme cessa ses plaintes sur-le-champ et réclama un prix exorbitant. Lorsque son jeune bienfaiteur lui eut réglé la somme sans barguigner, le colporteur, sans un mot de remerciement, vida le contenu de sa corbeille sur la table, remit la sangle autour de son cou et disparut dans la foule d'un pas vif.

— Oh, cet ignoble individu a simulé tout du long ! Qu'allons-nous faire de ce bric-à-brac ? demanda Seimei en farfouillant du bout de ses baguettes parmi les peignes et les épingles bon marché. Tout cela ne vaut même pas deux piécettes de cuivre, et vous lui en avez donné vingt. En plus, ce ne sont que des articles pour femme. Et sales avec ça. À coup sûr, nous allons tomber malades pour avoir touché cette créature et ses saletés.

— Tu pourrais offrir le tout à la servante, suggéra Akitada. Tu sembles l'avoir particulièrement impressionnée.

Bouche bée, Seimei se ressaisit devant le sourire malicieux de son maître. Il s'apprêtait à tout rassembler sur le plateau des condiments quand Akitada s'empara d'un objet au sommet de la pile.

— Si je ne m'abuse, dit-il après l'avoir soigneusement nettoyé, il s'agit d'un fragment de cloisonné chinois. Que vient-il faire dans le panier d'un colporteur ? Regarde, Seimei, c'est une belle-de-jour. Elle est splendide, vois comme chaque feuille verte et chaque pétale bleu est serti d'un fil d'or. Je me demande comment ce vieil homme a bien pu entrer en possession d'une telle merveille.

Pendant que Seimei examinait la fleur, Akitada se mit à scruter la foule à la recherche du colporteur.

— Elle est minuscule, observa le serviteur. Vaut-elle vingt piécettes de cuivre ?

— Pas dans son état actuel. Mais elle valait cent fois plus avant, dans la parure pour cheveux dont elle faisait partie. C'est très curieux, nota le jeune Sugawara en fronçant les sourcils. Rares sont les femmes qui portent des bijoux de nos jours, même dans les maisons les plus nobles. Peut-être cette fleur provient-elle d'un temple pillé. On trouve souvent de beaux ornements sur d'anciennes statues de déesses. Je vais la garder en souvenir. Laisse le reste à la servante, et allons nous coucher.

Le lendemain matin, Tora n'était toujours pas rentré, et Akitada était partagé entre la déception à l'idée que le jeune homme l'ait quitté à la minute où il n'avait plus eu besoin de protection et la peur qu'il se soit de nouveau attiré des ennuis. Quoi qu'il en fût, il ne pouvait rien faire avant d'avoir rencontré le gouverneur.

Lorsqu'il découvrit son maître vêtu de son habituelle tunique de chasse et de son pantalon de coton rentré dans ses bottes, Seimei protesta et insista pour qu'en cette occasion Akitada enfile son habit de cour. Désireux de ménager le vieux serviteur, l'aristocrate contint son exaspération. Il attendit donc en pestant intérieurement que Seimei sorte sa belle tunique longue, son pantalon de soie blanche et la coiffe de gaze noire amidonnée. Toujours muet, il subit les amères récriminations du vieil homme contre Tora. Enfin, cette tenue malcommode n'améliora guère l'humeur d'Akitada, déjà crispé par l'entretien à venir.

Entourés d'une enceinte, les bâtiments qui abritaient le gouvernement de la province écrasaient l'administration du district, située juste à côté. Quand Akitada et Seimei franchirent le portique soutenu par des piliers laqués de rouge, les deux gardes en tenue impeccable postés à l'entrée, hallebarde pointée vers le ciel, les laissèrent passer, non sans les dévisager avec curiosité.

À l'intérieur s'étendait une large cour couverte de gravier et traversée par un chemin pavé long d'environ un demi-chô[1] qui conduisait aux marches du bâtiment principal. Derrière son toit élevé, ils aperçurent d'autres toits, également de tuiles ou bien de chaume ;

1. Un *chô* correspond à 109,09 mètres. (*N.d.T.*)

Akitada supposa qu'il s'agissait des quartiers de la garde personnelle du gouverneur, de sa résidence privée, des logements destinés aux hôtes, des bureaux, de la prison, des archives et des entrepôts.

Ils ne tardèrent pas à comprendre pourquoi ils avaient pu pénétrer aussi facilement dans la place. Une compagnie entière était en exercice. Un homme vêtu d'une simple robe foncée de clerc se détacha d'un petit groupe d'observateurs et vint à leur rencontre.

— En quoi puis-je vous être utile ? demanda-t-il en s'inclinant profondément devant Akitada, que sa tenue désignait comme une personne de haut rang.

— Je suis l'inspecteur Sugawara Akitada, tout juste arrivé de la capitale, déclara celui-ci, ravi de s'être plié aux exigences vestimentaires de Seimei. Vous pouvez me mener auprès du gouverneur.

Son interlocuteur tressaillit, puis blêmit et tomba à genoux en se courbant jusqu'au sol.

— L'insignifiant personnage que vous avez devant vous est le secrétaire du gouverneur, Akinobu. Votre Excellence était attendue, mais nous pensions… Eh bien, d'ordinaire un membre du cortège officiel nous prévient bien avant l'arrivée du dignitaire. Mille excuses pour ne pas avoir reçu Votre Excellence avec les honneurs qui lui sont dus. J'espère que Votre Excellence a fait bon voyage.

Devant la nervosité de l'homme, Akitada se réjouit secrètement d'être arrivé de manière aussi incongrue.

— Très bon ! s'exclama-t-il d'un ton enjoué. J'ai voyagé à dos de cheval, accompagné de mon secrétaire, Seimei, et d'un domestique qui nous rejoindra plus tard. Levez-vous, je vous en prie.

Akinobu s'exécuta ; son visage mince trahissait son inquiétude et sa confusion, mais il ne fit aucune remarque. Après une nouvelle courbette, il les guida à l'intérieur d'une immense salle au splendide parquet ciré en bois sombre ; le plafond, soutenu par des poutres peintes, était fort élevé. De toute évidence, l'endroit était destiné aux réceptions officielles et aux audiences publiques. Traversant le bâtiment, ils débouchèrent dans une nouvelle cour très vaste, puis pénétrèrent dans un édifice de taille plus modeste. Celui-ci comprenait une multitude de bureaux séparés par des paravents où s'affairaient de nombreux clercs qui classaient des documents, mettaient à jour et consultaient des registres.

— Voici la bibliothèque du gouverneur, annonça Akinobu en les faisant entrer dans une pièce élégante.

Ornée de peintures, elle était meublée de bureaux laqués et d'étagères où s'alignaient des boîtes en cuir contenant des documents. Le parquet était recouvert d'épais tatamis sur lesquels étaient disposés des coussins en soie.

— Asseyez-vous, je vous en prie. Son Excellence va vous rejoindre.

Ils s'installèrent sur les coussins.

— Qui aurait imaginé un tel cadre dans une province ? chuchota Seimei après le départ d'Akinobu.

Les yeux fixés sur des rouleaux peints qui représentaient les quatre saisons, son maître ne répondit pas. En plus d'être un homme de bien, le gouverneur était un homme de goût.

Ils n'eurent pas longtemps à attendre. Le visage fendu d'un large sourire, Fujiwara Motosuke entra d'un bond, agitant les mains avec excitation.

— Bienvenue, bienvenue, bienvenue ! Comme je suis heureux de vous voir, mon cher Sugawara ! Quelle chance que vous soyez arrivé ici sain et sauf ! s'exclama-t-il en ouvrant les bras.

Le jeune inspecteur fut frappé non seulement par l'accueil, mais par la ressemblance de Motosuke avec Kosehira. De vingt ans son aîné, le gouverneur avait le même corps trapu et se montrait aussi enjoué que son cousin. Excepté la moustache plus épaisse et tombante et les fils d'argent qui apparaissaient çà et là dans les cheveux noirs et huilés, Akitada avait l'étrange impression d'être face à son ami tel qu'il serait plus tard.

Dans un salut conforme à l'étiquette, Seimei s'agenouilla, le front sur le tatami, cependant qu'Akitada demeurait assis et se contentait d'incliner poliment la tête sans sourire. Il avait terriblement conscience de son incorrection, mais il ne pouvait guère permettre à cet homme, sur qui pesaient de graves soupçons de détournement d'impôts, de l'embrasser comme un frère de retour après une longue absence.

Le gouverneur cilla. En temps normal, son rang et son âge le plaçaient bien au-dessus d'Akitada, mais ce dernier avait décidé dc faire valoir son statut temporaire de *kageyushi,* inspecteur impérial chargé d'examiner les comptes d'un gouverneur sortant.

Motosuke laissa retomber ses bras et prit place à son tour avant de se lancer dans un nouveau flot de paroles de bienvenue et de sollicitude concernant les fatigues de leur voyage.

— Bien, bien, gouverneur, l'interrompit sèchement Akitada. Je ne doute point de votre sympathie et je vous remercie de votre accueil, mais le but de ma visite n'est ni personnel ni honorifique. Passons sans plus tarder au sujet qui nous occupe. Mon secrétaire particulier, Seimei, va vous présenter mes lettres de créance.

Visiblement abasourdi, Motosuke n'en reçut pas moins les rouleaux avec le respect attendu : du front, il effleura les sceaux impériaux, puis il s'inclina profondément avant de délier les cordelettes de soie.

Lorsqu'il eut achevé sa lecture, il poussa un soupir. Il roula les lettres avec soin et les rendit à Akitada en disant :

— C'est pour moi une grande honte que de tels actes aient été commis pendant mon administration.

(Il marqua un arrêt et reprit après avoir jeté un regard presque craintif à son hôte :) Mon cousin m'a écrit que vous aviez un grand talent pour résoudre les mystères de toutes sortes. J'espère très sincèrement que votre inestimable expérience vous permettra de m'aider à découvrir les scélérats responsables et à débarrasser ma réputation de cette tache avant la fin de mon mandat.

Akitada fronça les sourcils. Il avait beau détester le rôle qu'il était obligé de jouer, il n'avait pas la moindre intention de se transformer en conseiller personnel du gouverneur dans cette affaire.

— Il est indispensable que nous ayons accès à tous vos dossiers sur-le-champ. Vous voudrez bien donner des instructions dans ce sens à votre personnel. Mon secrétaire vous tiendra informé dans la mesure où l'enquête le requerra, ou si votre témoignage se révèle nécessaire, déclara-t-il froidement avant de se lever.

Motosuke, qui avait pâli à ces mots, se releva tant bien que mal à son tour.

— Bien sûr. Je vais prendre les dispositions nécessaires. (Timidement, il ajouta :) Vous… vous allez avoir besoin de repos. Je vous ai fait préparer des chambres dans ma résidence. Puis-je vous y conduire ? Si jamais vous avez besoin de quelque chose, quoi que ce soit, surtout n'hésitez pas à faire appel aux domestiques.

— Merci, dit Akitada d'un ton sec, mais je préférerais séjourner dans l'enceinte du tribunal. Vous y avez des appartements pour les visiteurs officiels, j'imagine.

De la sueur perla sur son front tandis que Motosuke se tordait les mains.

— Oui, bien sûr, bredouilla-t-il. Que n'y ai-je songé plus tôt ! Seulement, ces appartements-là sont loin d'être aussi confortables que ceux de ma résidence, et le froid est de plus en plus vif. En vérité, l'hiver est une saison fort peu agréable. Comme je regrette que vous ne soyez pas arrivé à l'automne ! Nous vous aurions offert de très bonnes parties de chasse et de pêche. J'espère tout de même pouvoir vous présenter à quelques dignitaires de la ville. Pour le reste, vous n'aimerez pas la nourriture du tribunal. Elle est destinée aux soldats et aux prisonniers. Ma cuisine, mes serviteurs et mes écuries sont à votre entière disposition.

Devant sa détresse, Akitada se radoucit légèrement.

— Merci, dit-il en s'inclinant avec raideur. C'est très aimable à vous. Je serais honoré de faire la connaissance des dignitaires de la province. À présent, si vous voulez bien nous conduire aux archives. Mon secrétaire et moi-même aimerions rencontrer vos clercs.

Sur place, ils passèrent la journée à s'entretenir avec lesdits clercs et à parcourir les registres. Akitada fut favorablement impressionné par l'efficacité du personnel et l'impeccable tenue des documents. Il se garda d'interroger quiconque sur les impôts disparus. Lorsqu'il jugea en avoir assez vu, il demanda qu'on les mène à leurs appartements. La nuit tombait, et un vent froid soufflait. Pourtant, une bonne surprise les attendait : avec sa véranda couverte, le pavillon des invités se révéla spacieux et agréable ; il possédait même sa cour particulière protégée par un mur. Après une rapide inspection des lieux, Seimei pria un serviteur de les conduire aux bains.

— Il est encore tôt, protesta son maître. J'aurais voulu commencer par faire le tour du tribunal.

— Vous oubliez ces archives poussiéreuses, lui rappela Seimei. Et puis, qui sait, le gouverneur nous rendra peut-être visite pour s'assurer que nous sommes bien installés. Il m'a fait l'effet d'un gentilhomme d'une extrême courtoisie.

Bien qu'il eût préféré un hôte moins aimable, Akitada partageait son opinion.

Les bains du tribunal étaient spacieux et déserts, à l'exception d'un grand gaillard de domestique presque nu qui alimentait le feu et les assista pour leurs ablutions. Akitada se soumit à un frottage vigoureux avant de s'immerger dans un profond baquet en bois de cèdre plein d'eau fumante. Comme ils ne pouvaient guère discuter du gouverneur en présence d'un tiers, le jeune homme fit le vide dans son esprit et se laissa gagner avec plaisir par la détente.

Quand ils regagnèrent leur chambre, ils trouvèrent du courrier en provenance de la capitale et une théière de thé parfumé accompagnée d'un message de Motosuke superbement calligraphié sur une belle feuille en papier de mûrier, dans lequel il expliquait que le thé était non seulement revigorant pour l'âme, apaisant pour la gorge, et stimulant pour l'estomac, mais qu'il gardait des maladies et améliorait l'humeur.

Seimei était enchanté : il avait découvert le thé en Chine et croyait en ses vertus médicinales. Après avoir rempli deux tasses en porcelaine fine, il en tendit une à son maître.

— Vous n'auriez pas dû parler aussi rudement au gouverneur, déclara-t-il d'un ton désapprobateur. À l'évidence, c'est une personne d'une grande supériorité, non seulement par son rang, mais aussi par ses manières. J'ai été choqué.

Akitada, qui se sentait toujours terriblement embarrassé par cet incident, garda le silence.

— Ah, il est très amer ! se réjouit Seimei après avoir goûté le thé. Buvez, buvez ! Pensez au colporteur ! Quelqu'un d'aussi sale ne peut qu'être affecté par toutes sortes d'horribles maladies.

— C'est une délicate attention de la part du gouverneur, observa le jeune noble. (Avec un soupir, il reposa sa tasse intacte.) J'ai peut-être été trop brusque. Il nous a chaleureusement accueillis, nous a offert l'hospitalité, et je me suis montré glacial à son égard comme s'il était un criminel reconnu. Oh, Seimei, je n'ai pas d'autre choix que de le laver de tout soupçon ou de l'arrêter. Mais qui suis-je, moi, un jeune fonctionnaire inexpérimenté de huitième rang, pour arrêter un Fujiwara plus âgé que moi et de très loin mon supérieur ?

Seimei ne manifesta pas la moindre inquiétude.

— C'est l'empereur qui vous a envoyé, et cela vous donne le pouvoir d'agir en son nom. Le gouverneur a fait preuve de l'humilité requise. Et puis, vous n'avez pas votre pareil pour résoudre les énigmes, et je ne doute pas que vous innocenterez Son Excellence en temps voulu.

Akitada secoua la tête.

— Avant mon départ, la rumeur disait que s'ils envoyaient une personne sans expérience, c'était parce qu'ils voulaient que l'enquête échoue. C'était aussi l'avis du capitaine à Hakone. Je serai sans doute blâmé en cas d'échec, mais ce sera peut-être pire si je réussis.

Il saisit alors ses lettres et mit de côté la missive de sa mère pour se plonger dans celle de son ancien professeur.

— Ça alors, Tasuku se fait moine ?

— Tasuku ? répéta Seimei. Le jeune homme très populaire qui récitait toujours des poèmes ?

— Oui, des poèmes d'amour. Tasuku avait beaucoup de succès auprès des femmes. Voilà pourquoi cette nouvelle est si consternante. Le professeur ignore ce qui s'est passé. Ça s'est produit brusquement, et dans la plus grande discrétion.

Le beau Tasuku avait assisté à sa soirée d'adieu. Ivre, il avait même provoqué un esclandre et cassé son élégant éventail avant de partir avec fracas. Cela ne lui ressemblait pas, mais ce n'était rien comparé à ce que lui annonçait son ancien maître.

Akitada s'apprêtait à lire la lettre de sa mère lorsqu'il remarqua un coffret en cuir rouge à côté du plateau à thé.

— J'imagine que le thé était destiné à nous tenir éveillés pendant l'examen de la première partie de la comptabilité de Motosuke, grommela-t-il.

— Pas ce soir, protesta Seimei. Même le plus fort des bœufs a besoin de repos après un long voyage.

Trop tard ! Akitada avait déjà rabattu le couvercle. L'espace d'un instant, il demeura cloué sur place, comme paralysé. Puis son visage se rembrunit sous l'effet de la colère.

— Qu'y a-t-il ? lui demanda Seimei.

— Dix lingots d'or, répondit-il d'une voix étranglée.

3

BARBE NOIRE

Tora soupira d'aise quand la fille aux hanches attrayantes se retourna après avoir payé ses radis. Elle avait un visage ravissant et… terrifié. Soudain, elle fut masquée par deux dos couleur safran. Les moines !

Seulement conscient de l'affolement de la belle, Tora ne songea pas une seconde que ces hommes prononçaient des vœux de chasteté et de non-violence. Si cette jolie fille en avait peur, il n'en fallait pas davantage pour qu'il se rue à son secours.

D'un bond, il fut dans la rue. Il évita un char à bœufs, laissa passer deux vieilles femmes, sauta par-dessus un chien errant, et fonça dans une cage en bambou pleine d'oiseaux chanteurs qu'un marchand ambulant transbahutait sur son dos. Les protestations bruyantes de l'homme et de ses volatiles attirèrent nombre de badauds, et Tora ne fut libéré qu'après confirmation que ni la cage ni les oiseaux n'avaient souffert de la collision.

La fille et les moines avaient disparu. Seul le marchand de quatre-saisons, qui fixait pensivement le coin de la rue la plus proche, n'avait pas bougé. Tora le secoua par le bras pour attirer son attention.

— Par où sont-ils partis ? cria-t-il.

— Oh, vous êtes de sa famille ? Je suis vraiment désolé pour la jeune femme. Les frères ont tout expliqué et l'ont emmenée avec eux.

— Expliqué quoi ?

Tora se rendit à l'évidence : il avait commis une erreur, mais c'était trop tard. L'homme fronça les sourcils.

— Qui êtes-vous ? En quoi est-ce que ça vous regarde ?

Poussant un juron, Tora se précipita dans une ruelle rendue presque impraticable par la multitude de paniers, de caisses, et les montagnes de déchets qui s'étaient accumulés à cause du marché. De chaque côté s'alignaient des échoppes, de petites maisons, et des courettes fermées par des clôtures. De jeunes enfants jouaient au milieu des détritus, des commis filaient de tous côtés avec leurs paquets, et des femmes traînaient des paniers de marchandises, mais il n'y avait pas la moindre trace de la jeune fille et des moines.

Tora s'enfonça rapidement dans la foule, esquivant les différents obstacles qui se dressaient sur son passage et ne s'arrêtant que pour jeter un œil dans chaque ruelle qu'il dépassait.

À la troisième, il eut la chance de repérer une robe safran qui disparaissait à l'autre bout. Il pressa le pas, et lorsqu'il arriva à son tour au coin de la rue il les vit : la jeune fille gracile se débattait frénétiquement entre ses robustes ravisseurs. Soudain, l'un d'eux lui administra une gifle cinglante.

Tora rugit et bondit sur les deux hommes. Les saisissant par le col, il les tira brutalement en arrière. Sous l'effet de la surprise et malgré leur stature, ils perdirent l'équilibre et atterrirent sur le sol. Tora décocha un rude coup de pied dans les côtes du premier, puis il empoigna le second par sa robe et le souleva juste assez pour lui envoyer son poing dans la figure. Le moine s'écroula sans bruit. Quand il se retourna pour administrer le même traitement à son complice, celui-ci prit ses jambes à son cou, la robe retroussée jusqu'aux genoux et les sandales claquant au bout de ses longues jambes.

Recroquevillée contre le mur d'une hutte, la fille pressait le bord de sa manche contre sa lèvre ouverte.

— Est-ce que ça va ? lui demanda Tora en s'approchant.

Elle acquiesça en hochant lentement la tête et posa sur lui de grands yeux pleins de larmes.

Quelle beauté ! songea-t-il avant d'adopter une attitude paternelle.

— Tout va bien maintenant, ma petite. Je vais prendre soin de toi. Mais pourquoi n'as-tu pas appelé à l'aide ? Et que voulaient ces salauds ?

Elle secoua la tête. Tout à coup, son regard se posa au-delà de lui et ses yeux s'agrandirent d'effroi. Faisant volte-face, Tora découvrit que le moine qu'il avait assommé avait repris connaissance et s'apprêtait à l'attaquer à son tour. Après avoir reçu sur le bras un mauvais coup destiné à sa tête, Tora fut paralysé un instant par la douleur, mais il fit prestement un bond de côté et recula pour éloigner l'homme de la jeune inconnue. Parvenu à une distance suffisante, il s'arrêta et s'accroupit face à son adversaire, qui tenait un morceau de planche à la main. Montrant les dents, il poussa alors un nouveau rugissement et chargea. Le moine lâcha la planche et s'enfuit du même côté que son compagnon.

Déconcerté face à une telle lâcheté, Tora se retourna vers la fille : elle aussi avait disparu. La déception l'envahit, lui qui, après sa démonstration de virilité, avait espéré combler la charmante petite de soins et d'attentions. Il se mit à arpenter la rue avec impatience.

— Hé, reviens ! appelait-il. Tout va bien.

Dans le quartier pauvre où il se trouvait à présent s'alignaient des maisons d'ouvriers qui possédaient toutes une cabane garde-manger et de petits potagers protégés par des clôtures de bambou en mauvais état sur lesquelles séchait du linge défraîchi. Dans l'immédiat, il n'y avait âme qui vive. Confronté à l'impossibilité de retrouver la fille dans un tel labyrinthe, Tora exprima sa frustration par une bordée de jurons. Il était sur le point de regagner le marché quand il entendit un gloussement sifflant. Une main squelettique tenant un bol en bois vide surgit alors dans l'espace sombre situé entre une hutte et une clôture brisée. Après un mouvement de recul, Tora risqua un œil. Un vieil homme courbé, décrépit et d'une saleté repoussante posa sur lui des yeux noirs de fouine et lui adressa un sourire édenté.

— Comme tu y vas, étranger ! s'exclama-t-il d'une voix aussi sifflante que son rire. Pour tous ces jurons, il t'en coûtera cinq piécettes de cuivre !

— Ne sois pas si gourmand ! lui rétorqua Tora avec rudesse avant de s'éloigner.

— Tu veux retrouver la fille, pas vrai ?

Tora revint aussitôt sur ses pas.

— Parle, et nous verrons. Je ne suis pas né de la dernière pluie, tu sais.

— Hé, hé, moi non plus.

Tora lui jeta un nouveau coup d'œil. Le mendiant était assis sur un panier, une jambe bandée étendue devant lui. L'autre se réduisait à un moignon dénudé avec une horrible cicatrice en lieu et place du genou.

Étouffant un juron, le jeune homme déposa cinq piécettes dans le bol vide. Le gueux fourra vivement bol et monnaie contre sa poitrine.

— Suis-moi ! ordonna-t-il en se levant.

À la grande stupéfaction de Tora, l'infirme se tenait sur deux jambes parfaitement valides, quoique maigres et fort arquées. Il rangea le moignon, un morceau de bois peint, dans sa chemise avant de filer de guingois.

— Hé !

Tora ne surmonta son étonnement que lorsque le vieux filou eut disparu au coin de la rue. Il se lança alors à sa poursuite : cinq pièces de cuivre n'étaient pas une somme à dédaigner, et il refusait de se laisser duper.

Le mendiant se déplaçait à une allure surprenante sur ses jambes tordues ; à l'évidence, il connaissait son chemin. Au pas de course, ils traversèrent une cour déserte, longèrent plusieurs hangars et franchirent un portail grinçant, avant de déboucher dans une ruelle où se trouvaient un verger et un sanctuaire shinto. Après avoir dépassé le bouquet d'arbres et le sanctuaire shinto au portique – le *torii* – laqué de rouge, ils arrivèrent dans une rue déserte où se succédaient entrepôts et résidences entourées de murs d'enceinte. Là, le gueux s'arrêta enfin et attendit Tora, qui le rejoignit en haletant.

— Pourquoi t'es-tu enfui ?

Le mendiant désigna un long bâtiment qui ressemblait à un entrepôt de négociant.

— Entre ici et dis-leur que tu viens de la part du Rat.

Tora gronda et souleva le vieil homme par sa chemise en lambeaux.

— Oh que non ! Si j'entre, ils me trancheront la gorge et vous vous partagerez le butin. Je ne suis pas naïf au point d'ignorer à quoi on joue avec les étrangers. (Le visage contre celui du mendiant, il ajouta avec hargne :) Tu m'as déjà berné une fois, avec ton faux moignon, et tu as eu tes cinq pièces. À présent, soit tu me les rends, soit tu me conduis à la fille. Sinon, je ferai de toi un véritable infirme, tu peux me croire.

Il secoua le Rat de telle sorte que jambe de bois, bol et piécettes de cuivre tombèrent et se dispersèrent dans la rue.

— Non, non ! gémit le gueux. Tu ne comprends pas. Lâche-moi, imbécile. Je te préviens, c'est dangereux de faire du raffut par ici. Ces moines en ont toujours après la fille, et ils ne t'oublieront pas non plus. Entre donc et raconte-leur ce qui s'est passé.

Tora le relâcha.

— Tu as vu, toi, ce qui s'est passé ?

Le mendiant acquiesça.

— Je veille sur elle. Maintenant, vas-y ! Et souviens-toi : c'est le Rat qui t'envoie.

Il se baissa pour rassembler ses affaires et s'enfuit d'un pas précipité.

Tora observa la demeure : elle avait un toit en chaume très pentu, mais pas de fenêtres en façade. Au centre, un panneau rouge avec une inscription en larges caractères noirs surmontait une double porte.

Il s'approcha et pénétra dans une grande salle mal éclairée. Quelques nattes épaisses étaient disposées sur le sol, et un râtelier de bâtons de combat en chêne et en bambou se dressait contre un long mur. Sur un autre mur étaient suspendues plusieurs cibles de différentes tailles, et des arcs et des carquois étaient accrochés à des chevilles en bois. L'endroit était désert.

Tora se dirigea vers une petite porte au fond de la salle et se retrouva dans une cour en terre battue également déserte. C'est alors qu'il aperçut la fille dans le potager adjacent, délimité par une basse clôture en bambou. Penchée sur un panier de choux, elle lui tournait le dos. D'un bond, il franchit la clôture et la héla, mais l'inconnue ne prêta nulle attention à lui. Il voulut s'approcher et heurta un seau, qui se renversa ; quand l'eau atteignit ses pieds, elle se retourna vivement. Le jeune homme la salua de nouveau tout en admirant ses grands yeux magnifiques. Comme elle ne disait rien, il songea soudain qu'elle était peut-être simple d'esprit. Il lui adressa un sourire rassurant et parla lentement.

— N'aie pas peur, petite sœur. Je m'appelle Tora. C'est le Rat qui m'a indiqué ta demeure.

Elle recula en secouant la tête. Tora, qui commençait à perdre patience, lui lança un regard noir.

— Cesse de t'enfuir, enfin ! Pourquoi ne réponds-tu rien ? Tu pourrais au moins me remercier.

Visiblement effrayée, elle se détourna pour courir vers sa maison. Tora voulut la retenir par l'épaule, mais on lui saisit brutalement l'autre bras et il se trouva déséquilibré. Il reçut un violent coup à l'arrière du genou, puis un autre tout aussi rude dans le bas du dos avant d'être soulevé et jeté à terre. Il atterrit contre un tronc d'arbre dans un bruit sourd. D'instinct, il roula sur lui-même et se prépara à riposter tandis qu'une ombre venait dans sa direction. Son bond en avant fut arrêté net par un pied levé ; un talon le frappa droit au menton, envoyant sa tête cogner contre l'arbre. Il perdit connaissance.

Lorsqu'il revint à lui, il sentit des mains douces sur son visage à travers un brouillard douloureux. On lui tamponnait les lèvres avec un linge frais et humide. Il les lécha, et le goût salé du sang lui fit ouvrir les yeux.

Il était appuyé contre l'arbre, et une étrangère était penchée sur lui. Il chercha son agresseur du regard, mais ne vit personne.

— Je suis vraiment désolée, fit la jeune femme d'une voix forte et claire. J'ai cru que vous importuniez ma sœur. Je veille sur elle parce qu'elle ne peut pas appeler à l'aide.

Se rappelant l'ingrate qu'il avait secourue, Tora jeta un regard furieux à celle qui se disait sa sœur.

— Comment ça, elle ne peut pas appeler à l'aide ? Pourquoi l'aurait-elle fait ? Je l'ai hélée à plusieurs reprises et je me suis présenté. Elle me connaissait. Sans compter que, sans moi, cette sotte se serait sûrement fait violer. Pourquoi aurait-elle eu besoin d'aide ? Quelle mouche vous a donc piquées, toutes les deux ? Et… (Il la repoussa sans ménagement et se releva.) Et qui m'a assommé ? Par tous les diables de l'enfer, que se passe-t-il ici ?

Bien qu'il n'y ait toujours nulle trace de son assaillant, il prit la précaution de ramasser un long bambou.

— Je vous ai déjà dit que j'étais désolée, répondit l'inconnue en se mordant la lèvre. Otomi, ma sœur, est sourde-muette. Je me nomme Ayako. Notre père, Higekuro, enseigne les arts martiaux, et cela attire beaucoup de personnages douteux.

Même si sa beauté était loin d'égaler celle de sa sœur, Tora constata qu'Ayako était plaisante à regarder. Dans l'immédiat, il était cependant bien trop furieux pour s'en soucier.

— Ah ! Alors, comme ça, je suis un personnage douteux, maintenant ! aboya-t-il. Merci beaucoup. Eh bien, tu diras à ton père qu'il est d'usage d'expliquer à quelqu'un ce qu'on lui reproche avant de l'assommer. Et, en plus, j'ai été attaqué par-derrière ! Pas étonnant que cet endroit attire les voyous. Aucun honnête homme ne se battrait ainsi. Quand je pense que j'ai écouté ce type qui se fait appeler le Rat ! s'exclama-t-il en se frappant le front de la paume.

La jeune femme rougit et se leva à son tour. Elle ouvrit la bouche pour intervenir mais Tora, au comble de l'indignation, poursuivit sur sa lancée :

— En tout cas, tous autant que vous êtes, vous feriez mieux de prendre soin de cette pauvre fille, au lieu de l'envoyer seule au marché où n'importe quel scélérat peut poser la main sur elle. Deux bâtards habillés en moines l'ont enlevée pour leur plaisir. Je les ai rattrapés juste à temps. Elle aurait pu se faire violenter par un monastère entier, si ça n'avait tenu qu'à vous.

— Cela ne vous autorise pas à insulter mon père !

— Oh, pour l'amour de Bouddha ! marmonna-t-il avec écœurement.

Il se débarrassa du bambou et se dirigea vers la porte par laquelle il était sorti un peu plus tôt.

— Attendez !

Il continua son chemin sans s'arrêter.

Tandis qu'il traversait la salle d'exercice, il entendit des pas précipités derrière lui. Quand une main le tira par la manche, il se retourna et découvrit la jeune sourde-muette en larmes.

— Écoute, euh, Otomi, commença-t-il avec embarras. Ce n'est pas grave. Mais fais attention, la prochaine fois.

Comme il la saluait pour prendre congé, Ayako arriva. Elle s'agenouilla et inclina la tête.

— Cette personne ignorante vous présente ses excuses pour ses paroles et ses actes. Ils apportent le déshonneur sur notre famille. S'il vous plaît, par égard pour ma sœur, je vous supplie de ne pas partir sans permettre à notre père de vous exprimer sa gratitude et de vous offrir à boire.

Tora hésita. Il n'avait nul désir de faire davantage connaissance avec cette étrange famille, mais il était curieux de rencontrer l'homme qui l'avait terrassé aussi facilement. Acquiesçant à contrecœur, il se laissa conduire auprès du professeur d'arts martiaux.

Il pénétra dans une pièce qui servait à la fois de cuisine et de séjour. De taille modeste et très propre, elle était meublée d'une estrade en bois où l'on pouvait s'asseoir. Quelques ustensiles élémentaires étaient disposés dans le coin destiné à la préparation des repas et, à l'opposé, des coffres en bois empilés les uns sur les autres formaient de hautes marches qui menaient au grenier.

Occupé à tresser des sandales de paille, un géant barbu était assis sur l'estrade dans la pose du Bouddha. Son abondante barbe noire expliquait son nom, Higekuro signifiant Barbe Noire.

— Un nouvel élève, mon enfant ? demanda-t-il à son aînée d'une voix tonitruante lorsqu'il vit Tora.

— Non, père, répondit Ayako. Un ami. Il a sauvé Otomi de deux moines, aujourd'hui. C'est le Rat qui nous l'envoie.

Higekuro lâcha son ouvrage et se redressa, posant un regard plein d'intérêt sur son visiteur.

— Vraiment ? Dans ce cas, nous vous sommes terriblement redevables, messire.

Fixant le géant avec méfiance, Tora s'avança, s'inclina et se présenta. À l'évidence, cet homme à la carrure impressionnante était celui qui l'avait attaqué. Quel jeu jouait-il donc ?

— Venez donc boire du saké avec moi, poursuivit Higekuro en l'invitant à prendre place à côté de lui. Deux moines ? Grands dieux ! Ils vous ont donné du fil à retordre, à ce que je vois. Votre visage est tout entaillé et tuméfié.

Il fit signe à Otomi de s'approcher et désigna le visage de son hôte.

— Va chercher du baume, ma petite. Ta sœur va nous servir le saké.

La jeune fille observa attentivement le mouvement de ses lèvres avant d'acquiescer et de se précipiter au grenier.

Le regard de Tora allait du géant barbu à Ayako. La situation lui échappait totalement. Tout était étrange chez ces gens. Peut-être s'était-il égaré chez les esprits renards.

Ayako surprit son expression et devint écarlate.

— C'est ma faute, père, murmura-t-elle en baissant la tête. J'ai tellement honte. J'ai cru qu'il voulait faire du mal à Otomi, et… j'ai bien peur d'avoir…

— C'était toi ? s'exclama Tora, atterré. Toi ? Une simple fille m'aurait soulevé et jeté ainsi ? Impossible ! C'est une plaisanterie, n'est-ce pas ? C'était vous, maître Higekuro, pas vrai ?

Ayako se détourna et son père secoua la tête avec tristesse.

— Je suis désolé, dit-il. J'imagine ce que vous devez éprouver, et cela me chagrine profondément. (Il soupira.) Essayez de lui pardonner. Ayako est très douée, vous savez. J'ai été son maître avant de perdre l'usage de mes jambes. Depuis, elle m'assiste dans mon enseignement. Elle se charge de toutes les leçons de combat au bâton, et c'est elle qui montre les prises de lutte. Je suis paralysé en dessous de la taille, aussi ne puis-je enseigner que le tir à l'arc. Je me contente de donner des instructions et des conseils dans les autres arts.

Interdit, Tora préféra foudroyer Ayako du regard plutôt que de fixer le corps infirme de son père. Une combattante ! Des histoires circulaient sur de telles femmes, mais l'inconvenance de la chose le choquait profondément. On attendait des femmes qu'elles soient de faibles créatures, douces, aimables et conciliantes avec les hommes. Peut-être celle-ci avait-elle quelques excuses, puisque son père était infirme et n'avait point de fils pour prendre la relève mais, aux yeux de Tora, Ayako avait cessé d'être désirable.

Lorsque Otomi rapporta le baume et soigna sa lèvre fendue avec des gestes tendres et de nombreux regards de commisération, il se sentit totalement conforté dans son jugement sur sa sœur.

Ayako lui tendit une tasse de saké et lui glissa à voix basse :

— Mon père est le meilleur archer de la province. Personne ne peut le surpasser. Il pourrait vous montrer quelques-unes de ses techniques. Gratuitement, bien sûr.

— Ma fille exagère, déclara modestement Higekuro, mais je suis d'accord. Permettez-nous de vous témoigner notre gratitude. Lorsque les muscles de mes jambes m'ont abandonné, je me suis concentré sur l'exercice des bras et de la partie supérieure du corps. Bander un arc et tirer sur des cibles sont un bon entraînement. Après être devenu expert, j'ai commencé à prendre des élèves. Nous vivons selon ce principe, affirma-t-il en désignant un rouleau accroché au mur sur lequel figuraient des caractères.

Tora cligna des yeux et acquiesça avec gêne : il ne savait pas lire.

— « Pas de nourriture sans travail », lut Higekuro. Nous travaillons tous, à notre façon, même la plus jeune. Elle peint et elle a beaucoup de talent. Après le travail de la journée, mes filles se partagent les tâches ménagères et moi je tresse des sandales de paille. Mais assez parlé de nous. Vous devez nous considérer comme de bien mauvais hôtes. Que diriez-vous de sustenter notre invité, les filles ?

Tora refusa poliment, mais il fut instamment prié de rester. Pendant que ses filles s'affairaient à préparer le repas, Higekuro interrogea son invité sur l'incident avec les moines. Lorsque le jeune homme eut satisfait sa curiosité, il secoua la tête.

— Je ne comprends pas. Avant, Otomi se rendait dans tous les temples situés à moins d'une journée de marche afin de dessiner des ébauches pour ses peintures, mais ces derniers temps elle a manifesté beaucoup de réticence à y aller. J'ignorais qu'elle avait de bonnes raisons de se méfier de ces moines. Le Rat veille sur elle, mais heureusement que vous êtes intervenu, car il n'aurait pas pu l'aider. Je me demande ce qui les a poussés à faire une chose pareille.

— C'est une beauté, grogna Tora, voilà pourquoi.

Higekuro haussa les sourcils.

— Il y a eu des plaintes concernant les jeunes moines du temple des Quatre Nobles Vérités. J'ai cru que c'était juste la fougue de la jeunesse, mais peut-être ferions-nous mieux de surveiller Otomi à l'avenir.

— Il s'agit du grand temple situé dans les collines ? s'enquit Tora.

— Oui. Mes filles m'ont dit qu'il était magnifique. Le nouveau supérieur est un grand prédicateur. Nombreux sont ceux qui se déplacent pour l'écouter. Le gouverneur et sa famille et la plupart des soi-disant gens de bien assistent à ses offices religieux.

Les yeux rivés sur les hanches d'Otomi, Tora n'écoutait que d'une oreille.

— Ces salauds ! grommela-t-il. J'aurais dû les tuer !

Suivant son regard, Higekuro lui demanda :

— Êtes-vous marié, Tora ?

— Non. Je n'en ai jamais eu les moyens. Bien sûr, à présent… (Tora songea qu'un peu de vantardise ne pouvait pas lui nuire et reprit :) Je suis au service de messire Sugawara, qui vient d'arriver de la capitale.

— Ah oui. Votre maître a été envoyé pour enquêter sur la disparition des impôts, fit observer Higekuro. Ne soyez pas surpris. Tout le monde ici s'interroge sur ce mystère. Pensez donc : un convoi qui disparaît à trois reprises avec soldats, porteurs, chevaux de bât, et tout le chargement, et cela sans la moindre trace, si l'on en croit les avis officiels.

Bouche bée, le jeune homme s'arracha à la contemplation d'Otomi et se tourna vers son hôte.

— Comment est-ce possible ? Il doit y avoir du mensonge là-dessous. Vous y croyez, vous ?

Higekuro prit un air pensif.

— Eh bien, l'administration actuelle a été bonne à bien des égards. Les gens regretteront messire Fujiwara. À mon avis, une personne du convoi, peut-être sur ordre de quelqu'un d'autre, a simplement emmené les biens tout au nord. Là, les porteurs et les soldats ont été achetés, et ils craignent trop les représailles pour rentrer chez eux.

— Si ces soldats sont des lâches et des voleurs, c'est la faute de la garnison. Peut-être même que le commandant est derrière cette affaire. Oui, sans doute. Pas étonnant que des moines bagarreurs se croient tout permis.

— Nous avons un nouveau commandant, répondit Higekuro. Il est jeune mais compétent, paraît-il. Et puis, c'est à la police préfectorale qu'il appartient de faire régner l'ordre dans la ville, pas à la garnison. Eh bien, j'espère que votre maître et vous-même réussirez à trouver la clé de cette énigme, ajouta-t-il en donnant une claque amicale sur l'épaule de Tora. Et maintenant, à table.

La nourriture était simple mais savoureuse, et la compagnie agréable ; Otomi, notamment, compensait son silence par des regards fort éloquents et de tendres sourires.

Tora passa une si bonne soirée que, lorsqu'il prit congé, il promit avec ferveur de revenir souvent et bientôt. La jeune peintre rougit, et son père sourit.

4

LES INVITÉS DU GOUVERNEUR

Le lendemain matin, Akitada n'avait toujours pas décoléré. Arpentant la pièce de long en large, il fulminait.

— Comment cet homme peut-il chercher à m'acheter le jour même de notre rencontre ?

Agenouillé sur la natte, Seimei était sombre.

— Peut-être s'agit-il d'un malentendu, suggéra-t-il sans grande conviction.

La porte s'ouvrit brusquement.

— Me voilà ! lança Tora, un sourire jusqu'aux oreilles. (Après avoir observé la scène, il entra.) Qu'y a-t-il ?

— Où étais-tu passé ? l'apostropha rudement Seimei. Quelle audace, d'arriver ici comme si de rien n'était ! Te faire confiance, c'est comme vouloir se guider sur les étoiles par temps de pluie.

Tora plissa le front, cherchant visiblement à comprendre le sens de cette réflexion.

Akitada cessa de faire les cent pas et intervint :

— Seimei est très contrarié, Tora, et à bon droit. Pourquoi t'es-tu enfui sans un mot ?

— Oh, c'est donc cela qui le tracasse ? Attendez un peu que je vous raconte, répliqua Tora en s'asseyant.

— Les domestiques ne s'assoient pas en présence de leur maître ! asséna Seimei d'un ton cassant. Relève-toi immédiatement, et mets-toi à genoux !

Tora adressa un grand sourire au vieil homme et s'agenouilla.

— Vous allez être fiers de moi, tous les deux. J'ai sauvé une fille de deux moines qui voulaient la violenter, et j'ai recueilli des informations très utiles. Y a-t-il quelque chose à manger ? reprit-il après un silence. Ou à boire, peut-être ? C'est difficile de parler le ventre vide.

— Non, fit sèchement Seimei.

Akitada alla s'installer à côté de Tora.

— Dis-nous ce qui s'est passé.

Le jeune homme raconta son histoire simplement. Lorsqu'il eut terminé, pour souligner son honnêteté il ajouta :

— J'ai dormi à la caserne, et je suis venu faire mon rapport avant mon riz du matin. À présent, si vous n'y voyez pas d'inconvénient, je vais aller me chercher quelque chose à la cuisine.

— Tu appelles ça un rapport ? se moqua Seimei. C'est une histoire à dormir debout. Tu courais après les femmes, je parie.

— S'il te plaît, Seimei. Tora a fait d'étranges rencontres et en a bien rendu compte. Mieux encore, il s'est déjà lié d'amitié avec une famille de la ville. (Pensif, Akitada se pinça machinalement le lobe de l'oreille.) Cette présence bouddhiste m'intrigue. Je me demande ce que cela signifie. Ces moines m'ont l'air d'être de curieux religieux, en tout cas.

Tora sourit devant la mine revêche du vieux serviteur.

— Dois-je retourner interroger Higekuro ? demanda-t-il. Avec le temps, j'apprendrai peut-être quelque chose d'intéressant : qui est parti avec les impôts, par exemple.

— À mon avis, ce n'est pas le genre de chose que tu cherches là-bas, rétorqua Seimei. Un lutteur qui vit seul avec ses deux filles ? Les écoles d'arts martiaux ont souvent des liens avec les criminels et les prostituées, c'est bien connu. Tu ferais mieux de te méfier de pareille compagnie. C'est à ses fréquentations qu'on mesure les défauts d'un homme.

Cette réflexion mit Tora en colère.

— Qu'en sais-tu, vieil imbécile ? cria-t-il. Tu ne les connais même pas ! Ils sont meilleurs que toi. Ils gagnent leur riz quotidien à la sueur de leur front, eux, ils ne vivent pas sur le dos des nobles. Toi, tu ne vaux pas mieux qu'une tique sur un chien.

Seimei en resta bouche bée. Akitada, qui avait du mal à garder son sérieux après avoir été comparé à un chien, comprit que le vieil homme avait touché la corde sensible. Il s'empressa de dire :

— Tu es injuste, Tora. Tu dois des excuses à Seimei. Il a parlé sans réfléchir parce qu'il s'inquiétait pour toi. Tu peux retourner voir Higekuro si tu le souhaites, mais tant que nous ne comprendrons pas mieux ce qui se passe en Kazusa, surveille tes propos. (Son visage s'éclaira brusquement.) Avant que tu ne partes, faisons un peu d'exercice au bâton. Tu vas avoir besoin de t'entraîner si tu veux impressionner la guerrière.

Dans les jours qui suivirent, Tora passa plus de temps en ville qu'au tribunal mais, comme il se présentait tous les matins pour une séance d'entraînement avec son maître, ce dernier n'y trouvait rien à redire.

Quant à l'enquête sur les impôts, elle n'avançait guère. Même si les lingots semblaient désigner le gouverneur comme le coupable idéal, Akitada avait renoncé à l'affronter et lui avait renvoyé l'or sans commentaire.

Une coopération gênée se mit en place de part et d'autre : personne ne faisait la moindre allusion à la tentative de corruption, et chacun observait scrupuleusement le protocole lors des inévitables réunions officielles.

Seimei et Akitada passaient leurs journées plongés dans les archives de la province à vérifier les comptes de l'administration Motosuke.

Si la jeunesse de l'inspecteur impérial pouvait étonner, sa formation universitaire et son travail ingrat aux archives du ministère de la Justice l'avaient bien préparé à examiner chaque transaction financière, qu'il s'agisse du règlement d'une modeste amende ou de la confiscation de terres et de biens. Seimei, lui, prenait des notes de sa belle écriture sans se lasser, et Akinobu, le secrétaire du gouverneur, se montrait un assistant agréable et fort intelligent.

Enfin vint le jour où ils refermèrent la dernière boîte de documents et où Seimei acheva son dernier calcul. Ils n'avaient rien trouvé de suspect, et tous les comptes étaient impeccablement tenus.

— Que faisons-nous, maintenant ? demanda Seimei.

— Officiellement, ma tâche est achevée, répondit son maître en se mordant la lèvre. Il n'y a plus qu'à établir la décharge sur laquelle j'apposerai mon sceau et ma signature, et Motosuke sera lavé de tout soupçon.

— Mais, et les impôts, alors ? On ne saura jamais ce qu'ils sont devenus ?

— Je devrai rendre compte de l'échec de ma mission. À moins que... (Akitada fronça les sourcils.) À moins que les sommes perdues n'apparaissent d'une façon ou d'une autre dans la comptabilité privée de Motosuke.

— Ah.

— Je sais, exiger ses comptes personnels consti-
tuerait un grave affront.

Le silence tomba dans la pièce. Rentrant la tête
dans les épaules, Seimei soupira.

— Très bien, dit enfin Akitada. Appelle Akinobu.

Quand celui-ci arriva, le jeune aristocrate lui lança
d'un ton brusque :

— Nous avons terminé l'examen des documents de
la province, et nous sommes prêts à nous pencher sur
la comptabilité personnelle du gouverneur. Veuillez
nous l'apporter.

Akinobu pâlit. Il posa son regard sur l'inspecteur,
puis sur Seimei, avant d'annoncer d'une voix étranglée :

— Je vais transmettre votre requête au gouverneur,
Excellence.

Akitada suivit le secrétaire des yeux. Après son
départ, il se tourna vers son serviteur.

— C'est sans doute la demande la plus embarrassante que j'aie jamais faite. Tu as vu son visage ? Il
était profondément choqué.

— Akinobu est un serviteur très loyal et un homme
instruit, affirma Seimei, ennuyé. J'ai du mal à croire
qu'il puisse servir un maître malhonnête.

Le jeune noble ne répondit rien.

Le secrétaire fut bientôt de retour. Il s'inclina et
déposa deux grandes boîtes devant Akitada.

— Mon maître tient à vous exprimer sa gratitude
pour toute la peine que vous vous donnez. (Après un
temps d'arrêt, il reprit, évitant le regard de son interlocuteur :) Je vous suis également très reconnaissant
de toutes les précautions que vous prenez afin de
nous protéger, le gouverneur et moi-même, son serviteur, de tout soupçon.

— Merci. Nous vous appellerons si nous avons des
questions.

Dès qu'il fut sorti, Akitada et Seimei se regardèrent.

— C'est très généreux de la part du gouverneur, observa le vieil homme.

— Je crains qu'il n'ait accepté parce qu'il n'y a rien à trouver, Seimei.

La suite lui donna raison. Malgré une analyse très approfondie des avoirs fonciers, des recettes et des dépenses de Motosuke et de son entourage, ils ne découvrirent rien de compromettant. Les comptes étaient irréprochables et parfaitement en ordre. Non seulement Fujiwara n'avait pas dépensé les fonds de la province pour son usage propre, mais il avait largement puisé dans sa bourse pour rénover le siège administratif de Kazusa et la résidence du gouverneur.

— Eh bien, dit Seimei, au moins vous pourrez regagner la capitale sans avoir arrêté le cousin de votre ami Kosehira pour fraude et trahison.

— J'ai l'impression que Motosuke se moque de nous, affirma Akitada en serrant les poings. Il savait pertinemment que nous ne trouverions rien. N'importe quel homme dans sa position aurait été offensé qu'on exige ses comptes personnels. Non, je crois que les biens et l'or sont dissimulés quelque part, et qu'il y a un complice. J'en suis convaincu. Ce Fujiwara est trop poli pour être honnête.

— Renoncez, messire, implora Seimei. C'est une entreprise désespérée. Vous ne réussirez qu'à vous faire du tort et vous risquez d'en faire à un innocent.

— Souviens-toi des lingots !

— L'homme véritablement coupable subit tôt ou tard les conséquences de ses actes.

Akitada secoua la tête avec un sourire en coin.

— Tu as un dicton pour tout, mais je n'ai toujours pas retrouvé ces impôts.

— Et si c'était un notable ? Les grands propriétaires terriens entretiennent de petites armées privées pour protéger leurs terres et leurs biens. Parfois, ces soldats se font bandits de grand chemin ou pirates.

Akitada acquiesça et envoya chercher Akinobu.

— Nous en avons également terminé avec ces documents, dit-il au secrétaire en désignant les boîtes. Vous connaissez peut-être les propriétaires terriens qui possèdent de grands domaines dans la province. Savez-vous s'ils sont susceptibles d'avoir des serviteurs armés ?

Akinobu n'eut pas besoin de réfléchir à la question.

— Nous n'avons que cinq familles qui correspondent à ce que vous décrivez, Excellence, et elles sont toutes d'une loyauté absolue. Le gouverneur est allé s'en assurer en personne après la disparition du premier convoi. Quatre d'entre elles avaient envoyé leurs serviteurs dans la province d'Hitachi pour réprimer une rébellion, quant à la cinquième, une épidémie de petite vérole s'était déclarée sur ses terres, décimant la population et tuant le seigneur et son fils unique. La veuve s'est faite religieuse, et le domaine est revenu à un cousin de son défunt mari.

Décidément, dans cette province, tout le monde semblait jouir d'une réputation irréprochable, songea Akitada, non sans agacement.

— Que pensez-vous de cette affaire, Akinobu ? Il y a ici quelqu'un qui dissimule d'énormes quantités d'or et de biens. À moins que vous n'attribuiez vous aussi ce vol à des pillards d'une autre province ?

Le secrétaire rougit et eut l'air malheureux.

— Non, Excellence. Je pense que nous avons négligé un détail important. Le gouverneur est vraiment bouleversé, et il espère sincèrement que vous réussirez là où nous avons échoué.

Devant la mine incrédule du jeune aristocrate, il s'agenouilla et dit d'une voix tremblante :

— C'est une grande honte pour moi qu'on puisse douter de mon maître, car c'est moi qui porte la responsabilité de cet échec. Je suis conscient de mon indignité et de ma faute, et j'ai décidé d'en informer les autorités. Bien sûr, mes pauvres biens ne suffiront pas à compenser les pertes immenses, loin de là, mais j'ai commencé à vendre ma terre, et lorsque Votre Excellence classera officiellement l'affaire je remettrai la somme entre vos mains.

Avant que son interlocuteur abasourdi n'ait recouvré l'usage de la parole, Akinobu s'inclina, se leva et quitta la pièce.

— Rattrape-le, Seimei ! Dis-lui de cesser de vendre sa terre. Dis-lui que nous essayerons de mettre la main sur le coupable. Dis-lui que… Enfin, tu trouveras bien quelque chose.

Dans la semaine qui suivit l'examen des comptes, Akitada rendit visite à quelques dignitaires de la ville. Il alla d'abord chez le nouveau commandant de la garnison, qui lui fit la meilleure impression. Le capitaine Yukinari lui présenta avec empressement les registres militaires qui prouvaient que les trois convois avaient bien quitté la province sous escorte armée, à la date habituelle. Son prédécesseur s'était suicidé après la deuxième disparition, et le jeune capitaine n'était arrivé pour le remplacer que l'été précédent. Ce simple fait, tout comme ses efforts pour élucider le mystère, permettait de l'innocenter.

Akitada rencontra ensuite Ikeda, le préfet du district, un fonctionnaire sous les ordres de Motosuke mais qui dirigeait son personnel et la police de Kisarazu. Ikeda était un homme mûr assez nerveux qui avait la manie de citer la loi et le règlement pour justifier la moindre de ses actions. Il nia avec véhémence avoir la moindre connaissance sur l'affaire, au motif qu'elle ne dépendait pas de sa juridiction. Il contesta également que des criminels pussent être à l'œuvre dans la ville ou ses alentours. Quand l'inspecteur impérial insista pour connaître son avis sur la disparition des convois, il évoqua des bandits de grand chemin qui sévissaient dans la province voisine de Shimosa. Le jeune noble en conclut qu'Ikeda était un bureaucrate typique, qui manquait à la fois du courage et de l'imagination nécessaires pour mettre sur pied un forfait d'une telle envergure.

À la fin de la semaine, Akitada et Seimei passèrent avec abattement les maigres faits en revue.

— Les convois auraient pu être attaqués à Shimosa, messire, suggéra le serviteur après avoir pris connaissance de l'opinion d'Ikeda. Cela expliquerait pourquoi il n'y a pas eu la moindre nouvelle d'eux après leur départ. Qui plus est, cela résoudrait tous nos problèmes et innocenterait définitivement le gouverneur.

— Voilà qui arrangerait tout le monde, grommela son maître. Le commandant de la garnison, qui n'est pas un imbécile, a lui-même emprunté le trajet qui passe par la province de Shimosa et n'a pas trouvé la moindre trace des biens ou des voleurs. Yukinari est peut-être jeune, mais il est efficace et consciencieux. Sans compter que, de tous les dignitaires de la province, il est le seul qui ne peut absolument pas être impliqué. Il n'a aucune raison de dissimuler quoi que ce soit, et il se heurte à un mur. Des biens, des chevaux, des palefreniers, des porteurs et des militaires ont disparu de la surface de la terre, sans laisser ne serait-ce qu'une empreinte de botte ou de sabot derrière eux. Puisque, de toute évidence, cela est impossible, nous devons supposer qu'il y a eu complot ici même, dans cette ville. Celui qui est derrière tout cela est très rusé, bien informé, et il dispose de moyens matériels et humains considérables.

— Le gouverneur, marmonna Seimei.

Une toux polie les fit se retourner. Akinobu s'inclina et présenta des lettres au jeune inspecteur en lui expliquant qu'un autre courrier était arrivé d'Heian-kyo, avant de se retirer tout aussi cérémonieusement.

Akitada parcourut rapidement les deux premières lettres et poussa une exclamation de surprise en découvrant la troisième.

— Qu'y a-t-il ? s'enquit Seimei.

— Une invitation à dîner de la part du gouverneur. Le supérieur du grand monastère bouddhiste est passé lui rendre visite, et Motosuke désire me le présenter. Il a également invité l'ancien gouverneur, un certain seigneur Tachibana. C'est curieux, personne ne nous en a jamais parlé. Et, ce qui l'est encore plus, c'est qu'il est resté ici après avoir achevé son mandat. Le capitaine Yukinari et le préfet Ikeda seront eux aussi de la partie.

Akitada se releva d'un bond et agita l'invitation avec excitation.

— Quel heureux hasard ! Songe, Seimei, que chacun de ces importants personnages occupe une position privilégiée dans le contrôle des affaires locales. L'un d'eux est peut-être notre homme, or ce soir je vais avoir l'occasion de les observer tous ensemble. Mon jugement sur les gens est assez sûr, me semble-t-il.

— J'espère que vous ne serez point déçu, remarqua aigrement Seimei. On dit qu'il ne faut pas courir deux lièvres à la fois.

— Merci pour ta confiance, répliqua le jeune noble d'un ton sec. Bon, prépare mon habit de cour. Tu peux bien penser ce que tu veux, je finirai par découvrir le responsable de ces crimes. Dès que nous aurons notre petite idée sur le coupable, nous n'aurons plus qu'à trouver des témoins.

Affichant un air dubitatif, le vieux serviteur aida son maître à s'habiller. Il lui tendit sa coiffe d'apparat et demanda :

— Des nouvelles de chez nous, messire ?

— Oh, pas grand-chose. Kosehira espère que mon enquête progresse, et ma plus jeune sœur m'assure que tout va bien. En ce moment, le grand sujet de discussion de ces demoiselles, c'est la rumeur selon laquelle la favorite de l'empereur se serait enfuie avec son amant. Je me souviens qu'avant mon départ le bruit courait que dame Asagao avait disparu. Apparemment, le seigneur Nakamura aurait regagné sa province natale à la même période, aussi les soupçons se sont-ils portés sur lui.

— Vous voyez ? Même Son Auguste Majesté n'est pas à l'abri d'une infortune, commenta Seimei avec un soupir. En vérité, c'est quand la lune est pleine qu'elle commence à décroître. Y a-t-il d'autres nouvelles de madame votre mère ?

— Non, toujours la même chose : elle me rappelle mes devoirs envers la famille.

Organisé dans la résidence privée du gouverneur, le dîner se tenait dans une petite pièce élégamment décorée de peintures de paysages. Sous un plafond à chevrons peints et sculptés, une estrade avait été dressée, couverte d'épaisses nattes tendues de soie noir et blanc et protégée des courants d'air par des paravents en roseau et bois laqué habillés de brocart. À la lumière d'un grand candélabre, cinq convives discutaient avec animation en sirotant du saké.

Un silence abrupt tomba sur la tablée à l'arrivée d'Akitada.

Vêtu d'une robe de brocart rouge pâle passée pardessus plusieurs autres dont les nuances allaient du cuivre au pêche, Motosuke se leva avec un large sourire. Il conduisit le jeune Sugawara à sa droite, la place d'honneur, et lui présenta ses autres invités.

— Voici Son Excellence Tachibana Masaie, mon prédécesseur, annonça-t-il en désignant un vieil homme émacié.

Tachibana, qui était assis en face d'Akitada, avait une étroite barbe blanche et des yeux fatigués.

L'inspecteur impérial s'inclina et déclara :

— Daignez accepter toutes mes excuses, Votre Excellence. Si j'avais eu connaissance de votre présence en ces lieux, je n'aurais pas manqué de venir vous présenter mes respects avant ce soir.

Le vieil homme s'inclina à son tour avec un vague sourire, mais il ne prit point la parole.

— La Kazusa a été très honorée lorsque Son Excellence a pris la décision de rester après la fin de son mandat, affirma Motosuke avec une certaine nervosité. C'est un grand érudit qui a entrepris d'écrire l'histoire de la province.

— J'espère avoir le plaisir d'être instruit par Votre Excellence, murmura Akitada en se disant qu'une telle existence était une couverture idéale pour les agissements d'une organisation criminelle.

Derechef, Tachibana sourit sans répondre. L'air absent, il suivait de ses doigts noueux le contour du motif de coquillage qui ornait son vêtement d'un bleu profond.

— Et voici maître Joto, le supérieur de notre grand temple des Quatre Nobles Vérités, poursuivit Motosuke, visiblement embarrassé par l'indifférence de l'ex-gouverneur à l'égard de l'inspecteur impérial.

On avait attribué l'autre place d'honneur, à la gauche de Motosuke, à Joto. Ce dernier, qui devait approcher la quarantaine, paraissait bien jeune pour diriger un monastère.

Si jamais il était le fils cadet d'une grande famille noble, songea Akitada, ou même un Fujiwara, cela multipliait les possibilités de complot. Il serait toutefois difficile de le découvrir, car toute personne qui embrassait la vie religieuse recevait un nouveau nom et devait rompre ses liens avec ses proches. Akitada, qui n'aimait pas particulièrement le clergé bouddhiste, nota que cet homme, tout comme les disciples agressifs qu'il avait vus en ville, semblait robuste et bien nourri.

À l'évidence, il ne menait pas une existence d'ascète. Sur sa tête rasée et son visage lisse, on voyait l'ombre de cheveux et de poils vigoureux, et ses lèvres pleines, presque féminines, étaient rouges et humides. Quant à son habit clérical, il était fait des étoffes les plus somptueuses : une étole richement brodée était drapée par-dessus une robe de soie blanche aux larges bordures noires. Enfin, un rosaire de cristal rose enserrait son poignet.

Lorsqu'il releva la tête après avoir terminé l'examen de Joto, Akitada rencontra son regard inquisiteur. Pour dissimuler sa confusion, il s'empressa de déclarer :

— Votre enseignement, révérend père, a attiré de nombreux disciples en Kazusa. C'est un privilège que de faire la connaissance d'un professeur aussi inspiré de la parole du Bouddha.

— La renommée en ce monde n'a pas plus de substance que la brume qui règne sur les montagnes avant le lever du soleil.

Joto avait une belle voix sonore qui conférait de la ferveur à ses propos. Pourtant, quand le moine croisa son regard juste avant de baisser ses paupières tombantes, Akitada comprit qu'il se moquait de lui.

— Et je crois que vous avez déjà rencontré le capitaine et le préfet, acheva Motosuke avec un geste dans leur direction, lui épargnant ainsi de répondre.

Akitada salua de la tête le beau capitaine, habillé en civil pour l'occasion, et le préfet, qui portait une modeste robe de soie bleu foncé. Âgé d'une quarantaine d'années, Ikeda paraissait tendu et vieilli.

Apportée par des servantes sur des plateaux laqués de rouge, la nourriture était proprement incroyable. Même à la capitale, le jeune noble avait rarement été aussi bien traité. Poissons, crevettes, ormeaux, cuits, crus, en soupe ou en ragoût apparurent devant lui, suivis de légumes et de fruits frais, salés, ou au vinaigre, et de riz présenté sous toutes ses formes possibles et imaginables : chaud ou froid, sec ou gluant, pilé ou entier, en bouillie, en gâteaux ou en pains, en boulettes cuites à la vapeur. Leurs tasses, elles, furent remplies d'un délicieux saké chaud.

Conformément à ses vœux, Joto ne toucha ni à l'alcool ni à tout ce qui était d'origine animale.

De son côté, Akitada but et mangea avec modération. Au début, il se contenta d'observer, attendant que le saké et la nourriture échauffent le sang des autres convives, puis il entra dans la conversation en posant une question à Yukinari sur sa récente mutation en Kazusa.

— C'est une bonne province, et j'apprends à la connaître, Excellence, répondit le jeune capitaine. Mais je suis certain que nous sommes tous très impatients de savoir ce qui se passe à la capitale.

Akitada évoqua les récentes promotions, les changements d'affectation, les rivalités et, pour faire bonne mesure, il ajouta la rumeur concernant la disparition de la favorite de l'empereur.

Visiblement mal à l'aise, Motosuke nota :

— Bien sûr, comparée à la magnificence de la capitale, Kisarazu n'est qu'une ville modeste, mais peut-être notre hôte ne se sentira-t-il pas totalement floué lorsqu'il visitera le temple des Quatre Nobles Vérités. Je crois qu'il rivalise même avec le grand temple de l'Eau Pure d'Heian-kyo.

— C'est ce qu'on m'a dit, acquiesça Akitada en se tournant vers Joto. Et il est assez récent, je crois. J'imagine qu'on le doit à votre brillante direction, révérend père.

— Absolument pas, répliqua le supérieur avec un gracieux mouvement de la main. Le monastère a été fondé sous notre auguste empereur Shomu pour être le temple gardien de la province, mais il a subi des revers de fortune. Par la suite, rares ont été les empereurs aussi pieux que ce saint homme. Ce n'est que récemment, avec l'aimable soutien du gouverneur ici présent, que j'ai eu le privilège de revivifier la foi.

— Oh, mon cher Joto, vous êtes bien trop modeste, protesta Motosuke d'un air ravi. Les foules qui se pressent à vos lectures et à vos prêches ont rendu nécessaire la construction de la grande salle. Et tant de jeunes gens souhaitent suivre votre enseignement que les bâtiments du monastère seront bientôt insuffisants pour les accueillir. Grâce à vous, le temple attire de nombreux pèlerins qui viennent parfois de très loin.

Joto sourit.

Prenant mentalement note de la relation entre Motosuke et le moine, Akitada décida de chercher l'origine des fonds qui avaient permis l'agrandissement du temple.

— Combien de moines y a-t-il au monastère actuellement ? demanda-t-il à Joto.

Les yeux aux paupières tombantes se posèrent sur lui.

— Environ deux cents. Votre Excellence s'intéresse-t-elle à notre foi ?

— Je suis très étonné de l'immense succès que vous rencontrez à une telle distance de la cour, reconnut Akitada. Et la jeunesse de nombre de vos moines est très certainement le signe de votre influence en tant que professeur. Dites-moi, êtes-vous un adepte de Tendai ou de Shingon[1] ?

Une irritation fugitive passa sur les beaux traits de Joto.

— Il y a trop de discorde dans le monde, affirma-t-il sévèrement. La voie qui mène au Bouddha est unique, et pourtant tous les chemins mènent à lui. Je ne suis pas de voie et pourtant je suis toutes les voies.

1. Tendai et Shingon (secte de la Parole Vraie) étaient les deux principales sectes bouddhiques à l'époque. (*N.d.T.*)

Un silence déférent accueillit cette déclaration. Akitada jugea la réponse astucieuse. S'il avait rejeté le Shingon, il aurait offensé la cour impériale. Le Tendai correspondait cependant à une pratique beaucoup plus spirituelle.

— Je m'accorderai bientôt le plaisir d'une visite au temple, annonça-t-il. En fait, Kisarazu ne me fait pas l'effet d'une ville ennuyeuse. Elle est très animée, au contraire. Avec tous ces gens de passage, il doit y avoir des problèmes de sécurité, non ? Les crimes n'ont-ils pas augmenté ?

Jetant un regard perçant en direction d'Ikeda, Yukinari répondit vivement :

— La garnison se tient prête à maintenir la paix et à protéger le gouvernement local, même si...

— Je me demande ce qui est arrivé au commandant précédent, intervint soudain le seigneur Tachibana.

Akitada rompit le silence embarrassé en observant platement :

— Je croyais qu'il s'était suicidé parce qu'il avait perdu les convois d'impôts.

Le capitaine rougit et lança un coup d'œil à Motosuke.

— C'est exact, Excellence, murmura-t-il.

Le préfet, qui était placé à la droite de l'inspecteur impérial, se pencha brusquement vers lui et dit d'une voix assez forte :

— J'ai bien peur qu'il n'ait plus de mémoire. Oh, ne vous inquiétez pas, il ne m'entend pas. L'âge, voyez-vous.

Devant la stupéfaction de son voisin de table, il acquiesça, sourit d'un air narquois et ajouta :

— Il arrive qu'un homme perde sa force vitale.

Écœuré, Akitada s'écarta de lui, mais Ikeda, enflammé par le saké, ne se laissa pas décourager. Il prit le jeune aristocrate par le bras avec une grande familiarité et, lui soufflant dans l'oreille, chuchota très distinctement :

— Dans son cas, c'est une femme. Tachibana a une jeune épouse. Très jeune et très belle. (Ikeda se lécha les lèvres et fit un clin d'œil avant de se toucher le nez.) C'était trop pour lui. Il est presque sénile à présent. Quel gâchis !

Akitada se dégagea de l'étreinte du préfet. Il désapprouvait fortement ses paroles et la manière dont elles avaient été prononcées, mais il prit bonne note de l'information. Si Tachibana était sénile, il n'était plus suspect. Réprimant son dégoût, il chercha comment exprimer sa réprobation d'une manière qui ne rendrait pas impossible toute collaboration future avec Ikeda.

Yukinari, qui était assis à la droite du préfet, lui épargna cette peine.

— Je suis sûr, lâcha-t-il entre ses dents, que Son Excellence a reconnu dans cette réflexion injurieuse la marque d'un individu de basse extraction.

Ikeda devint blanc de rage. Joto se racla alors la gorge et leur adressa un regard de reproche. Motosuke choisit ce moment pour se lever et frappa dans ses mains afin d'attirer l'attention de ses hôtes.

— Permettez-moi de faire une annonce.

Pris au dépourvu, tous les convives se tournèrent vers lui. Il leur sourit et déclara :

— Vous n'ignorez pas que je vais quitter mon poste et regagner la capitale avant le nouvel an. (Il laissa passer les murmures de regret poli et poursuivit :) C'est d'ailleurs pour cette raison que nous avons le plaisir de la compagnie de messire Sugawara. Il est ici pour certifier que je ne laisse aucune dette derrière moi. Ha, ha, ha !

Son rire parut un peu forcé, et tous considérèrent Akitada avec défiance.

— Mais il y a un autre motif plus heureux à mon retour à la cour, s'écria le gouverneur, regagnant ainsi l'attention de ses invités. (Il prit un air modeste.) Son Auguste Majesté m'a fait un immense honneur. Ma fille unique, qui a passé les quatre dernières années dans cet environnement champêtre, va entrer dans la maison impériale. Dès que nous arriverons à la capitale, j'aurai l'immense joie de la présenter à Sa Majesté.

Il y eut un brusque fracas : Yukinari, qui s'était levé, fixait d'un air hagard son plateau renversé. Le saké et les sauces s'infiltraient rapidement dans les nattes épaisses.

Des domestiques se présentèrent bientôt pour nettoyer, et tout le monde fit un effort pour ignorer l'incident. Toujours abasourdi, le capitaine se rassit tandis qu'un Motosuke rayonnant de fierté recevait les félicitations admiratives de ses invités.

Tout en présentant ses vœux polis à son hôte, Akitada fut saisi d'un désespoir glacé. Il avait perdu sa dernière chance – non, rectifia-t-il dans un éclair de lucidité, il n'avait jamais eu l'ombre d'une seule chance – de donner tort à ses ennemis et de se faire un nom contre toute attente. La fille de Motosuke allait entrer dans la maison impériale parce qu'elle avait été choisie comme nouvelle épouse, peut-être pour devenir impératrice un jour. À présent, et quel que soit le crime qu'il ait pu commettre, son père était au-dessus des lois. Le rapport de l'inspecteur devrait obligatoirement laver le futur beau-père de l'empereur de tout soupçon. Paralysé, il subit sans vraiment écouter les interminables vœux de bonheur de Joto pour la fille du gouverneur.

La soirée se termina peu après. Pendant que tous prenaient congé dans un certain désordre, le seigneur Tachibana se heurta à Akitada et lui étreignit le bras. Comme le jeune noble l'aidait à retrouver l'équilibre, il songea à ses soupçons absurdes mais soudain Tachibana lui chuchota quelque chose. Puis il s'écarta bien vite et s'éloigna en boitillant.

Akitada le suivit des yeux tout en se demandant s'il avait bien entendu. S'il ne s'était pas trompé, l'ancien gouverneur lui avait glissé d'un ton pressant : « Je dois vous parler. Venez me voir demain, et n'en soufflez mot à personne. »

5

LE PAPILLON D'HIVER

À son réveil, Akitada eut l'impression que la chambre était baignée d'une lumière surnaturelle. Il cligna des yeux. Ce ne pouvait être le soleil, hélas, il faisait visiblement trop gris pour cela. Les événements de la veille lui revinrent brusquement en mémoire, et un sentiment d'échec absolu s'abattit de nouveau sur lui. Motosuke, son principal suspect – le seul, même –, ne pouvait être inculpé à cause du prochain mariage de sa fille avec l'empereur. Après le festin de la veille, le jeune Sugawara n'avait pas réussi à trouver le sommeil, mais il avait bien dû finir par s'endormir, car le jour s'était levé sans qu'il s'en aperçoive.

Avec un soupir, il abandonna le chaud cocon de sa courtepointe en soie pour traverser la pièce glacée et ouvrir un volet.

Un monde nouveau lui apparut. Une fine couche de neige vierge recouvrait la cour, le sommet du mur et les tuiles ; métamorphosées en larges rectangles lumineux, celles-ci semblaient flotter dans le gris argenté du ciel couvert. Un nuage de poussière blanche tomba soudain des branches nues du plaqueminier situé à côté de la véranda : leur petite tête inclinée, un couple de moineaux au plumage gonflé pour se protéger du froid posa sur lui des yeux brillants. L'un d'eux pépia, et Akitada se sentit subitement l'esprit plus léger.

Il alla chercher un gâteau de riz laissé par un domestique et lança les miettes dans la neige après l'avoir rompu. Ses deux visiteurs fondirent dessus en jacassant bruyamment. En un instant, leur appel fut entendu, et la neige se couvrit de moineaux tapageurs voletant de tous les côtés. Ils se chamaillaient pour la moindre miette, écartaient les plus faibles et donnaient des coups de bec aux plus jeunes. Akitada en repéra un qui voltigeait à la périphérie et multipliait les tentatives pour rentrer dans la mêlée ; ses efforts se soldaient invariablement par un échec à cause des méchants coups de bec de ses aînés. L'inspecteur impérial jeta quelques miettes dans sa direction, mais ne réussit qu'à déclencher de nouvelles hostilités. Finalement, le petit moineau vint se poser tout près de lui, à l'endroit où quelques bribes de nourriture avaient échappé à la voracité de ses compagnons moins audacieux.

Avec un sourire, Akitada regarda l'oiseau picorer son content. Tout comme chez les humains, la survie dans la nature dépendait largement de la détermination, du courage et de la capacité d'adaptation. Peut-être ses ennemis avaient-ils prévu de ruiner sa carrière avec cette mission. Dans l'éventualité où sa jeunesse et son absence d'influence ne suffiraient pas à lui causer des ennuis, ils l'avaient chargé d'enquêter sur un crime qu'ils estimaient insoluble. Si Akitada voulait déclencher l'ire impériale, il lui suffisait d'accuser Motosuke ; toutefois, s'il échouait dans son enquête, il ne serait sans doute pas mieux traité. Dans les deux cas, c'en serait fini de lui.

Mais le petit moineau avait bien trouvé le moyen de se jouer de ses ennemis. L'inspecteur allait lui aussi saisir l'occasion qui s'offrait à lui : l'invitation du seigneur Tachibana. Il se frotta les mains pour en ôter la poussière de riz, referma le volet et rentra s'habiller.

Il était vraiment trop tôt pour rendre visite à un gentilhomme, songea Akitada en marchant à grandes enjambées dans les rues enneigées de la ville. En l'occurrence, il ne s'agissait pas d'une visite de courtoisie. Plus il réfléchissait à la soirée et aux paroles de Tachibana, plus il était convaincu que le vieil homme avait peur et s'était tourné vers lui afin de solliciter son aide.

Il allongea encore le pas. En arrivant dans le quartier où se succédaient de grandes résidences protégées par de hauts murs d'enceinte, il demanda son chemin à un mendiant en échange de quelques piécettes de cuivre.

Parvenu devant la demeure du seigneur Tachibana, l'inspecteur dut patienter un certain temps avant qu'un vieux serviteur l'admette. Ce dernier était si courbé et si décrépit qu'Akitada fut presque surpris de ne pas l'entendre grincer comme le beau portail en bois ancien qu'il venait d'ouvrir.

— Je me nomme Sugawara, dit-il au domestique, qui mit sa main en cornet et le considéra avec incertitude en clignant des yeux. Le seigneur Tachibana m'a demandé de venir le voir aujourd'hui, reprit-il en haussant la voix.

Sans un mot, le serviteur lui tourna le dos et s'éloigna d'un pas traînant. Après un instant d'hésitation, le jeune homme le suivit.

Le jardin avait été dessiné par un véritable maître. D'élégants arrangements de pierres, d'arbustes, et de pins taillés, magnifiques même en cette saison, étaient couverts d'une neige immaculée. Ils passèrent devant un belvédère et un petit bassin où, éclairs d'or et d'argent, des carpes nageaient au fond d'une eau trouble.

Ce chemin en rejoignait un autre, déneigé celui-là, qui menait à un pavillon à l'écart entouré d'une véranda en bois.

Le vieux serviteur gravit lentement les marches, laissa ses socques à l'entrée et ouvrit le panneau coulissant. Akitada se penchait pour retirer ses bottes quand un cri retentit. Il releva la tête et découvrit une pièce spacieuse au sol recouvert d'un épais tatami et aux murs occupés par des étagères pleines d'ouvrages et de boîtes de documents.

Le domestique lui tournait le dos.

— Maître ? dit-il d'une voix chevrotante. Oh, mon pauvre maître ! S'il vous plaît, messire, pouvez-vous voir s'il vit encore ? Il faut que j'aille quérir le médecin sur-le-champ. C'est épouvantable !

Comme il semblait tétanisé, Akitada lui ordonna de se calmer et passa devant lui.

Tête nue, vêtu d'une simple robe de soie grise, le seigneur Tachibana était étendu sur le ventre près de son bureau et d'une rangée d'étagères. Un marche-pied était renversé à côté de lui, et des papiers, des boîtes à archives entrouvertes et des registres sur rouleau s'éparpillaient autour de son corps inerte.

L'inspecteur impérial s'agenouilla et palpa le cou du vieil homme. Après avoir vainement cherché son pouls, il constata que le corps était assez froid. Sous la tête, une toute petite quantité de sang avait imbibé le tatami. Pour évaluer l'heure de la mort, Akitada fit appel à ses souvenirs et se remémora les textes médicaux qui traitaient du sujet. Touchant la main de Tachibana, il tenta de lui plier les doigts et de lui bouger le poignet, et rencontra une certaine résistance. Le corps se raidissait, la mort avait donc eu lieu quelques heures plus tôt ; il était toutefois incapable de déterminer précisément quand. Mais était-ce vraiment important ? Un coin du bureau portait des traces de sang auxquelles étaient collés quelques cheveux gris. En examinant les étagères, l'inspecteur constata que l'une des plus hautes était partiellement vide. Si on y ajoutait le marchepied renversé et les papiers en désordre, on pouvait conclure, selon les apparences, que l'ancien gouverneur avait été victime d'une chute accidentelle en essayant d'atteindre des documents.

— J'ai bien peur que ton maître ne soit mort, déclara-t-il en se relevant.

Les yeux noyés de larmes, le vieux serviteur le fixa sans mot dire.

— Il est inutile d'aller chercher le médecin, reprit Akitada en haussant la voix. Il est mort la nuit dernière. Peut-être est-il tombé en voulant descendre les boîtes qui se trouvaient sur les étagères du haut.

— Quel malheur ! Quel malheur !

D'une pâleur alarmante, le domestique s'étreignit la poitrine. Le jeune noble lui passa un bras autour des épaules et l'accompagna jusqu'à la porte.

— Inspire profondément, ordonna-t-il.

Au bout d'un moment, songeant à l'équilibre chancelant du seigneur Tachibana, il demanda :

— Ton maître souffrait-il de vertiges ?

— Pas du tout ! Il était en très bonne santé. (Le serviteur déglutit avec peine et devint soudain volubile.) Oui, il était agile et plein d'énergie. Je l'enviais beaucoup. Et à présent, il est mort.

Une légère expression de satisfaction passa sur son visage tandis qu'il secouait la tête devant l'imprévisibilité du sort.

Akitada, qui revoyait le frêle aristocrate se cramponner à son bras pour ne pas tomber, haussa les sourcils.

— Mais il avait bien un médecin, non ? Tu voulais le faire venir.

— Oh non, ce n'était pas son médecin ! Mon maître n'en a jamais eu. Pas même l'été dernier, lorsqu'il a souffert de l'estomac. Il n'aimait pas les médecins, il répétait toujours qu'ils aggravent les maux au lieu de les soigner et qu'ils empoisonnent les gens avec leurs remèdes. Ce qui le maintenait en aussi bonne forme selon lui, c'était une vie saine faite de dur labeur. Il m'avait assuré que si je dormais moins et que je mangeais davantage d'oignons, mon mal de dos disparaîtrait.

— Et alors ?

— Eh bien, j'ai beaucoup de mal à rester éveillé, et je n'aime pas les oignons. Le maître s'est guéri lui-même de ses crampes d'estomac. Eh oui. Il s'est préparé du riz avec des herbes spéciales, et il s'est remis du jour au lendemain.

— Je vois, dit Akitada. Écoute, si tu te sens en état, il serait bon que tu ailles prévenir dame Tachibana. Puis tu iras signaler le décès aux autorités. Rends-toi à la préfecture, ils sauront quoi faire. J'attendrai ici leur arrivée.

Après avoir lancé un regard triste par-dessus son épaule, le domestique acquiesça.

— Quel malheur ! soupira-t-il. J'irai aussi vite que mes jambes me le permettent, messire.

L'inspecteur le regarda se baisser avec difficulté sur la première marche pour remettre ses socques. Ses yeux tombèrent alors sur une seconde paire posée près du panneau coulissant. Ils devaient appartenir au seigneur Tachibana, pensa-t-il avant de se pencher pour les toucher ; ils étaient relativement secs.

Enfin, le vieux serviteur s'éloigna d'un pas mal assuré en direction de la maison.

Sachant qu'il avait du temps devant lui, Akitada rentra et s'agenouilla près du cadavre. Cette fois-ci, il étudia attentivement la position du corps avant de palper le crâne. À travers les cheveux gris clairsemés, juste au-dessus du chignon, il sentit un creux de la taille et de la forme d'une grosse coquille d'huître.

L'os céda sous ses doigts, et il découvrit en les examinant qu'ils étaient tachés de sang et de cervelle. Il allait s'essuyer la main sur la natte lorsqu'il aperçut un éclat vert au milieu du chignon ; avec précaution, il en retira un tesson pas plus grand que l'ongle de son auriculaire et le plaça sur une feuille de papier. Légèrement convexe, sa face externe était d'un vert brillant, l'intérieur d'un blanc un peu terne, et les bords cassés en argile rouge. Ce tesson lui rappela les tuiles colorées des toits, même si celles-ci étaient généralement d'une couleur plus bleutée. Après avoir regardé autour de lui, il sortit sur la véranda et constata qu'il n'y avait pas la moindre tuile en vue. Tous les bâtiments de la demeure Tachibana possédaient des toits en chaume.

Il regagna la pièce et enveloppa le tesson dans un morceau de papier qu'il coinça dans sa large ceinture. Puis il s'assit pour réfléchir.

En découvrant le mort un peu plus tôt, il avait été frappé d'une violente déception et avait eu honte de son égoïsme. Il s'était alors rappelé l'insistance avec laquelle le seigneur Tachibana l'avait convoqué chez lui, et un soupçon s'était formé dans son esprit : cette mort semblait trop opportune pour être accidentelle. Quelqu'un avait-il surpris les propos du vieil homme et l'avait-il suivi jusque chez lui ?

Akitada se demanda si la réponse ne se trouvait pas dans les papiers du mort. Sur la boîte qui gisait à terre, l'étiquette indiquait « Produits agricoles ». Parcourant les rayonnages des yeux, il lut les autres indications : « Pêche et Navigation », « Production de la Soie », « Coutumes locales et Curiosités », « Temples et Sanctuaires » (celle-ci contenait peut-être des renseignements sur le monastère de Joto), « Marchands et Artisans », « Plantes et Animaux », « Bouffons et Courtisanes », « Crime et Gouvernement local » (un autre titre intéressant). Akitada chercha une boîte susceptible de traiter de la collecte des impôts, mais en vain. Intrigué par la dernière, nommée « Parmi les Grenouilles et les Cigales », il s'en empara et l'ouvrit.

À l'intérieur, il trouva un curieux assortiment de papiers, dont plusieurs poèmes qui faisaient l'éloge de la nature. Akitada, qui n'était pas connaisseur, ne s'y attarda guère. Ensuite, il put admirer des dessins à l'encre qui représentaient diverses compositions de pierres, de plantes et de fleurs. Ils étaient suivis de notes sur des questions culturelles, de copies de vieux textes chinois qui décrivaient les jardins de personnes renommées, et enfin d'un traité intitulé *Parmi les grenouilles et les cigales*, orné du sceau de Tachibana, qui détaillait les plaisirs et les tâches liés à la conception et à l'entretien d'un jardin.

Charmé par la passion secrète de cet érudit, Akitada éprouva soudain le sentiment d'une grande perte à l'idée qu'il ne connaîtrait jamais cet homme. Il referma la boîte avec tristesse. À cet instant, il entendit des bruits de pas précipités dehors. Il s'empressa de tout remettre en place et, lorsqu'il se tourna vers l'entrée, il remarqua quatre empreintes carrées sur la natte en paille. La distance qui les séparait était d'environ deux *shakus*[1] dans un sens, et quatre dans l'autre. Ce qui avait été placé à cet endroit avait dû être assez lourd pour laisser de telles marques.

Sur la véranda, Akitada découvrit un mince garçon de douze ou treize ans à genoux qui posa sur lui des yeux pleins d'angoisse.

— Est-ce vrai, pour le maître ? glapit-il d'une voix brisée.

L'inspecteur impérial acquiesça.

— Le seigneur Tachibana a fait une chute qui a causé sa mort.

1. Environ soixante centimètres. (*N.d.T.*)

L'air malheureux, le jeune serviteur déglutit et déclara :

— Je suis venu vous offrir mon assistance.

— Tu es bien jeune, rétorqua Akitada avec un sourire. Où sont les autres domestiques ?

— Il n'y a que des femmes, à part le vieux Sato et moi, répondit l'adolescent d'un ton dédaigneux.

— Et comment t'appelles-tu ?

— Junjiro, Votre Honneur.

De nouveau, Akitada perçut la détresse dans sa voix.

— Tu étais attaché à ton maître, Junjiro ?

Le garçon fit oui de la tête et se passa une main sale sur le visage.

— Quels sont les ordres de Votre Honneur ? s'enquit-il d'un ton bourru.

— Montre-moi où réside ta maîtresse. A-t-elle été prévenue ?

Une expression butée traversa le visage de l'adolescent.

— On ne peut pas aller chez elle. Seule sa nourrice est autorisée à entrer. C'est par là, indiqua-t-il en désignant l'un des toits pentus.

Akitada plissa les yeux. Il ne pouvait ignorer l'animosité du ton ni le regard franchement hostile qui avait accompagné cette réponse.

— Dois-je comprendre que sa nourrice est une sorte de dragon ? Je te sais gré de cette mise en garde.

Junjiro fit la grimace.

— Elle ne jouera pas ses sales tours à un gentilhomme. Mais nous, les domestiques, elle nous hait. Elle raconte à sa seigneurie des mensonges sur notre compte. Elle nous accuse de voler, de casser des choses et de ne pas faire notre travail. Et si jamais on s'approche des appartements de ma dame, elle prétend que nous les épions. C'est une sacrée teigne, celle-là. Elle a fait renvoyer la plupart des serviteurs et hier elle a remis ça. Elle a dit que Sato était trop vieux pour remplir ses tâches et qu'il dormait toute la journée. (Il se mordit la lèvre.) Qu'allons-nous devenir, à présent ?

— Je suis sûr qu'avec le temps les choses finiront par s'arranger, affirma Akitada d'un ton apaisant. Ton maître a sans doute laissé un testament qui pourvoit aux besoins des domestiques de la maisonnée. Écoute, les autorités devraient arriver d'un moment à l'autre. Pourquoi ne vas-tu pas les attendre au portail ? Tu pourras leur indiquer le chemin.

Le garçon s'inclina et fila.

Akitada retourna examiner les empreintes : elles étaient profondes, avec des contours bien définis. Ce qui avait été installé à cet endroit avait été déplacé trop récemment pour que les fibres reprennent leur forme. Après un coup d'œil circulaire, il constata que seul le bureau était susceptible d'avoir laissé ces marques. Il lui apparut alors clairement qu'il était bizarrement disposé. Le seigneur Tachibana avait-il vraiment choisi de tourner le dos à un superbe paysage pour travailler face au mur ? Pourquoi avait-il déplacé le bureau ? Et si ce n'était pas lui, qui s'en était chargé, et pour quelle raison ?

Après un nouvel examen de la blessure fatale, du sang sur le coin du bureau et de l'ensemble de la scène de l'accident supposé, l'inspecteur impérial se rembrunit.

Le matériel d'écriture habituel était posé sur le bureau : un pinceau neuf était placé à côté d'une pile nette de papier de riz vierge, le creux de la pierre à encre était rempli d'eau, et le bâton d'encre usé était pratiquement sec, ce qui surprit Akitada. Plus étonnant encore, aucune lampe, bougie ou lanterne ne brûlait dans la pièce.

Il allait se pencher sur les papiers tombés à terre lorsqu'il entendit un doux bruissement derrière lui. Il se retourna brusquement et resta cloué sur place.

Sur le seuil se tenait la plus belle jeune fille qu'il eût jamais vue.

Dans un visage à l'ovale parfait, des yeux aux paupières frangées de longs cils l'étudiaient attentivement. Après avoir humecté ses lèvres enfantines légèrement entrouvertes, elle déglutit.

— Où est mon époux ? demanda-t-elle dans un souffle.

Sortant une main gracile de la manche d'une veste de soie bleue chatoyante et brodée de fleurs colorées, elle repoussa une mèche de cheveux brillants.

— Vous êtes… ?

L'inspecteur impérial fit un effort pour se ressaisir. Il s'inclina plus profondément que l'occasion ne l'exigeait et se présenta.

— Sugawara Akitada, ma dame. Je m'apprêtais à rendre visite à votre mari quand… Peut-être m'autoriserez-vous à vous raccompagner à vos appartements. Ce n'est pas un endroit pour vous.

Quand elle le quitta des yeux pour regarder le sol derrière lui, le jeune homme espéra que sa haute silhouette lui bloquait la vue.

— C'est donc vrai ? chuchota-t-elle, sa douce voix pleine d'une infinie tristesse. Mon seigneur est… mort ?

Sa peau était pâle, presque translucide, et donnait une impression de fragilité. Akitada se sentit désarmé.

— Je suis sincèrement… euh… oui, bafouilla-t-il, avec un geste d'impuissance. J'ai bien peur qu'il n'ait… Un accident s'est produit. Permettez-moi de vous reconduire, je vous en prie. Votre place n'est pas ici. Vos domestiques auraient dû mieux s'occuper de vous.

Il fit quelques pas dans sa direction, mais elle l'évita et se faufila adroitement jusqu'à son mari. L'espace d'un instant, les yeux rivés sur son corps, elle demeura paralysée, puis elle chancela. Akitada la rattrapa juste avant qu'elle ne s'effondre sur le cadavre.

Mince et précieux fardeau dans ses bras, elle était abandonnée. Le jeune aristocrate perçut un parfum de fleurs qui émanait sans doute de ses cheveux ou de sa robe. Dans une société aussi rigide que la leur, le fait de tenir ainsi une femme de son propre rang était aussi inédit que totalement impensable. L'embarras le fit rougir. Il ne pouvait la porter ainsi jusqu'à ses appartements : si un domestique les apercevait, toutes sortes de rumeurs commenceraient à circuler. Pis, ils risquaient de croiser Ikeda, ce préfet desséché, à l'esprit mal tourné et obsédé par le respect de la lettre, qui devait arriver d'un moment à l'autre en compagnie du médecin légiste et de la police.

Il lui donna une petite secousse et approcha la bouche de son oreille d'un rose nacré.

— Dame Tachibana. Je vous en prie, dame Tachibana, répéta-t-il avec insistance.

Comme elle remuait, il fut incité à recommencer. Deux bras se nouèrent alors autour de son cou et une joue soyeuse frôla la sienne. Puis, poussant une exclamation misérable, elle se mit à pleurer en silence contre son épaule.

Avec l'impression de s'être comporté en rustre cruel, Akitada se contenta de la serrer un moment contre lui pendant qu'elle sanglotait. Puis il fit une nouvelle tentative.

— Dame Tachibana ? Il faut que vous soyez forte. Quelqu'un peut arriver à tout moment.

Elle le relâcha avec réticence et se laissa glisser à terre tandis qu'il passait un bras autour de sa taille pour l'aider à se redresser.

— Vous êtes bien aimable, murmura-t-elle d'une voix douce en détournant le visage. Pardonnez-moi. Il fallait que je le voie de mes propres yeux.

Sa voix se brisa, elle se détacha doucement de lui et fit quelques pas vers la porte.

— Laissez-moi vous raccompagner, proposa-t-il en la suivant.

— Non.

Sur le seuil, elle se retourna pour le regarder. Voyant ses yeux pleins de larmes, Akitada songea qu'ils étaient les plus beaux et les plus tristes du monde. Elle lui adressa alors un petit sourire courageux qui lui serra le cœur et déclara en s'inclinant légèrement :

— J'ai été très honorée de vous rencontrer, seigneur Sugawara. Je n'oublierai pas votre bonté.

Akitada s'avança et ouvrit la bouche pour répondre, mais elle s'était déjà enfuie dans un froufrou de soie, ne laissant derrière elle qu'un parfum.

Perplexe et étrangement démuni, il la suivit des yeux. Avec sa veste colorée et ses mouvements gracieux, elle lui évoquait un somptueux papillon qui se serait égaré dans un monde enneigé en plein cœur de l'hiver.

6

CHASSER LE BROUILLARD

Akitada se détourna du jardin désert et revint s'accroupir auprès du cadavre. Étant donné ses soupçons, il ne fut pas surpris, lorsqu'il passa en revue les documents éparpillés, de ne rien découvrir concernant les vols d'impôts.

Avec un soupir, il les reposa plus ou moins en désordre, comme il les avait trouvés et se releva pour s'étirer. Il entendit alors des voix à l'extérieur, dont celle du jeune Junjiro. Les autorités avaient dû arriver.

Il se trompait : c'était le capitaine Yukinari qui discutait avec le serviteur. Dès qu'il vit l'inspecteur impérial, l'homme s'inclina avec une rigueur militaire.

— Je suis venu dès que j'ai su, Excellence, déclara-t-il en gravissant les marches avec détermination et empressement. Quelle terrible nouvelle, vraiment.

Akitada lui trouva mauvaise mine sous son teint hâlé et fut frappé par ses yeux fatigués et hagards. Éprouvait-il du chagrin pour le seigneur Tachibana ? C'était peu probable. Comment auraient-ils pu être proches ? Yukinari n'était arrivé en Kazusa que l'été précédent, et leur différence d'âge était importante.

En tout cas, il semblait ne pas avoir pas fermé l'œil de la nuit.

— En effet, capitaine, répondit-il d'un ton neutre. Mais qu'est-ce qui vous amène en ces lieux ?

L'officier rougit.

— J'étais à la préfecture lorsque Sato a annoncé la nouvelle. Pardonnez mon impolitesse, Excellence, mais comment se fait-il que vous soyez mêlé à cela ?

— Je venais rendre visite au seigneur Tachibana, et j'ai découvert son corps.

Le capitaine s'approcha, mais Akitada n'esquissa pas le moindre geste pour l'inviter à entrer.

— On m'a dit qu'il était tombé, dit Yukinari en tentant de jeter un œil par-dessus l'épaule de son interlocuteur. Je lui ai dit à plusieurs reprises de faire attention. Il n'était plus si solide. Vous savez peut-être qu'il avait passé sa soixantième année ? Un grand âge, en vérité.

À cette remarque, Akitada songea à la belle jeune fille qu'il avait tenue dans ses bras, et il fut disposé à lui donner raison.

— Vous le connaissiez, alors. Il ne m'a pas semblé particulièrement fragile, hier soir. Les personnes ascétiques vivent souvent plus longtemps que leurs contemporains trop bien nourris.

Décontenancé, le militaire parut chercher ses mots. Il se gratta nerveusement le menton et considéra le chemin derrière lui.

— Ikeda est en route. Il a décidé de se déplacer en personne. Si des affaires plus importantes vous appellent ailleurs, Excellence, je peux fort bien rester ici. Sans doute préféreriez-vous ne pas être ennuyé avec cette affaire.

Quand il repéra Junjiro qui rôdait non loin d'eux et guettait avidement leurs moindres paroles, l'officier fronça les sourcils à son adresse.

— Je vous remercie, mais je considère de mon devoir de rester, répliqua Akitada, feignant d'être choqué. Mais vous, de votre côté, vous n'avez rien à voir avec tout cela, n'est-ce pas ? À moins que vous ne souhaitiez apporter votre soutien à dame Tachibana, bien sûr.

Yukinari tourna brusquement la tête vers l'inspecteur impérial, puis il ouvrit et referma la bouche avant de s'incliner et de s'éloigner en hâte vers le portail. Déconcerté, Akitada le suivit des yeux. C'était la deuxième fois en deux jours que le jeune capitaine trahissait une forte émotion.

Il réfléchissait encore à cet étrange comportement lorsque Ikeda apparut, flanqué de deux fonctionnaires et de deux officiers de police en manteau rouge portant chacun l'arc et le carquois propres à leur charge. Le vieux Sato ouvrait la marche. Constatant que le préfet était vêtu comme la veille au soir, Akitada se demanda si un seul invité du gouverneur avait trouvé le sommeil la nuit précédente.

L'apercevant, Ikeda s'inclina profondément. Décontenancés, les autres l'imitèrent.

— Quel honneur inattendu ! murmura le préfet en gravissant les marches. Le serviteur m'a appris que Votre Excellence avait eu la désagréable surprise de découvrir le corps. Une extraordinaire coïncidence, en vérité.

Le ton de cette dernière réflexion laissait entendre que la présence d'Akitada était quelque peu suspecte.

— Pas plus extraordinaire que votre présence, messire le préfet, rétorqua ce dernier. Enquêtez-vous personnellement sur tous les décès accidentels ? J'aurais plutôt pensé que cette tâche incombait au magistrat de la province.

Le teint gris d'Ikeda vira au rouge maladif.

— Notre magistrat est en déplacement dans un district voisin, répondit-il avec raideur. Et, pour le seigneur

Tachibana, je me serais déplacé, de toute façon. Par respect. (Après un silence, il ajouta :) Non que nous ayons été très proches. Sa seigneurie n'encourageait pas la familiarité chez ses subordonnés.

— Vous avez donc servi sous ses ordres ?

Une étrange expression où se mêlaient de l'amertume, du ressentiment et une satisfaction sournoise passa sur le visage d'Ikeda.

— En effet, confirma-t-il avant de désigner ses compagnons. Permettez-moi de vous présenter mon secrétaire, Oga, et le Dr Atsushige.

Après les salutations d'usage, le préfet, de nouveau tout sourire, reprit :

— Peut-être Votre Excellence accepterait-elle de partager quelques estimables vues sur cette affaire pendant que mes gens examinent le corps ?

Akitada acquiesça et s'effaça pour les laisser entrer. Il entreprit ensuite de raconter son arrivée, s'en tenant strictement aux questions d'horaire, d'état et de position du corps, et d'aspect général de la pièce. Ikeda écouta attentivement avant de s'excuser pour aller rejoindre le médecin, qui étudiait le corps. Agenouillé à côté d'eux, le secrétaire prenait des notes. Le Dr Atsushige eut bientôt terminé, mais il eut un long conciliabule avec le préfet avant que ce dernier ne revienne auprès du jeune inspecteur.

— L'affaire est assez claire, comme vous l'avez probablement constaté par vous-même, Excellence.

Avant de poursuivre, Ikeda se frotta les mains, ce qui eut le don d'irriter son interlocuteur.

— Le pauvre vieillard a travaillé tard, il est monté sur ce marchepied, a perdu l'équilibre, est tombé et s'est cogné la tête sur le coin de ce bureau, ce qui a entraîné sa mort. Tous les éléments concordent : le marchepied renversé, les documents éparpillés, la position du corps, les traces de sang et les cheveux sur le bureau. L'accident a sans doute eu lieu tard hier soir. Cela dit, mes pauvres compétences ne peuvent certainement pas se mesurer à la formation immensément supérieure de Votre Excellence. Je vous prie, en toute modestie, de bien vouloir me faire part de vos lumières.

Après une hésitation, Akitada répondit :

— Nous sommes en hiver, et les premières heures du jour sont très froides. La mort aurait pu se produire beaucoup plus tard dans la nuit ou même très tôt ce matin. La blessure au crâne indique un violent coup au sommet de la tête, je crois.

— Ah, cela concorde tout à fait, se réjouit le préfet en hochant la tête. Le domestique m'a dit que son maître travaillait souvent tard le soir. Les faits parlent d'eux-mêmes. Notre gentilhomme est rentré chez lui après notre petit dîner, peut-être un peu grisé par le saké et la nourriture. Il a travaillé un moment. Et alors qu'il ne tenait plus trop sur ses jambes, soit parce qu'il avait sommeil, soit parce qu'il avait des vertiges, il est monté sur le marchepied pour prendre des documents. Ceux-ci lui sont tombés sur la tête et l'ont assommé, d'où sa chute. C'est on ne peut plus clair. Je vous suis très reconnaissant pour vos observations, Excellence. À présent nous allons terminer toutes les formalités administratives, je ne vous retiens donc pas davantage.

Après un dernier coup d'œil en direction du cadavre, Akitada salua Ikeda et son personnel d'un mouvement de tête et quitta la pièce. Dehors, le soleil était enfin sorti. Il remit ses bottes, passa devant les deux *hobens* et se dirigea vers Sato et Junjiro, qui attendaient toujours dans l'allée.

— Je dois partir, annonça-t-il à Sato, mais j'espère que vous prendrez garde à ce qu'aucun des papiers ne soit dérangé. Le préfet a estimé que la mort de votre maître était due à une chute accidentelle. Lui et ses hommes en ont presque terminé et ne devraient pas

avoir besoin des documents. Il serait d'ailleurs préférable que vous ne mentionniez à personne l'intérêt
que je leur porte.

Le vieil homme s'inclina, et Junjiro proposa avec
enthousiasme de monter la garde jour et nuit sur la
véranda.

— Ce ne sera pas nécessaire, répondit Akitada
avec un sourire. Vous allez tous être très occupés dans
les jours à venir, je suppose.

— Oh, dieux du ciel, oui ! s'exclama Sato. Tu n'as
même pas fini de dégager les allées, Junjiro. Allez,
cours chercher ton balai. Comment ai-je pu oublier
une chose pareille ? Quelle journée !

— Une seconde. Junjiro, as-tu balayé ici quand la
neige a cessé de tomber ?

— Non, Votre Honneur, répondit ce dernier, surpris. Je n'ai encore rien balayé, aujourd'hui. Je
m'apprêtais à le faire lorsque Sato est venu nous
apprendre la mort du maître.

— Eh bien, il est grand temps de t'y mettre, mon
garçon, grommela Sato.

Sous son regard noir, Junjiro fila aussitôt. Le vieux
serviteur raccompagna l'inspecteur impérial jusqu'au
portail, où celui-ci lui demanda :

— Le seigneur Tachibana recevait-il beaucoup ?

— Pas ces derniers temps, messire. Du vivant de la
première épouse de sa seigneurie, nous avions beaucoup d'invités. Mais tout cela a changé, conclut-il en
regardant tristement autour de lui.

— Cela fait longtemps que vous servez votre maître, je vois, dit Akitada avec sympathie. Il est rare de
trouver des domestiques de votre âge, de nos jours.
La plupart se retirent et laissent les jeunes gens prendre la relève.

Sato inspira sèchement.

— Je vais très bien ! gronda-t-il. Je suis fort
comme un bœuf. Les gens ne devraient pas s'imagi-

ner qu'un vieil homme n'est pas capable d'accomplir le même travail qu'un jeune. Je sers mon maître depuis quarante-cinq ans, messire, j'ai commencé bien avant l'arrivée de la seconde dame, et j'ai tou jours donné entière satisfaction.

Les yeux pleins de larmes, il tremblait d'émotion.

Akitada se rappela les paroles de Junjiro et décida de creuser la question.

— L'actuelle dame Tachibana est donc ici depuis peu ?

Sato respira et s'essuya les yeux.

— Oui, messire. C'est la fille d'un vieil ami du maître. Pour tenir la promesse qu'il lui avait faite sur son lit de mort, mon seigneur l'a prise pour seconde épouse. Elle a repris la direction de la maisonnée après la disparition de la première.

Sato serra les lèvres et jeta un coup d'œil furieux en direction de la demeure. À l'évidence, il n'avait guère d'affection pour sa jeune maîtresse.

— Il n'est pas facile de s'adapter à certains chan gements et de placer si vite sa loyauté en quelqu'un qu'on ne connaît pas, observa Akitada avec froideur. Sans compter qu'une aussi jeune dame manque sans doute d'expérience en ce qui concerne la tenue d'une maisonnée.

Il pensa avec émotion à la mince créature enfantine qui lui avait adressé un sourire timide.

— Peut-être, répondit Sato d'un ton morne. Des rumeurs ont circulé à la mort de la première dame, et la plupart des domestiques ont été obligés de partir. Nous ne sommes plus que cinq, et nous nous mêlons de nos affaires. Avec Junjiro, qui est un jeune sot, je suis le seul homme, et je ne peux pas me trouver par tout à la fois.

— Eh bien, je vais vous laisser vaquer à vos occu pations à présent, mais je reviendrai examiner les papiers de votre maître. Est-il possible d'éviter l'entrée principale, pour ne pas déranger les visiteurs du défunt ?

— Un petit portail donne sur une ruelle derrière la propriété. Il est fermé mais, si vous me prévenez, je demanderai à Junjiro d'aller vous ouvrir.

— Oui, merci, cela ira très bien.

Voyant que le vieil homme peinait à ouvrir le portail, Akitada lui vint en aide et en profita pour lui poser une dernière question.

— Avez-vous déplacé des meubles dans le cabinet de travail, ces derniers temps ?

— Oh non, messire. Sa Seigneurie n'aimait pas qu'on dérange ses affaires. Elle était intraitable, là-dessus.

Quand Akitada pénétra dans la cour du pavillon qu'il occupait, il découvrit Tora assis au soleil sur les marches de la véranda, la mine sombre. Deux longs bâtons en bambou étaient appuyés contre un pilier.

— Voilà des heures que j'attends ! lança le serviteur d'un ton accusateur. Vous êtes très en retard.

Même entre pairs, cette réflexion aurait été déplacée. De la part d'un domestique, elle relevait carrément de l'insubordination. Akitada tressaillit. Tout autre maître que lui aurait impitoyablement battu Tora, mais il avait décidé d'accepter le jeune homme tel qu'il était, parce qu'il ne pouvait se résoudre à gâcher une amitié aussi étrange que gratifiante. Son absence totale de servilité, son honnêteté et sa franchise brutale dans son expression comme dans ses sentiments lui étaient plus précieuses que de l'obéissance et de la soumission. En outre, il craignait que la moindre tentative pour le changer ne fasse fuir Tora. C'est pourquoi il se contenta de répondre :

— Je suis parti très tôt pour rencontrer le seigneur Tachibana. Lorsque je suis arrivé chez lui, je l'ai trouvé mort, et j'ai dû attendre les autorités.

Les yeux de Tora s'arrondirent.

— Ah ! Quelqu'un vous aura coupé l'herbe sous le pied.

C'était exactement ce que pensait Akitada.

— Qu'est-ce qui te fait dire ça ? demanda-t-il pourtant à son serviteur.

— Comme vous êtes parti sans prévenir le vieux Seimei, j'ai compris que vous étiez sur une piste.

— Tu as peut-être raison, même si le préfet a qualifié cette mort d'accidentelle. Mais oublions cette affaire, pour le moment. Si tu es prêt à t'exercer, allons-y, et ensuite nous irons prendre un bain. Cela m'a vraiment manqué ce matin.

Ils se déshabillèrent, ne gardant que leur large pantalon, et jetèrent leurs vêtements sur la rambarde de la véranda. Tora lança un bâton à Akitada, et ils commencèrent. L'air était toujours froid, mais dans ce coin protégé le soleil avait fait fondre la fine couche de neige. Après quelques échanges, leur dos et leur torse luisaient déjà d'une sueur qui se transformait en vapeur au contact de leur peau brûlante.

Pendant un moment, ils ne pensèrent à rien d'autre qu'à ce combat de force et d'adresse. L'air résonnait de leurs cris, du claquement des bâtons et du crissement du gravier mouillé sous leurs pieds. Quelques employés du tribunal pointèrent timidement la tête à l'entrée de la cour avant de disparaître. Indifférents au reste du monde, les deux hommes avançaient, reculaient, croisaient le bâton, virevoltaient, se heurtaient, feintaient, parant chaque coup. Bientôt, leur respiration ne fut plus que halètements, et leur visage devint rouge sous l'effort. Tora se montrait, de peu, le plus fort, et obligeait souvent son maître à reculer, mais ce dernier était agile et avait appris à anticiper les attaques de son adversaire. L'exercice prit brusquement fin quand Akitada parvint à faire sauter le bâton de la main de Tora tout en le faisant trébucher. Le serviteur atterrit sur son postérieur dans un bruit mat et éclata d'un rire tonitruant.

— Allons nous laver ! cria Akitada.

Il jeta son bâton sur la véranda et s'éloigna d'un pas alerte en direction des bains. Il se sentait merveilleusement bien, incroyablement vivant et heureux. En cet instant, ses soucis n'avaient plus d'importance. Il avait enfin vaincu Tora ; il avait réussi à maîtriser le maniement du bâton. Le sang chantait dans ses veines, et il bondissait de joie.

Tora le suivit, un large sourire aux lèvres.

— Vous m'avez bien eu, messire, déclara-t-il un peu plus tard.

Ils étaient accroupis côte à côte, entièrement nus. Deux domestiques en pagne frottaient vigoureusement leur corps luisant au moyen de sacs de chanvre brut remplis de paille de riz qu'ils trempaient dans des seaux d'eau froide.

— Je n'aurai bientôt plus rien à vous apprendre. Lorsque ce temps viendra, vous n'aurez plus besoin de moi, j'imagine.

Akitada poussa un cri étouffé en se renversant un seau d'eau froide sur le corps avant de se glisser dans la cuve fumante. Le choc provoqué par le brutal changement de température se transforma presque aussitôt en délicieux bien-être. Il s'enfonça dans l'eau jusqu'au menton, appuya sa nuque contre le bord en bois et ferma les yeux.

— Ne sois pas stupide. Tu me rends bien d'autres services indispensables.

— C'est bien ce qu'il me semblait, déclara Tora avec suffisance avant d'entrer dans la cuve à son tour. J'ai un don pour résoudre les énigmes et aller au fond des choses.

— Hmm, fit rêveusement Akitada.

Il sentit ses muscles se dénouer peu à peu ; sa peau devint douce et se ramollit. La vapeur qui se déposait en gouttelettes sur son visage le chatouillait, mais il était trop détendu pour s'en soucier.

Le seigneur Tachibana l'avait prié de venir, il lui avait adressé cette requête de façon à la fois insistante et discrète, et quelqu'un l'avait tué la nuit même. Pourquoi ? Pour empêcher leur rencontre ? L'ancien gouverneur savait-il quelque chose qui ne devait pas être communiqué à l'inspecteur ? Dans ce cas, c'était forcément lié aux disparitions d'impôts. Seul quelqu'un ayant surpris les paroles de Tachibana avait pu le tuer aussi rapidement. Le jeune homme tenta de se remémorer la scène : qui se trouvait donc à côté d'eux à ce moment-là ? Motosuke ne devait pas avoir été bien loin, car les règles de courtoisie exigeaient qu'il raccompagnât ses invités de haut rang. Qui d'autre ? Yukinari, Ikeda, Joto ? Il n'arrivait absolument pas à s'en souvenir.

Il ne chercha pas à forcer sa mémoire et se concentra sur la résidence Tachibana. C'était la demeure d'un homme riche et cultivé. En dépit de leur simplicité, les grands bâtiments étaient d'une conception et d'une construction magnifiques. Quant aux superbes meubles et objets du cabinet de travail, ils avaient été fabriqués avec les meilleurs matériaux. Akitada songea à leur propriétaire. Que l'ancien gouverneur ait passé sa retraite à établir une histoire de sa province prouvait qu'il prenait au sérieux ses devoirs envers la postérité. C'était également quelqu'un que passionnait l'art des jardins ; un homme d'une grande sincérité porté par de nobles ambitions, mais aussi par un élan spirituel qui le poussait à chercher la sérénité et le bonheur dans la création de la beauté. En d'autres termes, un homme d'honneur. Une telle personne n'avait pu qu'avoir en horreur les crimes commis à l'encontre de l'empereur. Selon toute vraisemblance, il avait attendu l'arrivée d'Akitada pour parler. Cet homme âgé était-il également un sage ? Peut-être pas.

Sinon, comment aurait-il pu prendre pour épouse cette ravissante femme-enfant, celle qu'Akitada avait vue si craintive sur le seuil de son cabinet, ses yeux noyés de larmes et ses douces lèvres humides toutes tremblantes…

Soudain, une main le saisit par l'épaule et le secoua rudement. Instantanément, le jeune Sugawara rouvrit les yeux.

— Vous allez vous noyer si vous vous endormez, gronda Tora. Allez, sortons. Je veux tout savoir sur ce meurtre.

Ils retrouvèrent Seimei dans la chambre d'Akitada et prirent place autour du brasero. Un domestique vint leur apporter le déjeuner ; ils se servirent en riz et légumes au vinaigre tandis que Tora versait le saké.

Après le départ du serviteur, l'inspecteur impérial leur raconta par le menu ce qui s'était produit dans la demeure du seigneur Tachibana et leur fit passer le tesson vert qu'il avait découvert dans les cheveux du mort.

— Il a été assassiné, affirma-t-il catégoriquement. Le corps était trop soigneusement disposé, et le meurtrier a commis une erreur en déplaçant le bureau. En outre, Tachibana a été blessé au sommet du crâne, pas sur le côté ni à l'arrière, ce qui aurait été le cas s'il avait heurté le coin du bureau dans sa chute. Ikeda a mis cela sur le compte des boîtes de documents. Il a même prétendu avec insistance que l'une d'elles devait l'avoir heurté à la tête et assommé. Or, dans ce cas, on aurait retrouvé du sang sur la boîte, et non sur le bureau. De toute façon, ces boîtes ne sont pas assez lourdes pour infliger une blessure fatale. Comme Tachibana a eu le crâne fracassé… Et Ikeda semblait étrangement pressé de prononcer la mort accidentelle.

— Un fonctionnaire ! grogna Tora. Que peut-on espérer de ce genre de personnage ? Il est probablement mêlé à l'affaire. Cela explique pourquoi ce bâtard s'est déplacé en personne. Il devait attendre dans son bureau qu'on vienne le mander. Ainsi, il savait qu'il pourrait se rendre sur place et réparer une éventuelle erreur. Il ne s'attendait sûrement pas à tomber sur vous.

Irrité, Seimei intervint avec raideur :

— « Il n'y a pas plus noble métier que servir son prince », a dit le grand sage. Ceux qui occupent des postes officiels y ont accédé grâce à leur instruction. Le sage a également dit : « La classe inférieure peine sans jamais rien apprendre. » Tu appartiens à cette classe, et par conséquent tu ne sais rien et tu devrais te taire quand tes supérieurs s'expriment.

Tora rougit de colère mais, à la surprise d'Akitada, il se contenta de dire :

— Fais-nous part de ton opinion, alors, que je puisse apprendre et m'améliorer.

Seimei acquiesça gracieusement.

— Très bien. J'ai l'impression, messire, que ce préfet est peut-être simplement incompétent. Les fonctionnaires des provinces, expliqua-t-il à Tora, sont mal formés à l'investigation des crimes, sans compter qu'il remplaçait le magistrat absent. Qu'en est-il de l'heure de la mort, messire ?

— C'est un détail important, et j'aimerais bien avoir davantage de certitudes sur ce point. À mon avis, Tachibana n'est mort que deux ou trois heures avant mon arrivée. Et cela, bien sûr, signifie qu'il ne s'est pas rendu dans son cabinet de travail tout de suite après le dîner. Il s'était changé. Par ailleurs, il n'y avait ni bougie ni brasero allumé dans la pièce. Il ne pouvait donc pas être en train de travailler sur ses documents lorsqu'il a été tué.

— Mais vous avez dit que le corps était en train de se raidir, objecta Seimei. Il est sûrement resté là toute la nuit.

— Il faisait terriblement froid, ce qui a pu accélérer le processus. Mais, quelle que soit l'heure du décès, je ne crois pas que Tachibana soit mort sur place. Il a été assassiné ailleurs, et son cadavre a été transporté dans le cabinet de travail afin de mettre en scène la chute accidentelle. Ses socques étaient à la porte, mais propres et secs. En outre, et cela ne m'a frappé qu'au moment de mon départ, quelqu'un avait balayé l'allée entre la demeure principale et le cabinet. Comme les domestiques ne s'en étaient pas chargés, j'en déduis que l'assassin a cherché à supprimer toutes les traces d'empreintes dans la neige vierge. Je me demande quand il a commencé à neiger, au juste.

Il se tourna vers Tora, qui se sentit invité à donner son avis.

— Le meurtrier doit être un homme fort, pour avoir infligé une blessure mortelle au vieil homme et l'avoir transporté jusque-là. Cela m'ennuie de le dire, mais le préfet n'a pas l'air très viril. Peut-être est-ce le capitaine qui a fait le coup, après tout. Il est jeune, et c'est un militaire.

— À propos, intervint Akitada, Yukinari s'est présenté, lui aussi, et il a tenté de pénétrer dans le cabinet. Qui plus est, il a eu une réaction très étrange quand je lui ai suggéré d'aller offrir son soutien à la veuve. Ce qui est certain, c'est que nous avons forcé la main de quelqu'un. Cela devrait nous rapprocher de la solution, pourtant j'ai l'impression d'avancer à tâtons dans le brouillard. Je sais que le chemin n'est pas loin et que je marche dans la bonne direction, mais je ne vois pas où je vais.

— Moi, je vois, s'écria Tora. Pensez à la veuve. Elle est jeune, n'est-ce pas ?

— Très jeune, répondit son maître avec un froncement de sourcils.

— Et jolie ?

L'aristocrate montra des signes d'impatience.

— Oui, on pourrait même dire qu'elle est assez belle.

— Le voilà, votre mobile ! s'exclama Tora en claquant des mains. Le beau capitaine séduit la jeune épouse. Quand le vieux mari découvre que le militaire profite de son trésor parce qu'il est mieux outillé, pour ainsi dire, une querelle s'ensuit, et le capitaine le frappe à la tête.

Akitada se leva d'un bond et foudroya son serviteur du regard.

— Seimei a raison ! Ta langue impudente va de pair avec ton esprit mal tourné.

Les yeux levés vers son maître, le vieil homme objecta :

— Eh bien, le garçon n'a peut-être pas tort, messire, même s'il dit les choses crûment. Toutes les femmes mariées ne sont pas forcément de véritables épouses, vous savez. Une différence d'âge aussi importante peut créer des problèmes dans un foyer. Il sera aisé d'apprendre la vérité de la bouche des domestiques. On dit que seul un mari ignore ce qui se passe sous son toit. Les femmes sont des créatures sans morale.

— Il suffit ! aboya Akitada. Ce genre de discours ne fait pas avancer notre enquête sur les disparitions d'impôts. Tora, tu as passé toute la semaine de ton côté. Pendant que Seimei et moi examinions les comptes du gouverneur, tu étais censé parler aux gens du cru. Qu'as-tu appris ?

— J'ai passé beaucoup de temps chez Higekuro, messire, avoua Tora, l'air gêné. Pour essayer de me faire une idée des conditions de vie de la région.

Seimei renifla avec dédain, et l'aristocrate demanda froidement :

— Et quelles sont-elles ?

— Eh bien, la province est prospère. Beaucoup de riz, un bon climat, un sol riche. En plus, ils se sont lancés dans la fabrication de la soie.

— Allons, il n'y a rien de nouveau dans tout cela. Nous avons vu les plantations de mûriers blancs en venant. Et il y avait de la soie dans les convois d'impôts.

— En tout cas, cela a fait la fortune du voisin d'Higekuro. Otomi dit qu'il a commencé par vendre du chanvre et du coton bon marché dans une petite boutique. Ensuite, il s'est lancé dans le commerce de la soie et, du jour au lendemain, il est devenu négociant en gros, avec des entrepôts dans le port et ici en ville. Depuis, il a fait élever un grand mur autour de chez lui et n'adresse plus la parole à ses voisins.

— Ah, tout cela me semble bien suspect, affirma Seimei. Le sage a dit : « La vertu ne vit jamais en ermite. Elle est toujours en bonne compagnie. » Le marchand de soie n'est pas vertueux, sinon il partagerait sa joie avec ses voisins.

— Peut-être a-t-il simplement peur du vol, nota sèchement Akitada. Y a-t-il beaucoup de crimes en ville, Tora ?

— Pas plus que dans n'importe quel endroit où il y a de l'argent. D'après Higekuro, il y en aurait beaucoup plus sans la présence de tous les soldats de la garnison.

— Le capitaine Yukinari m'a dit que les effectifs avaient été renforcés après la disparition du premier convoi. (L'inspecteur impérial se pinça pensivement le lobe de l'oreille.) J'aurais cru que les nouvelles recrues ajoutées aux nombreux disciples de Joto causeraient des problèmes.

Tora hocha la tête.

— J'ai l'impression que la population aime les soldats et qu'elle s'accommode des moines, parce qu'elle gagne de l'argent grâce aux pèlerins. Même Higekuro et ses filles sont plus à l'aise, à présent. Des soldats viennent prendre des cours à l'école, et Otomi fait de bonnes affaires avec la vente de ses peintures aux pèlerins.

— De ses peintures ? répéta Akitada.

— Oh, je ne vous avais pas dit ? Cette fille est très douée. Elle peint des saints et des mandalas bouddhistes que les pèlerins paient un bon prix, parfois jusqu'à un lingot d'argent pour un grand rouleau. Vous devriez voir son travail. Ça paraît si réel qu'on s'y croirait.

— Qu'on se croirait où ? dit Seimci, qui prenait toujours tout au pied de la lettre. Les saints et les mandalas n'existent pas. Comment peut-elle les peindre comme des gens ou des lieux véritables ?

— Eh bien, peut-être pas ceux-là, répliqua Tora sur la défensive, mais elle a fait de très belles peintures de montagnes ou de la mer.

— J'aimerais bien rencontrer tes amis un de ces jours. (Akitada sourit.) Otomi doit être une artiste remarquable pour que tu loues ainsi son travail.

Tora eut l'air ravi. Avec un coup d'œil timide en direction de Seimei, il demanda :

— Croyez-vous, messire, que quelqu'un comme moi pourrait apprendre à écrire ? (Devant la mine stupéfaite de ses deux compagnons, il ajouta en rougissant :) Pas tout, bien sûr. Juste quelques mots qui pourraient plaire à une fille.

Seimei renifla de nouveau et répondit :

— Je t'apprendrai à manier un pinceau, mais un tel talent a trop de valeur pour ne servir qu'à la composition de messages d'amour. De toute façon, les femmes ne savent ni lire ni écrire. Elles ne sont pas capables d'appréhender ce genre de choses.

— Je te promets que je m'appliquerai de tout mon cœur, Seimei, mais tu te trompes au sujet d'Otomi. Elle lit et elle écrit tout le temps.

— Et l'autre fille ? s'enquit son maître.

Tora fit la grimace.

— Ayako ? C'est une fille très masculine qui aide son père à former ses élèves aux arts martiaux. Elle ne vous plairait pas, messire.

— Peut-être pas, en tout cas pas dans le sens où tu l'entends, répliqua Akitada, songeant à certaine beauté fragile. Je crois que je devrais aller présenter officiellement mes condoléances à dame Tachibana. Elle est tellement jeune et inexpérimentée, elle aura peut-être besoin d'aide, pour régler la succession de son défunt mari. Seimei, tu établiras les décharges pour le gouverneur. Et toi, Tora, tu ferais bien de commencer à te rendre utile en parlant aux habitants de cette ville.

Seimei considéra fixement son jeune maître avant de déclarer :

— Plus dangereuse que le tigre est la soie écarlate de la sous-robe d'une femme.

7

BAS-FONDS

Une fois dehors, Tora décida de se rendre chez Higekuro pour s'assurer que tout allait bien. Le temps était de nouveau couvert et glacial, mais il ne neigeait pas. Ne songeant qu'à Otomi, le jeune homme marchait d'un si bon pas qu'il ne sentait pas le froid. Tandis qu'il longeait le sanctuaire situé non loin de l'école d'arts martiaux, il aperçut soudain deux silhouettes en robe safran. Aussitôt, il se réfugia sous le porche afin de les observer.

Les deux moines semblaient mendier. Ils frappaient aux portes, attendaient qu'on vienne leur ouvrir, prononçaient quelques paroles et tendaient leur bol. Une fois qu'on leur avait donné un peu de nourriture, ils poursuivaient leur chemin. Tora lui-même commençait à avoir faim : les repas de son maître étaient trop frugaux à son goût, et l'heure du cheval[1] n'était pas loin de s'achever. Plein de ressentiment, il pensait à ces bols bien remplis quand il vit avec stupéfaction les religieux les vider dans un carré d'herbes folles avant de se remettre à mendier. Cette engeance était-elle donc gâtée au point de faire la fine bouche ?

1. Entre 11 et 13 heures. (*N.d.T.*)

Ce n'est que lorsqu'ils arrivèrent devant la maison face à celle d'Higekuro que Tora comprit ce qu'ils cherchaient vraiment. Là, une servante âgée sortit dans la rue et désigna l'école. Les moines parurent lui poser des questions, et la femme acquiesça avant de désigner ses lèvres et ses oreilles tout en parlant. Puis elle rentra, et ils fixèrent un instant la demeure d'Higekuro avant de rebrousser rapidement chemin.

Ainsi, ces misérables avaient retrouvé la trace d'Otomi !

Higekuro était seul dans la salle d'exercice quand Tora y fit irruption. L'homme s'entraînait au tir à l'arc avec une telle concentration qu'il ne tourna même pas la tête. Installé sur un tabouret, il envoyait sans effort ni à-coup flèche sur flèche dans une série de petites cibles disposées à près de onze *ken*[1] de distance sans jamais manquer son but. Il ne baissa son grand arc que lorsque son carquois fut vide ; alors seulement il regarda par-dessus son épaule.

Tora applaudit.

— Je croyais savoir manier un arc, mais comme ça, non. Pourquoi vos flèches sont-elles si longues, et combien coûtent vos leçons ?

— Ce sont des flèches de concours. (Higekuro eut un petit rire.) À l'armée, vous en utilisez de plus courtes. Et pour mes amis, les leçons sont gratuites.

— Je peux payer, maintenant que j'ai un travail régulier.

— Ne refuse jamais le cadeau d'un homme reconnaissant. Cela l'amoindrit. Tes leçons seront gratuites, mais aujourd'hui j'attends des élèves. Cela t'ennuierait de revenir une autre fois ?

— Non, simplement il faut que je voie Otomi. Les moines ont recommencé à rôder par ici.

1. Environ vingt mètres. (*N.d.T.*)

118

— Vraiment ? s'étonna Higekuro. Eh bien, elle ne va pas tarder à rentrer.

Le jeune homme se rembrunit.

— Je vais l'attendre, dans ce cas.

— Comme tu voudras, dit son hôte avec un petit rire avant de reprendre son entraînement.

Tora se mit à arpenter nerveusement la pièce. Le temps passant, il s'inquiéta et se mit à imaginer le pire. Enfin, la porte s'ouvrit, et Otomi et Ayako entrèrent, panier au bras.

— Mais où étiez-vous passées ? aboya-t-il. Vous ne savez donc pas que les rues ne sont pas sûres pour deux femmes seules ?

Sa mine renfrognée effraya Otomi, mais Ayako ne se laissa pas impressionner.

— En quoi diable est-ce que ça te regarde ?

Higekuro s'éclaircit la gorge.

— Puisque mes filles sont là, tu ne veux pas te joindre à nous pour manger un morceau, Tora ?

— Merci, mais je n'ai pas le temps, répondit ce dernier en lançant un regard hostile à Ayako. Ces maudits moines ont découvert votre demeure, et je me faisais du souci pour ta sœur.

Elle lui rendit son regard.

— Pourquoi ?

Se raclant de nouveau la gorge, son père intervint :

— C'est très aimable à toi de nous avoir prévenus, mon ami, mais je crois qu'Ayako peut venir assez facilement à bout de deux moines.

— Comment pouvez-vous en être aussi certain ? s'écria Tora, piqué au vif. Vous ne les avez pas vus à l'œuvre. Si ces bâtards s'en donnent vraiment la peine, vous êtes en danger. Deux filles et un…

Il s'interrompit.

— … un infirme, c'est bien ce que tu allais dire, n'est-ce pas ? acheva Higekuro. (Son rire gronda dans sa large poitrine.) Je devrais être offensé, l'ami ! Comment peux-tu douter ainsi de mes talents et de ceux d'Ayako ? C'est notre métier, d'enseigner à se défendre. Et nos portes ont des verrous solides. Ne t'inquiète pas ! Nous nous arrangerons pour ne pas laisser Otomi seule, à l'avenir. Mais cela m'étonnerait fort que ces individus reviennent. Ils seraient bien sots de risquer de se faire rosser juste pour une jolie fille.

Sur ce, il partit d'un nouveau rire. Ayako ne tarda pas à l'imiter, et Otomi finit par se joindre à eux.

Tora savait qu'Ayako se moquait de lui et il en fut vexé. Il lui jeta un regard noir et se tourna vers Otomi avec un air de reproche.

— Je vous préviens. Ces moines sont des fourbes et des brutes.

Cette affirmation déclencha une nouvelle vague d'éclats de rire.

— Eh bien tant pis, lança-t-il d'un ton brusque avant de tourner les talons.

Sur le seuil, il se heurta à deux élèves d'Higekuro, de grands gaillards de lieutenants qui considérèrent avec mépris le simple habit bleu de Tora et s'éloignèrent d'un air important. Le jeune homme dut faire appel à tout son sang-froid pour ne pas céder à l'envie de déclencher une bagarre.

Dehors, une autre robe safran remontait la rue. Ce moine-là ne faisait pas mine de mendier, il se dirigeait d'un pas décidé vers le lourd portail du voisin prospère d'Higekuro. On lui ouvrit dès qu'il eut frappé, et il disparut à l'intérieur.

Tora, bien trop blessé dans son amour-propre, ne prit pas le risque de s'attirer d'autres sarcasmes avec un second avertissement. Son ventre vide se rappela à son souvenir, et il se rendit au marché dans l'espoir de pouvoir s'y procurer aussi bien des informations qu'un bon repas.

Après avoir observé la foule qui se pressait devant les étals, il arrêta un marchand ambulant et lui donna une piécette de cuivre pour une poignée de marrons, que l'homme versa brûlants dans ses mains. Tora poussa un hurlement et cria :

— Que les démons te dévorent les testicules !

Et il se mit à sautiller sur place en faisant passer les marrons d'une paume meurtrie à l'autre.

Le vendeur l'examina avec de grands yeux innocents.

— Tenez-les dans votre manche, sinon vous allez vous brûler, messire.

— Merci du conseil ! répliqua sèchement Tora en s'éloignant.

— Encore un de ces stupides fonctionnaires, déclara le marchand à voix haute devant le client suivant.

Ce n'était pas un bon début, mais les marrons réchauffèrent Tora et lui réjouirent le palais tandis qu'il cherchait le visage avenant d'une personne disposée à bavarder avec un étranger. Il fit un tour complet du marché avant de conclure que les commerçants des environs formaient une tribu singulièrement maussade. Comme il n'était pas rassasié, il acheta un bol de nouilles au blé noir.

— Vous avez des problèmes avec les moines, par ici ? demanda-t-il au vendeur en lui tendant l'appoint.

Celui-ci le dévisagea d'un air hostile.

— Avec les moines ? Non. Ce sont de saints hommes qui dépensent sans compter, répondit-il en vérifiant la monnaie. Pas comme certains, qui volent le travailleur de ses quelques piécettes, ajouta-t-il sans aménité, les yeux posés sur la robe bleue de Tora.

— J'espère que ta femme te bat, lui jeta ce dernier avant de partir.

Cependant, il était troublé par l'attitude du marchand. Après un instant de réflexion, il se cacha derrière un étal pour modifier sa tenue : il fit bouffer sa longue tunique sur sa large ceinture jusqu'à ce qu'elle ressemble à une chemise très ample et rentra son pantalon dans ses bottes. Enfin, il dissimula son couvre-chef noir dans sa ceinture et desserra un peu son chignon. Dès qu'il fut certain de ne plus ressembler à un fonctionnaire, il reprit sa quête.

Il surprit une conversation entre une grosse marchande et sa cliente à propos de l'ex-gouverneur et se rapprocha. S'il aidait à résoudre cet étrange crime, son maître serait très satisfait de lui.

— Que s'est-il passé, grand-mère ?

— Notre vieux gouverneur est mort hier soir, répondit-elle en détaillant la haute silhouette de Tora de ses yeux noirs et brillants. C'est ce qui nous attend tous, bien nés ou non, gouverneurs ou mendiants. C'est tout un. Le Bouddha lui-même était un prince, et il s'est fait mendiant lorsqu'il a compris cela.

Juste à côté du jeune homme, une toux sifflante vint ponctuer ces propos, et une voix fêlée aux accents familiers s'éleva :

— Mais est-ce que ça marche dans l'autre sens ? J'aimerais bien être gouverneur, moi, pour changer.

— Toi, tu seras sûrement un chien galeux dans ta prochaine vie, grogna la grosse femme.

— Dans ce cas, je lèverai la patte sur toi, vieille tortue ! lança le Rat, qui s'étouffa dans une crise de fou rire asthmatique.

Avec un cri, la vieille femme s'empara d'un long radis blanc. Le mendiant se mit lestement hors de sa portée et entraîna Tora avec lui.

— Mais c'est notre vaillant héros ! s'exclama-t-il. Comment ça s'est passé, avec la fille ?

— Chut ! fit le jeune homme en s'assurant que personne ne les écoutait. Allez viens, vieille canaille. Je t'offre une tasse de saké en échange de ce que tu sais.

Les yeux du Rat s'écarquillèrent de ravissement.

— Je ne refuse jamais ce genre de proposition. Je connais un endroit pas loin d'ici. En route !

Même avec une béquille, il se déplaçait si rapidement que Tora eut du mal à ne pas se laisser distancer. Il suivit néanmoins cette espèce d'épouvantail sautillant devant lui, dans l'espoir de lui soutirer quelque précieuse information. Quel vieil imposteur ! songea-t-il en cheminant.

Le mendiant joua les unijambistes jusqu'à ce qu'ils pénètrent dans une minuscule taverne coincée entre deux échoppes. Désert à leur arrivée, l'endroit ne pouvait accueillir plus de quatre ou cinq personnes. Sur une estrade en bois où étaient entreposées des jarres à saké, une jeune femme au visage rond portait un bébé endormi sur le dos. Le Rat jucha son maigre postérieur sur un coin de l'estrade et l'interpella :

— Hé, sœurette, sers-nous ton meilleur saké, c'est mon ami qui régale.

Puis il détacha son faux moignon, le posa à côté de sa béquille et déplia la jambe avec un soupir de soulagement.

— Toujours à escroquer les honnêtes gens, à ce que je vois, nota Tora avec un large sourire.

Après avoir posé un pichet de saké et deux tasses devant eux, la femme lança une œillade au jeune homme et lui demanda :

— Que fait un beau gars comme toi avec un vieux bon à rien comme lui ?

Cela ne l'empêcha pas de donner une bourrade affectueuse au mendiant. Tora servit le saké et lui répondit avec componction :

— C'est pour le salut de mon âme, ma belle ! Tous les mois, je fais pénitence en dépensant le fruit de mon dur labeur pour un fainéant de son espèce. Cela me rappelle ce qui m'attend si je ne me casse pas le dos à gagner honnêtement ma vie.

La femme se mit à rire et regagna sa place.

— À ton travail ! s'exclama le Rat.

Il leva sa tasse et la vida d'un trait. Tora regarda le saké disparaître dans sa gorge maigre et sale, et avala prudemment une petite gorgée du sien, qui était excellent. Le mendiant reposa brutalement sa tasse vide et se lécha les babines d'un air entendu. Son compagnon comprit le message et le resservit.

— Et à ta pénitence ! fit le Rat en buvant tout aussi vite que la première fois.

— Avec un paresseux comme toi, je vais être dispensé de pénitence pendant des mois !

— Toujours à ton service, siffla le mendiant.

Il fut pris d'une telle crise d'hilarité que Tora dut lui taper dans le dos.

— Eh bien ? Que veux-tu savoir ? croassa-t-il dès qu'il eut recouvré l'usage de la parole.

— Je m'inquiète pour la fille.

— Sacré nom de nom ! s'écria le Rat. Tu ne penses donc qu'aux femmes ?

— Mêle-toi de ce qui te regarde. Quand je suis passé voir Higekuro tout à l'heure, une autre paire de crânes rasés interrogeaient les voisins, et une vieille bique leur a montré l'école.

Sans mot dire, le mendiant tendit sa tasse à son compagnon, qui la lui remplit obligeamment. Mais il ne l'avait pas plus tôt vidée qu'il quémandait encore à boire.

— Cesse de te faire du mauvais sang, ils n'ont rien à craindre.

Tora se sentit floué.

— Écoute, gronda-t-il avant d'empoigner rudement le Rat par le devant de sa chemise sale.

Le vêtement, déjà en loques, se déchira dans un bruit sonore. Tora relâcha brusquement le mendiant lorsqu'il vit ses côtes saillantes couvertes d'un affreux hématome. Quelqu'un avait dû administrer une sévère correction au vieil homme.

— Regarde ce que tu as fait, gémit le Rat. Me voilà nu par ce temps ! (Il frissonna et se mit à tousser.) Et moi qui suis fragile de la poitrine !

— Je suis désolé.

Le jeune homme plongea la main dans sa ceinture et en sortit une série de piécettes de cuivre qui représentaient l'équivalent de ses gages du mois à venir.

— Tiens. (Il en poussa la moitié vers son compagnon.) Achète-toi un vêtement chaud. Ce chiffon ne protégeait même pas tes puces du froid.

Le mendiant ramassa prestement l'argent et se remit à tousser. Ses quintes de toux rauques et profondes malmenaient tant sa vieille carcasse qu'il devint bleu et que des larmes se mirent à couler sur son visage. Consterné, Tora se leva d'un bond.

— De l'eau, vite ! cria-t-il à la femme. Il s'étouffe.

— Du saké ! éructa le Rat, la respiration sifflante. C'est la chaleur du saké… qui me soulage.

Sans cesser de crachoter et d'éternuer, il regarda la jeune femme le servir.

— Bénis soyez-vous, tous les deux. Bénis soyez-vous.

— Lui et ses crises, observa la jeune femme, pas du tout impressionnée.

Elle sortit le bébé de son écharpe pour lui donner le sein.

Le mendiant but avec avidité. Tora remplissait sa tasse dès qu'elle était vide, et au bout d'un moment la toux finit par s'atténuer. Considérant le jeune homme par-dessus sa tasse, le Rat lui lança :

— Tu es un bon gars. Ne t'en fais pas. Les filles n'ont rien à craindre. Ayako est une vraie terreur. Il vaut mieux les laisser tranquilles et rester ici à boire.

Il rota et se mit à chanter d'une abominable voix de fausset.

— Maudits soient tous les soldats, marmonna-t-il enfin avant de s'endormir.

— Les soldats ? s'étonna Tora. Quels soldats ?

La femme releva la tête.

— Ils l'ont battu, je crois.

Le Rat marmonna quelque chose et se roula en boule sur l'estrade avant de se mettre à ronfler. Écœuré d'avoir perdu en vain son temps et presque tout son argent pour deux femmes ingrates et un bon à rien de mendiant, Tora jeta quelques pièces pour le saké et partit dans la nuit.

Le marché était toujours aussi animé. Les lanternes et les lampes à huile éclairaient à présent les étals et les échoppes, et la plupart des passants portaient leur propre lumière. Tout cela projetait une lueur magique et changeante sur les marchandises et les clients. Les vendeurs de nourriture rencontraient un succès certain. Les odeurs mêlées de poisson frit, soupe épicée, boulettes au four et marrons grillés réveillèrent l'appétit de Tora. Au lieu de prendre un bon repas, il avait lampé du saké avec le Rat : le métier d'enquêteur jouait de biens mauvais tours à son estomac.

Lorsque ses narines captèrent des effluves de son mets favori, les gâteaux de riz frits, il en eut l'eau à la bouche. Il palpa sa maigre réserve de piécettes et chercha la source de l'odeur.

Le jeune homme pauvrement vêtu qui vendait les savoureux gâteaux les transportait dans deux récipients en bambou suspendus à chacune des extrémités d'une perche posée en équilibre sur son épaule maigre.

Tora le rattrapa promptement et se plaça en travers de son chemin.

— Je t'ai eu ! s'écria-t-il en lui barrant la route. Et ce n'est pas trop tôt.

Le marchand ambulant le dévisagea avec effroi et se mit à reculer. Tora le retint par la manche.

— Pas si vite, l'ami !

Jetant un œil sur les récipients, il constata qu'ils étaient remplis de gros gâteaux croustillants.

— Tout ça ! Les affaires doivent être bonnes.

— Non, non. Je n'ai presque rien vendu. Laissez-moi partir, je vous en prie.

Tora, dont l'appétit s'était férocement aiguisé, raffermit sa prise.

— Pas si vite, dit-il d'un ton sévère. Je n'en ai pas fini avec toi. Qu'est-ce que c'est que ces manières ? Tu ne sais vraiment pas traiter tes bienfaiteurs.

L'homme eut un mouvement de recul.

— Pardon, maître, marmonna-t-il. Je ne vous avais pas reconnu. Il faisait sombre, hier soir. Croyez-moi, je paierai ce que je vous dois. Vous m'avez bien fait comprendre où était mon intérêt. J'allais passer à la Demeure Céleste en rentrant chez moi. Vous voyez, annonça-t-il en tirant quelque chose de sa chemise, j'ai tenu parole. Prenez ! Mais dites-leur bien que Matahiro a payé.

Pris au dépourvu par ce discours, Tora relâcha son interlocuteur. Il sentit qu'on déposait un lourd paquet dans sa main et vit le marchand disparaître dans la foule, comme happé par un tourbillon.

À l'évidence, on l'avait confondu avec un autre. Il déplia le papier qui servait d'enveloppe et découvrit dix pièces d'argent. Quelle somme, pour un pauvre vendeur ! Peut-être s'agissait-il d'une dette de jeu.

Tora se lança à sa poursuite pour lui rendre l'argent, mais en vain. Désappointé, il finit par fourrer le tout dans sa ceinture. Décidément, cette journée ne lui apportait que des contrariétés, songea-t-il, mécontent. Son envie de gâteaux frits était toujours aussi impérieuse, et son estomac plus vide que jamais.

Cette Demeure Céleste dont l'homme avait parlé était sans doute une auberge. Il pourrait peut-être y laisser l'argent et manger un morceau par la même occasion. Après l'incursion du Rat dans sa maigre provision de piécettes, il ne lui restait plus qu'à espérer que les prix soient raisonnables. Il demanda le chemin à une femme qui lui adressa un regard étrange avant de désigner une ruelle obscure au bout de laquelle brillait la faible lueur d'une lanterne.

Lorsqu'il trébucha dans l'escalier après être passé sous la natte déchirée qui masquait l'entrée, Tora se fit la réflexion que ce lieu tenait plus d'une fosse de l'enfer que d'une demeure céleste. Il entendit un rire et atterrit sur son séant dans une sorte de caverne qui empestait la graisse rance et la crasse corporelle. À cela s'ajoutaient la puanteur âcre et la fumée chargée de suie de quelques lampes à huile qui n'éclairaient guère.

Ses yeux irrités finirent par s'accoutumer à la pénombre, et il découvrit un comptoir grossier et un sol en terre battue où buvaient et se restauraient des hommes – des ouvriers aux jambes nues vêtus de pagnes et de vestes matelassées en coton – qui appartenaient à la classe la plus pauvre. Ils accueillirent son arrivée comme un divertissement du plus haut comique.

Tora se releva. Ici, on devait manger correctement et pour pas cher, sinon l'endroit n'aurait pas été aussi fréquenté ; sans compter qu'il avait plus de chances de recueillir des informations utiles dans un bouge que dans un établissement respectable.

Accoudé au comptoir, le propriétaire, un gros homme chauve, le fixait sous des sourcils broussailleux.

— Des légumes salés et un pichet de ton meilleur saké, mon robuste ami, lui lança Tora en prenant place à côté d'un client.

Son voisin baissa son bol et s'essuya la bouche avec sa manche.

— Que manges-tu donc, mon frère ? s'enquit Tora. Est-ce bon ? Je suis affamé.

— La meilleure soupe de haricots de toute la ville, répondit l'homme avec un large sourire, si tu la gardes pour toi. Si tu ne peux pas, sors en courant. Le vieux Denzo nous a déjà suffisamment empestés comme ça.

Tout le monde éclata de rire, et le vieux Denzo se leva pour faire la démonstration de ses talents. Tora applaudit avant d'apercevoir le ventre rond du patron qui le surplombait, menaçant.

— Le gentilhomme préférerait peut-être ce que l'on sert au Dragon Doré, grogna le gros homme. C'est la grande auberge, à l'angle du marché.

— Pourquoi donc ? demanda Tora en levant les yeux vers lui. Si j'avais voulu manger là-bas, j'y serais allé directement. Tu dois avoir l'estomac à la place de la cervelle pour encourager un client à se restaurer ailleurs. Je voudrais de la soupe de haricots, et du saké pour mes amis.

Cette dernière requête lui attira aussitôt les bonnes grâces de chacun. Le gros homme grommela quelque chose et s'éloigna en se dandinant. Tora espérait que le saké allait délier les langues. Il s'apprêtait à interroger ses voisins quand le rideau se rabattit brusquement, livrant passage à trois inconnus. Le silence s'abattit d'un coup sur la salle. Le trio se dirigea dans sa direction et attendit que les autres hommes s'écartent pour s'installer à côté de Tora, qui les dévisagea : une brute au visage couturé de cicatrices, un géant corpulent et un petit homme au long nez. D'un air féroce, il s'exclama :

— Qu'est-ce qui vous prend ? Allez donc vous asseoir ailleurs. Je causais avec mes amis.

— On est très bien ici, rétorqua la brute d'une laideur sans nom.

Sa chemise ouverte dévoilait d'autres cicatrices, témoignages de combats au couteau, et Tora se rappela soudain qu'il n'était pas armé. Découvrant des dents cassées, le balafré le transperça de ses yeux noirs et enfoncés. Ses deux compagnons suivaient la scène en silence. Le géant avait un regard vide et une drôle de petite tête rasée perchée sur d'énormes épaules. Il était sans doute un peu simple d'esprit, songea Tora, ce qui le rendait d'autant plus dangereux. D'âge moyen, le troisième larron avait un visage anguleux et des yeux rusés de fouine. Tous trois considéraient Tora d'un air avide.

Malgré son courage, ce dernier avait suffisamment de bon sens pour ne pas chercher les ennuis dans un tel endroit : n'importe quel autre client risquait de se retourner contre lui et de le poignarder dans le dos. Il décida de jouer les bravaches :

— Si vous manquez de compagnie, racailles, fit-il, railleur, sortons et je vous ferai regretter d'avoir quitté le sein de vos mères.

À ces mots, le grand balourd tira un long poignard de sa manche et se passa une langue gourmande sur les lèvres.

— Je peux le taillader un peu, patron ? demanda-t-il d'une voix fluette qui se voulait enjôleuse.

Tora sentit ses cheveux se dresser sur sa tête. Les yeux rivés sur lui, le balafré envoya une taloche à l'idiot ; ce dernier poussa un gémissement et rengaina son couteau.

— Nous t'avons vu prendre notre argent des mains du vendeur de gâteaux de riz, déclara le chef d'une voix dépourvue d'émotion. Nous ne permettons pas aux étrangers de s'approprier de ce qui nous revient de droit sur notre territoire.

C'était donc cela : ces voyous extorquaient de l'argent aux petits marchands par la menace. En le confondant avec un membre de la bande, le jeune vendeur avait mis Tora dans une situation délicate. Même s'il rendait l'argent, il ne s'en sortirait pas indemne. Sa seule chance consistait à agir vite et avec détermination.

Au fait des techniques de combat de rue, Tora écrasa son poing sur la figure du plus petit dans un mouvement circulaire du bras droit. Au même moment, il se leva et envoya son pied dans le ventre du balafré. Le simplet tenta de se mettre debout, mais trébucha sur son ami. Sans lui laisser le temps de comprendre ce qui lui arrivait, Tora lui donna un coup de pied à la tête. Le visage de l'idiot se rida comme celui d'un enfant au bord des larmes.

Le plus petit ne bougeait plus, mais l'homme aux cicatrices s'était redressé, et il se jeta sur Tora, brandissant un poignard dans chaque main. Tora, qui savait à quel point ce genre de combattant était dangereux, battit en retraite et s'empara d'un tabouret pour parer les coups tout en cherchant des yeux quelque chose qui lui servirait d'arme. Il n'y avait rien, pas même un manche à balai.

Le balafré fendait l'air de ses lames, et Tora esquivait, repoussant l'une avec le tabouret et évitant l'autre grâce à sa vivacité. C'était un combat inégal qu'il avait peu d'espoir de remporter. Il s'apprêtait à prendre ses jambes à son cou quand on lui tendit un bâton en bambou.

Il le saisit prestement de sa main libre et attaqua sur-le-champ. Le balafré jura lorsqu'un de ses couteaux glissa et rebondit sur le sol. Son bras droit pendait, inutile, le long de son corps, mais il ne cessa pas ses assauts pour autant. Tel un animal enragé, il revenait à la charge, le regard fou, le visage déformé par la douleur. Sous l'effet de la fureur, la longue cicatrice froncée qui courait de la naissance de ses cheveux à son nez avait pris une couleur violacée.

Tora lâcha le tabouret et se concentra sur le maniement du bâton. Il y prenait presque du plaisir. Il administra encore un coup violent sur le crâne de son adversaire et un autre à l'estomac, avant de le désarmer et de le clouer au mur avec l'extrémité de son bâton.

Des applaudissements soutenus s'élevèrent alors. Essoufflé, Tora assura sa prise et regarda autour de lui. Son étonnement fut tel qu'il manqua lâcher son arme.

Le géant était étendu sur le sol, et sur son dos était assis un gaillard solidement charpenté, au visage buriné encadré par une barbe et des cheveux épais. Son regard pétillant était posé sur Tora, et un sourire jubilatoire dévoilait ses dents du bonheur.

— Hito ! s'exclama Tora. Que diable fais-tu ici ?

L'homme laissa échapper un rire.

— Content de t'avoir trouvé à temps, petit frère. Je passais par là, et j'ai cru reconnaître ta voix.

Le balafré commença à suffoquer et son visage vira au mauve. Tora relâcha un peu la pression sur sa trachée.

— Va chercher des cordes, ordonna-t-il au patron, qui se tordait les mains en roulant de gros yeux ronds.

— Que vas-tu faire d'eux ? s'enquit Hidesato.

Tora réfléchit un instant avant de répondre :

— Les livrer à la police ?

Cette suggestion déclencha des exclamations étouffées parmi les clients, et quelques-uns firent mine de gagner la sortie. De retour avec une bonne longueur de corde, le patron s'écria :

— Pas la police ! Nous nous en chargerons nous-mêmes.

Même si l'affaire pouvait attendre, ce ne fut qu'après avoir solidement ligoté le trio que Tora et Hidesato s'attablèrent ensemble pour boire à leurs retrouvailles inattendues.

Les yeux sur les cheveux et la barbe grisonnant de son ami, Tora lui demanda :

— Eh bien, quelles nouvelles ?

Hidesato fit la grimace.

— J'ai quitté l'armée un mois après toi. Depuis, j'ai pas mal roulé ma bosse, et je me loue à ceux qui ont plus d'argent que de talent pour le combat.

Le gros patron, devenu obséquieux, leur apporta un grand pichet de saké, deux bols de soupe et un plat de riz et de légumes.

— C'est la maison qui régale, annonça-t-il avec un sourire doucereux.

— Grand merci, fit Tora en levant sa tasse à la santé d'Hidesato. Bienvenue, grand frère ! Cela me réchauffe le cœur de te revoir. Et attends un peu d'apprendre ce qui m'est arrivé.

Hidesato avala une gorgée de soupe puis désigna du menton la tenue de son compagnon.

— Tu m'as l'air très comme il faut, dis-moi.

— Plus que ça, même. Figure-toi que je suis l'aide particulier de…

Il se pencha et murmura quelque chose à l'oreille de son ami. Le regard fixe, ce dernier finit par lever sa tasse et déclara sèchement :

— Je te félicite. (Puis il se tourna vers le patron de l'établissement.) Je me trompe peut-être, mais j'ai l'impression que vous n'appréciez pas beaucoup ces hommes, vous non plus.

— Ces salauds ? (Le gros homme cracha en direction de leurs prisonniers.) Je paye la fouine et l'idiot depuis des années, et ça me coûte une petite fortune depuis que le défiguré est avec eux. Ils cherchent des noises à la plupart de mes clients. J'aimerais bien les voir écorchés vifs, mais on n'aime pas trop la police, par ici.

— Cette engeance extorque de l'argent aux vendeurs du marché, expliqua Tora à son ami.

— Pas possible, fit Hidesato en haussant les sourcils. Une bande.

— Des percepteurs, voilà ce qu'ils sont ! cria le comique du lot. Ils volent les pauvres, tout comme ces maudits chiens envoyés par le gouverneur.

Tous les regards se tournèrent vers Tora, et un silence embarrassé tomba. Hidesato eut un sourire hilare tandis que son ami maudissait intérieurement son habit bleu.

— Je suis juste de passage, dit-il, et je gagne ma vie à la sueur de mon front, comme vous. Mais si nous laissons partir ces trois-là, ils reviendront et se vengeront sur vous.

Le patron blêmit.

— Il a raison. Tuons-les ! lança-t-il.

— Il n'y a rien de mieux pour faire venir la police, fit observer Tora.

Le gros homme regagna son comptoir en se dandinant et sortit une lourde jarre en terre cuite. Il y plongea la main et en retira dix pièces d'argent.

— Tenez, fit-il en en posant cinq devant Tora et cinq devant Hidesato. C'est pour vous si vous nous en débarrassez.

Tora repoussa les pièces.

— Non.

— Allez ! Au poignard, ce sera vite expédié. Et après, nous vous aiderons à transporter les corps au Champ des Miséreux. Ils trouvent toujours des cadavres, là-bas. On n'y verra que du feu, et vous serez partis bien avant les histoires.

— Non, répéta Tora d'une voix cassante. Nous ne sommes pas des tueurs à gages.

Hidesato le considéra longuement puis se leva pour jeter un œil sur les trois brigands.

— Tu connais leurs noms ? demanda-t-il au patron.

Ce dernier cracha de nouveau.

— Sale engeance ! Le gros monstre s'appelle Yushi. Un type que je connais l'a vu étriper un chiot. Avant l'arrivée de l'autre, Yushi travaillait pour le maigrichon, Jubei. Jubei, lui, fournissait des filles aux soldats, mais quand ils ont découvert qu'il les entraînait à rouler leurs clients, ils l'ont battu et obligé à abandonner la partie. Il s'est alors lancé dans l'extorsion aux alentours du marché. Et puis, il y a deux ou trois semaines, l'affreux a fait son apparition. On le surnomme le Balafré, mais tout le monde ignore son véritable nom.

— Leur place est en prison, affirma Tora avec obstination.

— Supposons, intervint Hidesato, que mon ami à l'allure de fonctionnaire raconte à la police qu'ils l'ont attaqué, ce qui est la stricte vérité. Vous, vous n'aurez qu'à dire que vous ne savez pas exactement ce qui s'est passé. La police les arrêtera et les enfermera jusqu'à la prochaine audience du tribunal. Si personne ne se présente contre eux, le magistrat les fera relâcher, mais ensuite, comme ils auront peur que vous ne témoigniez contre eux, ils vous laisseront tranquilles. Avec un peu de chance, ils s'en iront peut-être dans une autre province.

Cette proposition fut débattue et recueillit une large approbation. On alla quérir les *hobens*, qui écoutèrent l'histoire de Tora et repartirent avec les prisonniers.

Peu après, Tora poussa un soupir de soulagement. Il s'apprêtait à inviter Hidesato à partager sa chambre pour la nuit afin d'évoquer le bon vieux temps avec lui lorsqu'il s'aperçut que son ami avait disparu sans même l'avoir salué.

8

LA VEUVE

En bel habit et coiffe de cour, Akitada frappa pour la seconde fois de la journée au portail de la demeure Tachibana. La nouvelle concernant la mort de l'ancien gouverneur s'était répandue et avait attiré une foule de curieux. Cette fois-ci, il fut introduit promptement par Junjiro, qui, vêtu de la robe de chanvre des serviteurs en deuil de leur maître, affichait un air important et enjoué. Dès qu'il vit l'inspecteur impérial, il se redressa, croisa les bras sur la poitrine et s'inclina profondément à partir de la taille. D'une voix perçante, il s'écria :

— Bienvenue ! Cette pauvre masure est grandement honorée que Votre Altesse daigne la visiter.

Cette tirade déclencha un éclat de rire général chez les badauds. Akitada s'empressa d'entrer.

— Chut ! Ferme le portail, et vite.

— Ce n'est pas ce qu'il fallait dire ? s'enquit Junjiro en s'exécutant.

— Non. Seuls ton maître et ta maîtresse peuvent faire référence à leur demeure en ces termes. Et si tu dois employer un titre honorifique, eh bien, appelle-moi « Excellence ».

— Je vous suis reconnaissant de vos enseignements, Excellence, déclara cérémonieusement le jeune garçon.

Mais il gâcha son effet en ajoutant avec un large sourire :

— Vous avez manqué le spectacle. Si vous aviez vu ça ! Entre les crânes rasés qui chantaient et sautillaient pieds nus, les domestiques avec ces vêtements de chanvre qui les font ressembler à de gros sacs de haricots (il tira sur le tissu avec une grimace) qui braillaient et s'arrachaient les cheveux, et tous les gens dehors essayant de voir ce qui se passait, on se serait cru à une fête de village.

— Tu ne pleures donc pas ton maître ? demanda Akitada, stupéfait devant tant d'insensibilité.

— J'aurai tout le temps de le pleurer quand la maîtresse nous jettera dehors, répliqua le garçon. J'aime manger, moi.

Le jeune noble ouvrit la bouche, indigné, puis se ravisa.

— Conduis-moi à elle, ordonna-t-il.

— Elle est là-bas dedans avec le cadavre et les moines, l'informa crûment Junjiro en désignant le bâtiment principal.

Des chants bouddhistes provenaient de façon étouffée de l'intérieur. Sur la véranda, le serviteur aida Akitada à se déchausser avant de lui ouvrir la porte.

L'odeur de l'encens submergea l'inspecteur impérial. Dans la pénombre, les mélopées allaient et venaient comme la marée, leur flux et leur reflux commandés par le tintement régulier des clochettes qui s'élevait de chaque côté de la pièce, et les vagues de son enflaient et vibraient sous le battement rythmé des tambours. Il avait du mal à distinguer quoi que ce fût à travers l'épais brouillard qui enveloppait les silhouettes assises des moines en robe jaune, les pâles robes de chanvre des domestiques agenouillés, et les tenues plus sombres et plus élégantes des visiteurs. Tous lui tournaient le dos, parfaitement immobiles par respect envers le mort. Les volutes d'encens flottaient autour des chandelles, encerclant chaque flamme d'un halo de lumière enfumée.

Le lourd parfum d'aloès et de bois de santal faisait larmoyer Akitada et lui piquait le nez. Il cligna des yeux et découvrit le palanquin mortuaire au milieu des flammes dansantes des bougies. Enveloppé d'un linceul, le défunt était installé comme une divinité sur le point d'être portée en procession. Juste à côté se trouvait un paravent. Le jeune homme aperçut le coin d'une large manche qui dépassait par en dessous : la veuve.

Soudain conscient qu'elle pouvait le voir à travers les claires-voies en bois, il s'approcha, s'inclina devant la dépouille et s'assit le plus près possible de la jeune femme.

À présent, il discernait mieux les moines et le reste de l'assemblée. Au nombre de cinq seulement, les domestiques étaient rassemblés autour du vieux Sato et paraissaient plus apeurés que tristes. Quant aux visiteurs, tous inconnus du jeune fonctionnaire, leur expression de piété polie montrait bien qu'ils auraient préféré être ailleurs. Où étaient donc les amis de Tachibana ? Leur avait-il survécu à tous ? Et les proches de la veuve ?

Pauvre jeune fille ! Elle n'avait plus de famille, et elle était trop jeune et trop timide pour avoir noué des relations d'amitié avec les dames des familles environnantes. Plein de compassion pour elle, il lança un coup d'œil en direction du paravent. Il crut entendre un sanglot discret, mais celui-ci se perdit dans un nouveau tintement de clochettes.

Le jeune moine qui les agitait le faisait avec une emphase un peu excessive, et les roulements de tambours n'étaient pas réguliers. Bien qu'il ne connût guère les rituels bouddhistes, Akitada eut l'impression que les religieux présents n'étaient guère versés dans l'art du chant. Surpris, il les étudia. Jeunes pour la plupart, ils arboraient une expression de suffisance mêlée d'ennui qui lui rappela les jeunes recrues de la garde impériale : lors de leurs premières parades publiques au *Daidairi*, le siège de l'administration, celles-ci semblaient toujours se demander si elles devaient se sentir flattées ou insultées par leur nouvelle charge. En tout cas, même s'ils n'avaient pas l'air aussi suspects que les moines du marché et si Akitada ne les jugeait pas à l'aune de ceux qui avaient tenté d'enlever la sourde-muette, il ne leur trouvait pas une allure de religieux. Peut-être leur attitude et leur manque de maîtrise du chant étaient-elles le propre des novices.

Ses pensées s'envolèrent alors vers son lointain ami Tasuku, qui avait sans doute prononcé ses vœux et devait être en train de réciter des sutras. Seule une tragédie personnelle pouvait expliquer qu'un homme comme lui ait renoncé tant aux plaisirs qu'à une carrière prometteuse.

Soudain, son attention fut de nouveau attirée vers le paravent : cette fois, Akitada était certain d'avoir entendu un soupir. Lorsqu'il vit la manche agitée d'un petit soubresaut, il s'inclina avec un regard empreint de pitié.

La manche disparut brusquement dans un bruissement soyeux suivi de nouveaux froissements d'étoffe et du bruit d'une porte qui se refermait doucement au fond de la grande salle. Un étrange sentiment de perte s'empara de lui. Honteux, il reporta son attention sur le service religieux.

Dans le linceul, la silhouette du mort, qui paraissait frêle et rabougrie, se discernait à peine. Comme le corps se rigidifiait déjà au moment où Akitada l'avait découvert, il avait certainement fallu lui briser les articulations pour le mettre dans la traditionnelle posture assise. C'était un vieil homme qui en avait fini avec la vie. L'inspecteur impérial se souvint de la façon dont sa main squelettique et marquée par l'âge avait caressé le motif de coquillage de son kimono bleu foncé au cours du dîner chez Motosuke. Il était mort dans une tenue différente. Qu'avait-il fait à son retour ? Que s'était-il passé, cette nuit-là ? Il n'était pas mort dans son cabinet de travail, c'était certain : il n'y avait pas assez de sang sur place, et rien ne correspondait au tesson vert retrouvé dans son chignon. Quelle qu'elle fût, l'arme était en terre vernissée, et elle avait dû se casser ou se fêler au moment du choc. Mais comment l'identifier ?

Découragé, Akitada songea qu'il valait mieux se concentrer sur le mobile. Si on avait assassiné Tachibana pour l'empêcher de parler, le coupable faisait forcément partie des convives de Motosuke – qu'il ait commis le crime lui-même ou que quelqu'un s'en soit chargé à sa place. Une nouvelle fois, l'inspecteur passa chaque homme en revue. Il doutait fort que le gouverneur fût derrière ce meurtre, même s'il était le suspect principal dans l'affaire du vol d'impôts. Il allait devenir beau-père de l'empereur et, à moins qu'il n'ait cru Akitada et Tachibana capables d'influencer les décisions du souverain, ce qui était hautement improbable, il n'avait aucune raison d'agir.

Yukinari, lui, dissimulait quelque chose. Il était arrivé bien trop opportunément sur le lieu du crime. Pourquoi donc était-il venu ? Le crime avait été commis pendant la nuit, et il n'était pas absurde de supposer que l'assassin ait pu vouloir examiner l'endroit à la lueur du jour pour s'assurer qu'il n'avait négligé aucun détail. La présence très matinale de l'inspecteur impérial avait dû le prendre au dépourvu. Or le jeune capitaine avait paru bouleversé, et son comportement chez Motosuke avait été des plus étranges. Quelque chose le liait aux deux gouverneurs d'une façon qui le touchait profondément et qui n'était peut-être pas avouable.

Qu'en était-il du supérieur du monastère ? Jetant un coup d'œil en direction des moines, Akitada aperçut pour la première fois le seul religieux âgé du groupe. Tandis qu'il l'étudiait, l'autre leva la tête et lui rendit son regard. Une curieuse expression lui traversa le visage, et il leva les mains dans l'attitude du Bouddha en prière avant de baisser de nouveau les yeux. Quelle attitude étonnante ! Décidément, Joto et ses moines ne cessaient de l'intriguer. L'homme avait-il fait supprimer l'ancien gouverneur par l'un de ses disciples ? S'il le jugeait gênant, c'était fort possible. Imaginer les religieux scélérats du marché en assassins n'était guère difficile. Akitada se promit d'enquêter sur l'origine de la richesse du temple.

Enfin, il songea à Ikeda, qui s'était obstiné à qualifier la mort d'accidentelle alors que sa formation et son expérience lui indiquaient le contraire. L'explication fournie par Seimei – selon laquelle le préfet était incompétent – n'était guère convaincante, à la lumière de sa parfaite connaissance des lois et des règlements. Pourtant, Ikeda semblait être un homme à la fois trop terne et trop prudent pour avoir conçu et dirigé un projet d'une telle ampleur.

Gêné, le jeune Sugawara changea de position : il était raide, gelé, et son dos commençait à le faire souffrir. Combien de temps était-il censé rester ? Il voulait présenter ses condoléances à la veuve, cette enfant qui se retrouvait isolée parmi des domestiques pleins de ressentiment et de haine à son égard, avec sa nourrice pour seul soutien : elle n'avait pas de famille, pas de protecteur, pas même une amie de son rang ? Avait-elle reçu la moindre visite ? Que connaissait une jeune femme de son âge au règlement d'une succession et à l'administration d'un domaine ? Akitada se la représenta, abandonnée par ses serviteurs, recroquevillée au milieu de l'immense salle obscure et déserte, sans nourriture, tandis qu'autour d'elle les rats grouillaient, prêts à mordre...

Soudain, il sentit quelque chose le tirer par la manche. Il se dégagea vivement et découvrit avec soulagement une servante bien charpentée, entre deux âges, enveloppée dans les plis rigides du chanvre. Agenouillée près de lui, elle le considérait avec des yeux pareils à des graines noircies dans un grand gâteau de lune blanchâtre.

— Ma maîtresse prie le gentilhomme de bien vouloir lui accorder un moment, lui glissa-t-elle dans un chuchotement rauque accompagné de postillons.

À l'évidence, il s'agissait de la nourrice. Akitada se tamponna le visage avant de se lever avec raideur pour la suivre, les pieds endoloris par le froid.

Debout, la femme avait la même taille que lui et une allure de géante. Tel un robuste ouvrier, elle avançait à grandes enjambées retentissantes. Ils traversèrent de nombreux couloirs mal éclairés où le parquet évoquait, par son aspect et sa température, des plaques de glace noire. De temps à autre, le jeune homme entrevoyait des pièces peu mais élégamment meublées. Dans l'une d'elles, il remarqua un rouleau superbement calligraphié et un splendide bonsaï.

Lorsque la matrone ouvrit enfin la porte des appartements de sa maîtresse, Akitada cligna des yeux, impressionné. D'innombrables bougies et lanternes illuminaient un lieu qui tenait davantage d'un palais chinois que d'une demeure japonaise. Les poutres du plafond étaient laquées de vert et de rouge vifs, et de nombreuses robes brodées et de somptueuses tentures bordées de brocart semblaient remplir l'espace. Depuis le seuil, il admira les tables sculptées et laquées poussées contre le mur, les coffres à vêtements en cuir travaillé, et les plateaux à thé en bambou sur lesquels étaient posées de délicates tasses identiques à celles qu'il avait vues à Heian-kyo, dans la boutique d'un commerçant chinois. Quand il pénétra dans la pièce, il sentit sous ses pieds une matière plus douce, plus chaude et plus caressante que le plus épais des tatamis et découvrit, luxe rare, un tapis chinois aux motifs colorés de fleurs et de papillons. Même les panneaux coulissants étaient en treillage laqué ou recouverts de scènes peintes sur papier. Derrière lui, la porte se referma dans un doux chuintement, et Akitada se retrouva seul avec la veuve.

Si la pièce lui avait coupé le souffle, la dame qui l'avait envoyé chercher l'éblouit. Assise sur une estrade digne d'une princesse impériale derrière un rideau trop court et trop étroit pour la masquer – sa présence obéissait cependant à l'étiquette, qui exigeait que les dames bien nées se dissimulent aux yeux des visiteurs du sexe opposé –, elle avait passé une veste brodée de fleurs de prunier sur fond bleu ciel par-dessus sa robe de deuil. Répandus en une laque noire et liquide sur ses épaules étroites, ses cheveux encadraient le pâle ovale de son visage. Les lèvres légèrement entrouvertes, elle le considérait avec de grands yeux implorants. Sous le charme, il ne put détacher son regard. Elle s'en aperçut et rougit avant de déployer devant son minois un éventail peint d'une exquise finesse.

— Comme c'est aimable à vous d'être venu ! déclara-t-elle en s'inclinant. Asseyez-vous mon seigneur, je vous en prie.

Akitada s'approcha autant qu'il l'osa et prit place sur un coussin proche de l'estrade.

— Je venais tout juste d'avoir l'honneur de rencontrer votre époux, pourtant je suis certain que je l'aurais beaucoup admiré, dit-il d'une voix douce. Je suis venu vous présenter mes condoléances.

— Je vous remercie. (Après un soupir suivi d'un silence, elle s'écria :) Oh, il me semble que je déteste les moines ! Et l'encens me donne la nausée. Rester assise pendant des heures à subir leurs chants, leurs clochettes, leurs tambours, et cette odeur écœurante, cela m'a affaiblie et presque rendue malade. J'aurais voulu mourir.

Akitada eut un coup au cœur. Il n'était pas en présence d'une dame raffinée se pliant aux rigueurs du deuil public, ainsi qu'on pouvait s'y attendre. C'était une enfant, trop jeune pour comprendre la signification du rituel, trop faible pour manifester la force d'âme et le stoïcisme dont une femme plus âgée aurait tiré fierté.

— Ce ne doit pas être facile pour vous, glissa-t-il gentiment. Comment puis-je vous aider ?

— Pourriez-vous venir me voir de temps en temps ? Juste pour discuter, comme vous le faites maintenant. Je me sens si seule depuis que…

Elle s'étrangla. Ne sachant que répondre, le jeune homme garda le silence.

— Oh, pardonnez-moi ! s'exclama-t-elle. Quelle piètre opinion de moi vous devez avoir ! Vous êtes une personne très importante de la capitale, n'est-ce pas ? Je n'aurais jamais dû vous demander une chose pareille.

— Non, non, au contraire. (Akitada se jeta à l'eau.) Je serais heureux de vous rendre visite chaque jour, si vous le permettez. Je suis très honoré de votre confiance, ma dame.

Elle poussa un soupir de soulagement et passa une petite main de l'autre côté du rideau. Le jeune noble la fixa, désemparé. On ne devait pas toucher une femme qui ne faisait pas partie de sa famille, pourtant cette main d'enfant paraissait si démunie ! Dame Tachibana avait beau être veuve, elle n'en demeurait pas moins une jeune femme, guère différente de sa sœur cadette. Mais, contrairement à cette dernière, elle était seule au monde et avait besoin de réconfort.

Même brièvement, il pouvait remplacer le père ou le frère qu'elle n'avait pas, aussi se pencha-t-il en avant et prit-il cette main tendue entre les siennes. Terriblement froide, elle s'enroula avidement autour de ses doigts.

— Vos mains sont si chaudes, chuchota-t-elle. Je suis gelée après toutes ces heures d'immobilité.

Très conscient qu'ils étaient une fois de plus en tête à tête, Akitada avait le sentiment que la situation lui échappait.

— Peut-être devrais-je appeler votre nourrice pour qu'elle vous apporte un brasero ? proposa-t-il.

— N'en faites rien, je vous en prie, répondit-elle en lui serrant la main plus fort. Elle me gêne par ses attentions excessives.

— Dans ce cas, m'autoriserez-vous à vous prêter assistance ? J'ai une formation juridique, et vous allez bientôt être confrontée à d'innombrables formalités administratives. Le seigneur Tachibana a-t-il désigné un exécuteur testamentaire ?

La main de la jeune femme se tordit dans un mouvement convulsif et se contracta.

— J'ignore ce que c'est. Je n'y connais rien à ces choses-là. Personne n'est venu me voir.

— Personne ? C'est étrange.

Comme il se trouvait dans une posture embarrassante, il lui pressa légèrement les doigts et tenta de se dégager. Elle lui rendit sa pression avant de le libérer et de retirer sa main. À la grande consternation d'Akitada, des sanglots s'élevèrent alors derrière le rideau.

— Je suis désolé, fit-il maladroitement. (Les sanglots s'amplifièrent.) Ne pleurez pas, supplia-t-il. Tout va s'arranger, vous verrez. Vous êtes jeune et très belle. La vie retrouvera sa gaieté.

— Non, gémit-elle. Personne ne voudra plus jamais de moi. J'aimerais mourir, moi aussi.

Akitada se leva. Elle s'était jetée à plat ventre, mince silhouette aux cheveux lustrés habillée de soies colorées. Ses épaules étroites et son dos se soulevaient et s'abaissaient sous le poids du chagrin, et ses deux petits pieds en chaussettes blanches se tordaient de détresse. Il écarta le rideau, s'agenouilla et la prit contre sa poitrine comme pour consoler un enfant en larmes. Il lui caressa le dos et enfouit le visage dans sa chevelure parfumée tout en lui murmurant des paroles apaisantes ; elle s'accrocha à lui avec le désespoir d'une fillette égarée.

— Hum, hum, hum !

Des raclements de gorge interrompirent les tentatives du jeune homme pour réconforter la veuve. La nourrice se dressait au-dessus d'eux, une expression désapprobatrice sur son visage déplaisant. Akitada relâcha la jeune femme en pleurs et se releva tant bien que mal.

— Oh, bien ! Te voilà. Ta maîtresse a besoin de toi. Elle est bouleversée et… gelée. Va lui chercher un brasero. Et rapporte-lui donc quelque chose de chaud à boire.

Conscient qu'il parlait pour ne rien dire, il s'écarta.

La nourrice poussa un grognement et tira le rideau. Après un bref conciliabule avec l'intéressée, elle déclara d'un ton abrupt :

— Elle a besoin de repos. Revenez demain.

L'inspecteur impérial s'apprêtait à sortir lorsqu'un cri l'arrêta.

— Non, attendez !

Il obéit. De crainte de l'apercevoir, il ne se tourna pas vers le rideau, mais contempla un rouleau peint représentant des grues dansantes, suspendu entre deux grandes tables sculptées. Sur l'une d'elles était posé un vase chinois d'un vert de jade au col étroit.

— Mon mari vous avait invité, n'est-ce pas ?

— Oui, dame Tachibana. J'étais très désireux de mieux le connaître.

— Avait-il quelque chose en tête ? Peut-être avait-il promis de vous montrer un objet, ou de vous entretenir d'un sujet particulier ?

— Non, je ne crois pas, répondit Akitada après un instant d'hésitation. Pourquoi cette question ?

— Oh, je me disais tout simplement que si j'avais su de quoi il s'agissait, j'aurais pu vous aider à le trouver.

Songeant aux documents qu'il avait vus dans le cabinet de travail, le jeune aristocrate déclara :

— Votre époux m'a parlé de l'histoire de la province à laquelle il travaillait. Il avait éveillé mon intérêt, je l'avoue.

— Dans ce cas, n'hésitez pas à consulter ses notes à votre convenance. Elles sont toutes dans son cabinet.

— Merci, dame Tachibana. C'est fort aimable à vous.

Évitant toujours de regarder dans sa direction, il s'inclina et quitta la pièce.

La nourrice le suivit et s'éclaircit de nouveau la gorge assez bruyamment. Akitada lui adressa un regard interrogateur. Décidément, cette femme était aussi déplaisante dans son attitude que dans son apparence.

— Oui ?

— Ce n'est qu'un bébé, affirma la matrone d'un ton accusateur. Elle a besoin qu'on prenne soin d'elle, pas qu'on la contrarie.

L'inspecteur se radoucit.

— Je lui ai proposé de l'aider à régler la succession, confia-t-il. Est-il vrai qu'il n'y a personne pour s'occuper de ce genre de choses pour elle ?

— C'est exact. Et ce n'est pas étonnant ! Il avait toujours le nez fourré dans ses livres et ne voulait pas de visites. Et quand il n'était pas dans son cabinet de travail, il s'amusait avec ses plantes et ses pierres dans le jardin. Il passait plus de temps à nourrir ses poissons qu'à discuter avec sa dame. La pauvre enfant !

— Oui, elle est très jeune.

Akitada soupira. Cette femme n'aurait pas dû critiquer son maître de la sorte, même si son attachement manifeste à sa maîtresse dictait sa conduite.

— Elle vient tout juste d'avoir dix-sept ans. L'été dernier, le jeune capitaine est venu les voir pendant quelque temps. Qu'est-ce qu'il pouvait faire rire ma jeune dame avec ses mots d'esprit et ses histoires ! Elle était tout à fait différente, à cette époque-là. Mais le maître ne l'a pas supporté. Il l'aura éloigné, c'est certain.

— Le capitaine Yukinari ?

— Oui, c'est ça. Et maintenant, le capitaine ne veut même plus lui adresser la parole.

Cela expliquait sa réaction lorsque Akitada lui avait suggéré d'aller rendre visite à la veuve. Tout à coup, il se représenta le défunt comme un vieillard entiché de sa très jeune épouse, qui la faisait vivre dans un luxe inimaginable mais écartait tous ses rivaux potentiels dans des accès de jalousie irrationnelle. Cette pensée en engendra une autre.

— Ton maître est-il venu trouver sa dame après la réception du gouverneur ?

Quelque chose d'indéfinissable vacilla dans les yeux de la matrone avant qu'elle ne se redresse avec raideur.

— Je ne discute pas de choses intimes avec les étrangers.

Malgré lui, Akitada se sentit rougir.

— Ne sois pas ridicule, femme, objecta-t-il d'un ton cassant. Le préfet te posera la même question sous peu. C'est la procédure habituelle dans les cas de mort soudaine. Je me demandais simplement si le seigneur Tachibana avait mentionné ma venue à son épouse.

Elle le toisa d'un air soupçonneux avant de dire d'une voix maussade :

— Je n'en sais rien. Je dormais. (Après un instant de réflexion, elle ajouta :) Le maître venait rarement dans la chambre de sa dame. La différence d'âge faisait qu'il était comme un père pour elle, la pauvre petite fleur. Elle n'a plus que moi au monde, à présent. Les domestiques de cette maisonnée sont des menteurs et des voleurs, mais mon seigneur a toujours protégé ma maîtresse. Que va-t-il advenir de nous, maintenant ?

Levant le bras, elle renifla dans sa manche.

— N'ayez crainte, vous ne manquerez de rien, assura Akitada avant de s'éloigner dans le dédale de couloirs.

Il traversa la salle où les moines chantaient toujours et sortit. La lumière du jour l'aveugla, mais l'air frais lui fit du bien après l'atmosphère lourde d'encens qui régnait à l'intérieur. Il se rechaussa et se dirigea vers le cabinet de travail. Lorsqu'il arriva à la croisée des chemins, il découvrit Junjiro en grande conversation avec une femme d'un certain âge. Quand ils le virent, ils échangèrent un regard et s'inclinèrent profondément.

— Cette femme est ma mère, déclara le jeune domestique. Elle travaille à la cuisine et a quelque chose à vous dire.

— Eh bien ? s'enquit Akitada d'un ton sec, se remémorant l'animosité des serviteurs à l'égard de leur maîtresse.

— Junjiro m'a dit que je devais parler, commença timidement la femme.

Elle avait un visage banal mais avenant, et considérait son fils avec des yeux emplis de fierté et d'adoration.

— C'est à propos de l'honorable capitaine, messire. Je l'ai vu passer devant la cuisine ce matin, avant le lever du soleil. Je m'en souviens, parce que, en le voyant, je me suis dit que la maîtresse allait réclamer son riz. (Elle devint cramoisie et ajouta :) C'est ce qu'elle fait toujours après le départ du capitaine.

Complètement bouleversé, Akitada se figea.

— Comment ça ? Vous voulez dire que le capitaine a rendu visite à dame Tachibana avant mon arrivée ?

— Il faisait encore nuit, répondit la femme avec un mouvement de recul devant son regard scrutateur et furieux.

Junjiro passa un bras protecteur autour de ses épaules.

— Je vous en prie, messire, n'en parlez pas à la maîtresse. Mère voulait se taire, mais j'ai pensé que nous devions vous en faire part, puisque le maître est mort. Elle avait déjà mentionné ces visites à la vieille Kiku, qui était allée tout raconter à la nourrice. La police est venue l'arrêter juste après pour vol. Ils ont retrouvé une veste de la maîtresse dans son tapis de couchage. Pour nous, la vieille Kiku n'a rien fait, mais le maître a cru sa dame.

Méfiant, Akitada dévisagea attentivement la mère et le fils. Parfois, les domestiques mécontents inventaient des horreurs sur leurs maîtres.

— Comment avez-vous reconnu le capitaine, s'il faisait nuit ? demanda-t-il rudement à la femme.

Effrayée, cette dernière eut un nouveau mouvement de recul.

— La lumière de la cuisine a éclairé son casque, messire, et il courait vers le portail de derrière. Il est toujours passé par là.

Le jeune noble examina le mur du fond sans se rendre compte qu'il avait enfoncé ses ongles si profondément dans ses paumes qu'elles s'étaient mises à saigner.

— Informez-en le préfet lorsqu'il reviendra, dit-il d'un ton morne.

Le jour déclinait. Akitada partit en direction de l'entrée principale et s'arrêta devant la loge. Il frappa une première fois sans résultat. Puis, après des coups répétés et impérieux, Sato, les yeux larmoyants, lui ouvrit enfin et tomba aussitôt à genoux.

— Pardon, Excellence ! s'écria-t-il en se cognant le front contre le sol en terre battue. J'ai dû m'assoupir. Il y a eu tant d'allées et venues aujourd'hui. Et tous ces moines ! Je n'ai pas fermé l'œil de la journée.

L'inspecteur impérial poussa la porte et entra. La petite pièce ne contenait qu'une natte en mauvais état, une paillasse et un brasero.

— Peu importe. J'ai des questions à te poser.

— Ce n'est pas un endroit pour Votre Excellence, protesta le vieux serviteur. Dans la demeure du maître, peut-être ?

— Non. Cet endroit ira très bien, répondit Akitada en s'installant sur la paillasse.

Sato referma la porte, s'agenouilla et attendit, visiblement mal à l'aise.

— Le préfet et ses gens ont-ils pris des documents dans le cabinet de travail ?

— Oh non, Excellence. Je les ai bien surveillés, et j'ai verrouillé derrière eux.

— Quand ton maître est rentré hier soir, qu'a-t-il fait ?

— Il est allé se coucher, j'imagine. Il m'a dit qu'il n'avait pas besoin de mes services, du coup je suis allé dormir moi aussi.

— Et tu l'as vu, ce matin ? Lui as-tu apporté son riz, l'as-tu aidé à s'habiller ?

— Non, Votre Excellence. Le seigneur Tachibana était beaucoup plus résistant que moi. Il aimait se lever avant l'aube et détestait me déranger. Il se préparait lui-même son thé et ne prenait rien d'autre, il disait que la nourriture ne lui réussissait pas à une heure si matinale. Son estomac était resté très délicat après ses problèmes de l'année dernière.

— Alors, comment savais-tu qu'il serait dans son cabinet quand je suis arrivé ? lui cria soudain Akitada.

Sato tressaillit.

— C'était toujours là qu'il se rendait en premier le matin ! s'exclama-t-il.

— Étais-tu au courant que le capitaine Yukinari se trouvait dans la maison avant mon arrivée ?

Le vieil homme pâlit et détourna le regard.

— Non, Votre Excellence.

— Tu mens ! (L'inspecteur frappa le sol de son poing.) Tous les domestiques savaient que le capitaine avait une liaison avec ta maîtresse sous le nez du seigneur Tachibana. Ce matin même, on l'a vu sortir par le portail de derrière. Peu après, j'ai découvert ton maître mort. Que sais-tu des scandales qui se déroulent sous ce toit ?

Sato poussa un cri et abattit son front sur le sol.

— Pardonnez à ce misérable, Excellence. Il y avait bien des rumeurs, mais je n'y prêtais pas attention. Pour moi, c'étaient des commérages. Je croyais que le capitaine venait rendre visite au maître. Ils s'intéressaient tous deux aux jardins.

— L'as-tu fait entrer hier soir ou ce matin ?

— Non. Il avait l'habitude d'aller et venir à sa guise. (Le vieux serviteur se mit à trembler.) Je ne peux pas être partout à la fois, gémit-il en claquant des dents, et ma mémoire n'est plus ce qu'elle était, mais j'essaye de bien faire mon travail. Il y a tellement de choses à se rappeler.

— Tu as manqué à ton maître quand il avait besoin de toi, affirma Akitada d'une voix glaciale. Les étrangers ont libre accès au portail de derrière tandis que tu passes tes journées à dormir. Ton maître serait encore de ce monde si tu avais fait ton devoir.

Il se leva, épousseta son habit et sortit.

Derrière lui, Sato pleurnicha :

— Mais comment aurais-je pu empêcher sa chute ?

Akitada regagna ses appartements d'une humeur exécrable. Il ôta vivement ses socques sur la véranda et, entendant des voix, entra en trombe, persuadé que Tora était revenu lui apporter des informations.

À sa grande surprise, il découvrit Seimei en train de prendre le thé avec le gouverneur. Le visage rond de ce dernier s'éclaira et il s'exclama :

— Ah, vous voilà, Sugawara ! Seimei est un véritable trésor, vous savez. Vraiment, je vous envie. C'est comme si vous voyagiez avec votre propre médecin. Il m'a prodigué d'excellents conseils en matière de plantes médicinales pour soigner mes maux de dos.

Le vieux serviteur ne put retenir un sourire satisfait.

— Qu'est-ce qui vous amène, gouverneur ? lui demanda sèchement l'inspecteur impérial.

— Pourquoi cet air lugubre, mon cher ami ? Seimei m'a annoncé que vous en aviez terminé avec ces comptes ennuyeux. Nous allons enfin pouvoir nous divertir un peu et avoir d'agréables discussions à propos de la capitale. Quelles sont vos occupations favorites ? Peignez-vous ? Jouez-vous d'un instrument ? Peut-être aimez-vous les jeux, ou peut-être vous plairait-il de rencontrer les jolies filles d'ici ? Elles compensent leurs manières un peu rudes par d'autres talents.

Il se donna une claque sur les cuisses et éclata de rire.

— Je n'ai pas le temps de m'adonner à ce genre d'activités, rétorqua Akitada avec brusquerie. Vous avez peut-être oublié la question de la disparition des impôts. Votre aide me serait fort utile.

Le visage de Motosuke s'assombrit.

— Quel sérieux pour votre âge ! affirma-t-il en secouant tristement la tête. Il va falloir que je vous appelle « grand frère », bien que vous ne soyez guère plus âgé que ma fille. En fait, je n'aimerais rien tant que vous voir résoudre cette méchante affaire, car elle porte atteinte à ma réputation, mais je crains que ce ne soit impossible, hélas.

— Comment ça ?

Le gouverneur désigna un paquet scellé sur la table basse.

— Des dépêches de la capitale. J'imagine que les vôtres contiennent les mêmes nouvelles que les miennes.

Akitada s'empara vivement du pli et brisa le sceau de la chancellerie impériale. Après avoir parcouru le premier message, il blêmit et le laissa tomber sur le sol.

— Qu'y a-t-il ? s'enquit Seimei.

— J'ai été rappelé, répondit le jeune homme d'une voix blanche.

9

LE DRAGON TEMPÊTE

— Allons, allons ! Réjouissez-vous plutôt ! s'écria le gouverneur devant leurs mines allongées. J'ai déjà envoyé une requête pour que vous soyez autorisé à regagner la capitale avec mon cortège. Vous aurez tout le loisir d'explorer la ville et ses environs avant notre départ. Ne vous inquiétez plus pour ces impôts de malheur ! Dans leur sagesse, les autorités de notre auguste capitale ont décidé de tirer un trait sur cette affaire. (L'air perplexe, il marqua un temps d'arrêt.) Je me demande bien pourquoi, d'ailleurs.

Akitada le dévisagea ouvertement. Si Motosuke était impliqué, il ne servait plus à rien de feindre, et s'il était innocent, il n'était tout de même pas stupide à ce point.

— En raison de l'honneur que l'empereur réserve à votre fille, je suppose.

— Quel est le rapport ? s'étonna le gouverneur.

Il comprit avec un temps de retard et devint écarlate. L'inspecteur impérial le regarda droit dans les yeux et déclara :

— Oui. Officiellement, vous êtes au-dessus de tout soupçon à présent.

L'expression blessée qui se peignit sur le visage de son interlocuteur le laissa de marbre. Motosuke demeura silencieux, la tête baissée sur ses mains croisées.

— Vous me croyez coupable, finit-il par dire tristement. Tout le monde me croit coupable, soupira-t-il.

— Il faut vous rendre à l'évidence, vous avez toujours été le principal suspect, observa Akitada. Cela n'a pas empêché votre secrétaire de se montrer d'une loyauté remarquable à votre égard. Il n'a jamais douté de vous, lui.

Au grand désarroi du jeune Sugawara, des larmes se mirent à couler sur les joues du gouverneur.

— Cher vieil Akinobu, marmonna-t-il. Le pauvre homme ! Ces soupçons l'affectent directement. Et il n'a même pas la moindre perspective de carrière. Il faut que je voie ce que je peux faire pour lui.

Akitada se radoucit malgré lui et, pris d'une impulsion, demanda :

— Dites-moi, pourquoi diable avez-vous tenté de me corrompre ?

— De vous corrompre ? répéta Motosuke en redressant vivement la tête. Je n'ai jamais rien fait de tel.

— Comment appelez-vous alors les dix lingots d'or qui m'ont été apportés le jour de mon arrivée ?

— C'était pour couvrir vos dépenses, répliqua le gouverneur, atterré. J'avais reçu des instructions précises dans ce sens. Vous n'avez donc pas été informé ? Le ministre de la Fonction publique m'a écrit en personne à ce sujet. Il m'a expliqué que, dans la précipitation de votre départ, on ne vous avait pas accordé de fonds, et que je devais y remédier.

— Ah.

Ils échangèrent un regard embarrassé. Non content d'avoir gravement offensé Motosuke, Akitada, en dépit de sa formation juridique, avait tenté d'établir sa culpabilité sur la base d'un préjugé défavorable. Alors qu'il cherchait désespérément la meilleure façon de présenter ses excuses, le gouverneur interrompit ses réflexions par un éclat de rire.

— Quelle histoire ! s'écria-t-il, amusé. Voilà donc pourquoi vous m'avez renvoyé l'or sans un mot d'explication, et pourquoi vous me lanciez des regards hostiles à chacune de nos rencontres. Ha, ha, ha ! Et moi qui vous considérais comme l'homme le plus grossier du monde. Je me suis même demandé si vous n'aviez pas été envoyé par mes ennemis pour falsifier mes comptes. (Il s'esclaffa bruyamment.) Quand je pense que pendant tout ce temps… (Il s'étrangla.)… pendant tout ce temps, chacun soupçonnait l'autre… Ha, ha, ha… et que vous vous imaginiez que…

Il s'affaissa dans un concert de petits gloussements. Akitada parvint à esquisser un vague sourire.

— Vous êtes bien bon de le prendre ainsi. J'ai commis une grave erreur. Je débute dans ma fonction d'inspecteur, et personne ne m'a dit que j'allais recevoir des fonds.

Motosuke fut pris d'un nouveau fou rire, et Seimei, qui avait suivi l'échange dans la stupeur la plus totale, affirma avec suffisance :

— Ah, vous voyez bien ! J'ai toujours pensé que vous vous trompiez, messire. Je vous l'avais même dit. « Les soupçons font sortir les démons des ténèbres. » N'est-il pas plaisant d'avoir tiré cette histoire au clair et levé tout malentendu ?

Son maître lui lança un regard mauvais avant de s'adresser au gouverneur.

— Au moins aurai-je une chance de me faire pardonner en levant tout soupçon à votre égard. De combien de temps disposons-nous ?

— Oh, de plusieurs semaines, je pense, répondit Motosuke avec un geste insouciant de la main.

— Si je n'avais pas été si stupide, je vous aurais interrogé sur ceux qui sont véritablement susceptibles d'avoir commis ces vols.

Son interlocuteur soupira.

— Oh, j'ai déjà passé tout le monde en revue, vous pouvez me croire, mais posez vos questions, je vous en prie.

— Quel genre de personne est Ikeda ?

— Je ne pense pas qu'il soit votre homme. Il est ambitieux, travailleur et empressé. Ennuyeux comme la pluie, certes, mais tout à fait compétent pour diriger l'administration préfectorale. Quelqu'un comme lui pourrait réussir à la capitale, mais c'est un homme du peuple, et il ne serait jamais allé aussi loin s'il n'avait fait un beau mariage. À ce propos, il a eu l'audace de me demander la main de ma fille, mais je l'ai remis à sa place et il s'est confondu en excuses. Même Yukinari a des relations mieux placées.

— Le capitaine souhaitait épouser votre fille, lui aussi ?

— Ah çà, oui ! Lorsqu'il l'a vue, il est tombé éperdument amoureux d'elle. Mon Orchidée d'Argent n'était pas mal disposée envers lui non plus. C'est un beau garçon, et l'uniforme fait tourner la tête aux jeunes filles. Je me suis fait un mauvais sang terrible, mais grâce au Ciel cela n'a débouché sur rien.

Voilà qui expliquait la réaction de Yukinari quand Motosuke avait annoncé le mariage de sa fille. Le commandant de la garnison menait une vie amoureuse bien compliquée. À l'idée qu'il était l'amant de dame Tachibana Akitada sentit son cœur se serrer. Cette enfant éplorée ! Il dut faire un terrible effort pour revenir au présent.

— Et Tachibana ?

— Pauvre vieux Tachibana ! Qui aurait cru qu'il partirait si vite ? Je l'aimais bien, mais il n'était guère sociable. Il m'avait demandé l'autorisation de consulter les archives pour ses recherches, et je l'invitais à boire du saké chaque fois que je tombais sur lui. Après son second mariage parfaitement inconvenant,

158

nous nous sommes perdus de vue. Vous avez rencontré la veuve ?

Akitada répondit par l'affirmative. Sentant la réprobation de son compagnon à l'égard de la ravissante femme-enfant, il changea de sujet.

— Je crains fort que son époux ne soit mort dans des circonstances suspectes.

— Comment ça ?

Le jeune homme lui parla alors de l'invitation secrète et décrivit ce qu'il avait découvert lors de sa visite. La perplexité, la surprise et l'horreur se succédèrent sur le visage du gouverneur.

— Je me demande, conclut Akitada, pourquoi le préfet a prononcé la mort accidentelle.

Motosuke se leva et se mit à arpenter la pièce.

— Un meurtre ! J'ai du mal à le croire. Vous avez raison, cela ne ressemble pas à Ikeda de commettre une telle erreur. C'est un fonctionnaire très prudent, qui ne laisse rien au hasard. Mais peut-être savait-il que Yukinari était passé. Cela pourrait expliquer sa distraction. Ce sont des ennemis acharnés, voyez-vous. Ils étaient très jaloux l'un de l'autre lorsqu'ils se disputaient la main de ma fille, et le capitaine a toujours méprisé le préfet pour ses origines modestes.

— Qui sait si Tachibana n'a pas été assassiné parce qu'il savait ce qu'il était advenu des impôts…

— C'est fort possible, en effet. (Le gouverneur revint s'asseoir auprès de lui et secoua la tête.) Il aurait dû s'en ouvrir à moi mais, à l'évidence, il me soupçonnait, moi aussi. S'il ne vous avait rien dit, j'aurais mis sa mort sur le compte d'un voleur. Son vieux serviteur est sénile, et il paraît que quand il dort, n'importe qui peut entrer.

— Je vous en prie, dans l'immédiat, gardez mes soupçons pour vous. (Après un silence, il reprit :) Je m'interroge également sur le supérieur du monastère, même si je ne vois pas comment il pourrait être impliqué dans ce meurtre. Le temple des Quatre Nobles Vérités semble s'être enrichi très rapidement. Savez-vous comment ?

Mal à l'aise, Motosuke changea de position.

— Ils gardent le secret sur leurs bienfaiteurs, d'autant plus qu'ils reçoivent d'importantes donations de familles puissantes. Le temple attire également des foules de pèlerins qui apportent des présents. Il est impossible de remonter à l'origine de sa richesse. À propos, Joto m'a annoncé que les travaux d'agrandissement étaient achevés. Ils viennent de terminer le tout nouveau bâtiment, et il sera inauguré dans quelques jours, je crois. Un grand événement en perspective.

— Sans nul doute. Mais certains moines ont une moralité douteuse. Mon serviteur en a surpris deux en train d'agresser une sourde-muette près du marché, l'autre jour.

Le gouverneur se redressa.

— Une sourde-muette ? Pas la jeune fille peintre, tout de même ?

— Si, je crois qu'elle peint, en effet, répondit Akitada, ébahi.

— Comme c'est étrange ! Elle a beaucoup de talent, à ce qu'on dit. Quant aux moines, ce n'est pas la première fois qu'on nous rapporte de tels comportements. J'en ai déjà parlé à Joto, mais il a réponse à tout. Il m'a expliqué que pour servir le Bouddha, il fallait connaître à la fois l'austérité et l'excès. Avec un tel nombre de jeunes gens qui prennent l'habit, ce genre de choses est fatal, semble-t-il. Et puis les moines font marcher le commerce en ville, les gens apprécient leur présence, c'est pourquoi ils refusent de porter plainte et préfèrent que l'administration ne s'en mêle pas. (Motosuke fit la moue et secoua lentement la tête.) Quels que soient vos plans, mon cher ami, vous feriez mieux d'oublier Joto et le temple des Quatre Nobles Vérités.

Il prit congé peu de temps après.

Akitada et Seimei songeaient à dîner quand Tora arriva. Il paraissait tellement abattu que son maître lui demanda aussitôt ce qui s'était passé.

— Une journée gâchée, répondit-il, accablé. Rien de bon.

— Assieds-toi et raconte-nous.

Tora accepta le saké que lui tendait le vieux serviteur et se lança dans l'énumération de ses frustrations. Quand il eut terminé, Akitada affichait un air déconcerté. De son côté, Seimei acquiesça avec une satisfaction paternelle.

— Il n'y a pas lieu d'être découragé, mon garçon. Tu t'es retrouvé parmi de mauvaises gens, mais tu es resté honnête et tu as tenté de protéger les faibles. Je te félicite. Un homme est toujours récompensé pour ses actions.

Tora secoua la tête et répliqua sombrement :

— Ça ne sert à rien. Je suis juste passé vous prévenir que je partirai demain matin.

— Comment ? s'exclamèrent en chœur les deux autres.

— J'ai essayé, mais je ne peux pas vous servir. Les vêtements que vous m'avez achetés sont ceux que portent les fonctionnaires, or c'est eux qui oppriment les pauvres ouvriers. Vous m'avez envoyé interroger des gens qui ne confieraient même pas le nom de leur chien à un fonctionnaire. Il m'est impossible de remplir ma mission, et j'en ai assez d'expliquer à longueur de temps que je ne suis pas un fonctionnaire et que vous, un seigneur, vous cherchez à les aider. Même mon ami Hidesato, qui a toujours été comme un frère pour moi, m'a planté là en apprenant pour qui je travaillais.

Ce long discours enflammé laissa Akitada sans voix, mais son vieux serviteur, considérant son propre habit bleu, s'écria :

— Quelles sont ces sottises ? Nos vêtements sont la marque d'un travail respectable et honorable. À la capitale, les gens du commun nous admirent. Comment peux-tu souhaiter demeurer une personne du bas peuple toute ta vie ?

— Ce n'est pas ce qu'il a voulu dire, Seimei, objecta vivement son maître. Apparemment, ici, les gens éprouvent des sentiments différents à notre égard. L'honnête cultivateur travaille dans ses rizières, le commerçant dans son échoppe, et ils voient le fonctionnaire bien habillé venir leur prendre le fruit de leur labeur au nom du gouvernement, les obliger à accomplir des corvées, ou les enrôler de force dans l'armée.

Tora, approuvant, ajouta :

— Il les vole, vous voulez dire ! Par le Bouddha, je ne serais pas entré au service d'un maudit fonctionnaire pour tout l'or du monde si vous étiez comme eux. Vous êtes bon, mais je ne peux pas trahir les miens. Et Hidesato pense que c'est ce que j'ai fait.

Akitada et Seimei échangèrent un regard.

— Parle-nous de ton ami.

Tora soupira.

— C'était mon sergent quand j'étais jeune recrue. Lui et moi, on a traversé pas mal d'épreuves ensemble. Il m'a enseigné à manier le bâton pour que je me change les idées après la mort de mes parents, et comment tirer à l'arc. Il m'a même appris comment mettre la main sur une brave fille de joie quand on n'a pas été payé depuis des mois. Plus d'une fois il m'a sauvé la mise quand j'avais des ennuis, et je l'ai couvert lorsqu'il était ivre ou qu'il partait voir sa bonne amie.

Il marqua une pause et adressa un regard contrit à l'inspecteur impérial.

— Je sais que vous m'avez sauvé la vie, mais ce n'est pas pareil. C'était facile, pour vous. Il vous a suffi de dire qui vous étiez à ces salauds, et ils m'ont relâché. Vous êtes un seigneur. Hidesato, lui, est... comme mon frère.

Seimei se hérissa, mais Akitada posa une main sur son bras pour le retenir. Il ressentait une pointe de jalousie à l'égard de cet inconnu qui, contrairement à lui, avait su gagner la loyauté de Tora, mais il se contenta de dire :

— Je comprends. Peut-être pourrions-nous aller le trouver ensemble pour lui expliquer la situation.

— Vous seriez prêt à faire ça ?

— Bien sûr. Je te considère comme mon ami.

Tora rougit et baissa la tête.

— Les nobles n'ont pas d'amis parmi les gens du peuple.

— Pourquoi n'en auraient-ils pas ? J'ai hâte de rencontrer Hidesato, et j'espère bien que tu me présenteras au lutteur infirme et à ses filles.

Le visage du jeune serviteur s'illumina.

— Higekuro ? Et si on y allait tout de suite ? Il devrait avoir terminé ses cours.

Akitada sourit.

— Pourquoi pas ?

Higekuro et Otomi étaient en pleine partie de go, tandis qu'Ayako réparait un arc à leurs côtés.

Tora fit les présentations ; Akitada fut impressionné par la stature et la musculature de l'infirme et plus encore par le naturel avec lequel celui-ci le reçut. Il n'y avait rien de servile dans son salut courtois, et aucune affectation dans la façon dont il demanda à ses filles d'apporter du saké à leur hôte de marque. Il ne s'excusa pas pour le peu qu'il avait à offrir et s'exprimait en homme instruit.

La simplicité du lieu plut à Akitada. La pièce était propre et pourvue de tout ce dont un homme pouvait avoir besoin chez soi : une estrade confortable où jouer et se reposer, la chaleur agréable des fourneaux sur lesquels mijotait un repas appétissant, quelques coffres pour ses affaires personnelles, et des enfants qui l'honoraient et le servaient.

Les jeunes femmes, toutes deux minces et gracieuses, portaient de simples robes en coton. Autant la très jolie cadette était timide, autant l'aînée était vive et ne dissimulait pas sa curiosité à l'égard de leur hôte. Lorsque Akitada lui sourit, elle rejeta un peu la tête en arrière en un mouvement qu'il trouva tout à la fois surprenant et charmant.

Caressant son épaisse barbe noire, Higekuro l'interrogea sur la pratique de la lutte à Heian-kyo. L'inspecteur impérial lui communiqua ce qu'il savait, et ils conversèrent tranquillement sur les activités physiques et les différences entre la capitale et les villes des provinces. Akitada évoqua ses distractions : jeux de ballon, courses de chevaux autour des quartiers de la garde impériale, quelques cours plaisants qu'il avait pris auprès d'un champion de lutte, et l'exercice quotidien astreignant du maniement du sabre. Surpris par les souvenirs d'enfance très similaires d'Higekuro, il finit par lui demander :

— Dois-je en conclure que vous avez vous aussi grandi à la capitale ?

— Oui, mais j'ai été exilé quand j'étais jeune homme. (Higekuro sourit devant l'ébahissement de son hôte.) Allons, le cas n'est pas si rare. De par mes origines, j'étais destiné à une carrière militaire. L'un de mes oncles ayant été déclaré coupable de trahison, tous les nôtres ont été condamnés à l'exil, leurs biens confisqués, et leurs privilèges retirés. Je venais de fonder un foyer et mon seul talent était la lutte. Heureusement, cet art m'a permis d'aider mes parents jusqu'à leur mort. J'ai perdu mon épouse peu après, mais j'ai élevé mes filles jusqu'à l'âge adulte avant d'avoir cet accident qui m'a rendu infirme.

Il garda le sourire pendant tout le récit de son histoire tragique, et son courage impressionna vivement Akitada.

— Votre vie n'a pas été facile, risqua-t-il avec maladresse.

— Détrompez-vous. J'ai eu beaucoup de chance. Ayako m'aide à diriger l'école et Otomi gagne de mieux en mieux sa vie avec ses peintures.

Il adressa à ses filles un sourire plein d'affection et de fierté.

Akitada croisa le regard grave de l'aînée qui s'était assise non loin d'eux afin de suivre leur discussion. Ses mains fines reposaient sur ses genoux ; en voyant ses longs doigts agiles aux ongles mal taillés, le jeune homme devina leur force.

La cadette, elle, avait convaincu Tora de faire une partie de go avec elle. Comme elle le regardait en souriant, il lui rendit son sourire, l'air tout énamouré, tandis que d'une main féminine elle plaçait un pion sur le plateau. Le souvenir de la petite main froide de la toute jeune veuve surgit alors dans l'esprit d'Akitada, et il fut frappé par les différences entre les trois jeunes femmes.

Il dut faire un effort pour reprendre le fil de sa conversation avec Higekuro.

— D'après le gouverneur, votre fille aurait beaucoup de talent pour la peinture. Pourrais-je voir quelques-unes de ses œuvres ?

— Le gouverneur, dites-vous ?

L'infirme frappa très fort dans ses mains pour attirer l'attention d'Otomi. Cependant, penchés sur leur jeu, Tora et elle ne prêtaient aucune attention aux autres. Sa sœur dut poser une main sur son épaule pour qu'elle se retourne. Après un échange muet entre le père et la fille, Otomi s'inclina et adressa un sourire à l'inspecteur impérial avant de monter au grenier. Elle en redescendit les bras chargés de rouleaux, les déposa sur l'estrade et alla reprendre sa partie de go.

Ayako vint près d'Akitada pendant qu'il déroulait les peintures les unes après les autres sous le regard attentif d'Higekuro. Otomi était incroyablement douée. De culture classique, le jeune homme préférait ses paysages aux représentations plus colorées – mais vulgaires à ses yeux – de saints et de mandalas, même s'il reconnaissait qu'elles aussi étaient remarquables, tant par leur finesse que par leur précision et l'effet produit. Il avait vu suffisamment de peintures religieuses pour savoir que celles d'Otomi pouvaient rivaliser avec n'importe quelle œuvre de la capitale.

Désireuse de se rendre utile, Ayako les tenait exposées. Constatant que leur visiteur admirait un paysage rocheux noyé dans la brume, elle s'empressa de déclarer :

— Nous aussi, nous préférons les paysages. Mais avec les pèlerins, et même les gens d'ici, ce sont surtout les peintures bouddhistes qui nous rapportent de l'argent. Otomi peint des reproductions très fidèles. Elle se rend dans des temples renommés pour copier leurs œuvres et en apprendre la signification.

Akitada lui sourit.

— J'aimerais bien lui acheter un paysage. Pensez-vous qu'elle en ait un de la magnifique baie de Sagami ? Quand je serai rentré à la capitale, cela me rappellera mon voyage.

Ayako parut troublée.

— Il y en a bien un, mais ce n'est pas vraiment un paysage. Il s'agit d'un bateau pris dans une tempête.

— Intéressant.

— En fait, il représente un dragon tempête. Vous voyez lequel, père ?

Higekuro, qui semblait lui aussi inquiet, acquiesça.

— Montre le rouleau à notre hôte, dit-il à son aînée après un coup d'œil en direction des joueurs de go.

Ayako alla prendre un rouleau dans un coffre et le déroula en expliquant :

— Otomi l'a peint au cours de son dernier voyage, mais nous l'avons rangé à part, car il la met dans tous ses états.

Le tableau représentait un navire enserré dans les anneaux du dragon tempête. Des vagues énormes, des nuages noirs et des éclairs menaçaient les passagers d'une mort presque certaine. L'attention portée aux détails était aussi minutieuse que dans les autres peintures, mais les coups de pinceau étaient vifs, presque violents, conférant à l'ensemble une impression de chaos.

Akitada se pencha pour examiner la scène de plus près. Il y avait des soldats à bord, peut-être s'agissait-il d'un convoi militaire. Ils étaient armés de hallebardes, les *naginata*, et accompagnés d'un moine. Curieusement, ils semblaient totalement indifférents au désastre imminent. Peut-être le rouleau faisait-il référence à un récit religieux. Tentant d'en deviner la signification, il étudia le moine assis et eut soudain la certitude qu'il l'avait déjà vu quelque part.

— Pourriez-vous demander à votre sœur où elle a assisté à cette scène ?

Ayako hésita un instant avant d'aller trouver Otomi. La jeune fille perdit son calme et se mit à gesticuler en secouant frénétiquement la tête.

— Elle ne veut pas en parler, traduisit sa sœur.

Akitada regarda tour à tour les jeunes femmes et leur père.

— Je ne cherche nullement à bouleverser votre fille, mais j'ai l'étrange impression qu'il y a quelque chose de significatif dans ce tableau.

— Vraiment ? (Les yeux d'Higekuro s'illuminèrent.) Eh bien, moi aussi. Il y a environ un mois, juste après la fête des morts, Otomi s'est jointe à un groupe de pèlerins qui se rendait au temple de l'Infinie Lumière, dans la province de Shimosa. Elle voulait y faire des recherches. Au cours de ce voyage, elle a peint, entre autres, le dragon tempête. À son retour, elle n'était plus la même. Elle broyait du noir et faisait de terribles cauchemars. J'ai toujours été convaincu qu'il lui était arrivé quelque chose pendant le pèlerinage et que ce rouleau était un élément du mystère. Pensez-vous que cela pourrait avoir un lien avec le vol des impôts ? Il s'est produit à la même époque. Si jamais il y a un rapport, cela signifie peut-être que nous allons enfin pouvoir l'aider.

— Vous avez raison. Le moment et le lieu de ce pèlerinage correspondent à peu près à la date et au trajet du dernier convoi. Votre fille a-t-elle embarqué sur un navire ? Ou bien le temple était-il situé au bord de la mer ?

Higekuro fixa son interlocuteur un instant, puis il se tourna vers sa fille et l'interrogea en langage des signes. Elle ferma brièvement les yeux et secoua la tête avec violence. Son père insista, et elle finit par acquiescer. S'emparant d'un morceau de charbon, elle griffonna quelque chose sur le sol avec des gestes à l'intention d'Higekuro. Ce dernier traduisit :

— Elle a séjourné au monastère. La grand-route passe en contrebas, et l'hôtellerie donne sur la baie de Sagami.

— Demandez-lui si elle a vu passer un convoi militaire.

À cette question, Otomi blêmit et se mit à trembler. Serrant convulsivement le morceau de charbon, elle traça des caractères illisibles avant de jeter son instrument d'écriture improvisé et de vaciller dangereusement.

— Ça suffit ! s'écria Ayako, qui prit sa sœur en larmes dans ses bras. Vous la tourmentez inutilement, ajouta-t-elle avec un regard courroucé à Akitada.

Celui-ci révisa alors son jugement : Ayako lui parut bien plus belle que la douce Otomi. Comment Tora pouvait-il être aveugle à ce point ?

— Je suis terriblement désolé, mais vous voyez bien que votre sœur n'aura pas l'esprit en paix tant qu'elle n'aura pas révélé son secret.

— Ma sœur est une artiste, lança Ayako, elle n'a pas mon tempérament. Je pense qu'elle a été agressée et violée. Elle ne peut affronter la brutalité de cet acte sans s'effondrer. Croyez-moi, si je ne craignais pas de la blesser, j'aurais déjà découvert le responsable. (Elle prit une grande inspiration et conclut d'un ton féroce :) Et je l'aurais tué !

Otomi se dégagea de l'étreinte de sa sœur et se précipita vers Tora, qui la prit dans ses bras avec empressement.

Akitada ne pouvait détacher ses yeux d'Ayako.

— Et moi, je pense que vous vous trompez. Qu'est-ce qui vous fait croire qu'elle a été violentée ?

— Regardez-la ! Elle est belle, et les hommes la désirent. Avez-vous donc oublié les moines qui s'en sont pris à elle ? Nul doute que votre serviteur ait la même chose en tête, cracha-t-elle en jetant à Tora un regard hostile.

— C'est faux ! s'exclama ce dernier, bouillant d'indignation.

— Ayako ! tonna Higekuro.

Elle rougit et s'inclina devant Tora.

— Pardonne mes paroles, lâcha-t-elle d'un ton bourru. Mais notre famille a beau ne pas être conventionnelle, il n'est pas convenable que tu prennes ma sœur dans tes bras.

Tora relâcha Otomi sur-le-champ ; celle-ci renifla un peu et fila au grenier. Higekuro soupira.

— Vous devez nous trouver très singuliers, dit-il à Akitada, mais n'oubliez pas notre histoire. Mes filles sont tout pour moi. Peut-être me suis-je montré trop indulgent avec elles, mais la bienséance que l'on observait dans le passé a perdu toute signification pour nous.

Le jeune homme hocha la tête.

— Je trouve curieux, reprit-il en désignant le rouleau, que des moines soient impliqués dans les deux dernières mésaventures de votre fille. Je m'intéresse au temple des Quatre Nobles Vérités et à son supérieur, maître Joto. Otomi s'est-elle déjà rendue làbas ?

— Oui. Souvent, même. (Higekuro réfléchit un moment à la question.) Elle va y vendre ses peintures aux pèlerins. Mais comment pourrait-il y avoir un lien avec cette affaire ? Les moines de Joto ont toujours été très serviables avec elle. Ceux qui posaient des questions ce matin cherchaient sans doute à lui envoyer des clients.

— Qu'en pensez-vous ? demanda Akitada d'une voix douce à Ayako.

Celle-ci releva le menton et le regarda droit dans les yeux.

— Je pense que vous avez raison à propos des moines et que Père se trompe. Si vous laissez ma sœur en paix, je vous aiderai à enquêter sur eux.

L'inspecteur impérial s'inclina avec un petit rire.

— J'admire votre courage. Si votre père le permet, j'accepte. (Il se tourna vers Higekuro :) Voulez-vous bien me confier votre fille ?

Le lutteur se caressa la barbe en dévisageant tour à tour les deux jeunes gens.

— Ayako n'a pas besoin de ma permission. Vous pouvez lui faire confiance. Elle sait se débrouiller et vaut bien un homme, dans les situations difficiles. Tora nous a dit que vous vous intéressiez au maniement du bâton. Pourquoi ne pas vous exercer un peu avec ma fille ?

170

Akitada jeta un coup d'œil à la jeune femme et crut voir une expression peinée sur son visage. Elle lui sourit pourtant.

— Êtes-vous prêt, messire ?

Amusé et intrigué, il se leva.

— Ce serait un honneur.

Ayako prit une lampe à huile et le conduisit dans la salle d'exercice, qui était plongée dans l'obscurité. Lorsque les lampes suspendues aux poutres furent allumées, la grande pièce s'anima d'une vie mystérieuse et inquiétante. Les flammes vacillaient sous l'effet de courants d'air venus d'on ne savait où, et les objets familiers prenaient un aspect énigmatique et menaçant. La jeune femme désigna une rangée de bâtons.

— Faites votre choix.

Avec un vague sentiment de ridicule, Akitada ôta son vêtement du dessus et attacha les jambes larges de son pantalon au niveau de ses genoux. Après avoir choisi une arme qu'il avait bien en main, il se retourna.

Ayako avait enlevé sa robe et ne portait plus qu'un pantalon. Sous son regard fixe, elle se pencha pour resserrer les liens autour de ses genoux. Il avait déjà vu des paysannes travailler torse nu dans les champs, mais que cette belle jeune femme en fasse autant devant lui le choqua et le troubla.

— Donnez-vous vos cours dans cette tenue ?

La question lui avait échappé.

Elle se redressa lentement et le dévisagea. Elle était splendide. À l'exception de ses seins ronds et fièrement dressés, elle avait un corps mince et musclé de jeune homme, un long torse, un ventre plat, et des hanches qui surplombaient des cuisses fermes et fuselées. Son pantalon masquait partiellement ses jambes, mais on les devinait sous l'étoffe légère. Akitada déglutit.

— Non, répondit-elle avec froideur. (Elle se détourna pour attraper une chemise sans manches suspendue à un clou.) Les hommes n'aiment pas se battre avec une femme. Je revêts une chemise et un pantalon comme les porteurs de rue, et ils feignent de me prendre pour un homme. Préféreriez-vous ne pas avoir à affronter une femme ?

— Pas du tout. Je suis prêt, rétorqua-t-il, espérant que l'éclairage vacillant dissimulait son visage écarlate.

S'il s'était imaginé prouver sa supériorité masculine en relevant le défi de cette guerrière, il ne tarda pas à reconnaître son erreur. Peut-être l'avait-il mise en colère, car Ayako l'attaqua avec une vitesse et une férocité telles qu'en une minute il fut désarmé. Sans un mot, elle se baissa pour lui lancer son bâton, et ils recommencèrent. Cette fois-ci, Akitada fut plus attentif, mais derechef il perdit son arme. Elle la lui rendit en disant :

— Votre technique est bonne, mais on vous a appris à attaquer, pas à vous défendre. Cette fois-ci, je vais vous laisser prendre l'initiative, et vous allez observer comment je pare vos coups.

Le jeune homme se mordit la lèvre et fit de son mieux. À sa grande surprise, même ses attaques les plus violentes et les plus rapides furent arrêtées. Il était sur le point d'abandonner avant d'achever de se couvrir de honte quand Ayako le désarma pour la troisième fois.

Les yeux fixés sur son bâton qui gisait entre eux sur le sol, il secoua la tête.

— Vous êtes une remarquable combattante, affirmat-il avec un respect mêlé d'admiration.

— Je vous remercie.

Comme elle lui avait répondu d'une voix sourde, il releva la tête. Elle lui tournait le dos et raccrochait sa chemise. Cette fois-ci, elle ne se retourna pas avant d'avoir remis sa longue robe et noué sa large ceinture.

Lorsqu'elle lui fit face dans la lumière vacillante, il crut voir des larmes briller dans ses yeux.

— J'imagine que vous aimeriez rendre une visite clandestine au temple, dit-elle en évitant son regard. Nous pouvons y aller ce soir, si vous le souhaitez.

— Oui.

Il avait accepté presque malgré lui. En se rhabillant, il se demanda comment cette fille étrange pouvait l'avoir troublé à ce point et pourquoi il avait ce désir si vif de rester auprès d'elle, même au détriment d'une bonne nuit de sommeil.

Ils rejoignirent les trois autres. Toujours pâle mais plus calme, Otomi était redescendue et rassemblait ses peintures.

L'inspecteur impérial se tourna vers Higekuro.

— Pourriez-vous demander à votre fille si elle accepterait de me vendre deux de ses rouleaux ? Le dragon tempête et le paysage de montagne.

Higekuro interrogea Otomi, qui acquiesça et lui apporta les tableaux en question. Son père les tendit à leur hôte.

— C'est un cadeau, annonça-t-il.

— Non, répondit fermement Akitada en regardant Ayako. Je suis prêt à les lui payer au prix fort.

— Deux lingots d'argent l'un, déclara la jeune femme en rejetant la tête en arrière.

— C'est ridicule ! s'écria Higekuro. Tu sais très bien qu'elle a reçu ce prix pour un mandala commandé spécialement où figuraient trois cents symboles.

— Va pour quatre lingots d'argent, dit Akitada avec insouciance en se souvenant de l'or de Motosuke. C'est un prix raisonnable pour un travail de cette qualité. Je réglerai votre fille demain. (Il se tourna alors vers Tora.) Demoiselle Ayako a proposé de nous conduire ce soir au monastère. Nous partirons donc à la recherche de ton ami demain.

— En quoi est-ce difficile de pénétrer dans un temple ? demanda Tora en lançant un regard dédaigneux à la jeune femme.

— Ce temple est différent des autres, Tora, et demoiselle Ayako s'y est rendue plus d'une fois. Ce n'est pas notre cas.

— Vous allez devoir vous changer, prévint-elle.

— Dans ce cas, nous passerons au tribunal.

— Nous n'avons pas besoin de Tora, ajouta Ayako.

Le visage de celui-ci se durcit.

— Je viens ! aboya-t-il.

Akitada hésita avant de dire :

— Si jamais il y a des problèmes, Tora nous sera utile.

Le regard farouche, la jeune femme se tourna vivement vers l'aristocrate.

— Je peux affronter n'importe quel homme. Que faut-il donc que je fasse de plus pour vous le prouver ?

Akitada recula d'un pas.

— Je ne voulais pas… Je ne voulais pas vous offenser. Mais il y a tellement de moines que même Tora et moi… (Voyant l'éclair de colère qu'avait déclenché le mot « même », il s'empressa d'ajouter :) Si jamais nous sommes découverts, nous aurons plus de chances de nous échapper à trois. Deux d'entre nous pourront retenir l'ennemi pendant que le troisième courra chercher de l'aide.

— Si vous faites bien attention et que vous ne commettez pas d'erreur grossière, on ne nous découvrira pas.

Elle lui tourna le dos et gagna le grenier d'un pas alerte.

— Merci de m'avoir réservé le même accueil chaleureux qu'à Tora, dit Akitada à Higekuro. J'espère qu'il s'est toujours bien conduit.

Son hôte jeta un coup d'œil au serviteur et à sa fille, qui prenaient leur temps pour ranger les pions du jeu et dont les mains se frôlaient le plus souvent possible. Il sourit.

— Tora est comme le fils que je n'ai jamais eu. Je ne veux pas qu'Otomi souffre, mais je ne priverai pas mes filles des plaisirs de la jeunesse. (Croisant le regard d'Akitada, il ajouta gravement :) N'oubliez pas une chose : mes filles et moi, nous n'appartenons pas à votre monde. Nous vivons suivant nos propres règles.

Le jeune homme, interdit, ne sut que répondre, aussi remercia-t-il son hôte pour le saké et la conversation et rassembla-t-il ses deux rouleaux.

Ayako ne tarda pas à redescendre, vêtue d'un long pantalon et d'une chemise noire à manches longues. Ses cheveux relevés étaient retenus par un long foulard noir.

— Avez-vous des vêtements sombres ? demanda-t-elle en fronçant les sourcils devant le pantalon en soie blanc et l'habit gris clair d'Akitada.

— Oui, mais rien d'aussi seyant que votre tenue, répliqua-t-il avec un grand sourire.

Visiblement prise au dépourvu, elle se détourna brusquement.

— Allons-y, dans ce cas.

10

LE TEMPLE
DES QUATRE NOBLES VÉRITÉS

Revêtu de sa tenue de chasse marron foncé, Akitada rejoignit Tora devant les écuries du gouverneur.
Le serviteur portait un manteau en coton matelassé
tellement taché et décoloré qu'on n'aurait su dire s'il
avait été vert ou noir, et il avait enfoncé les jambes
d'un pantalon bleu rapiécé dans ses bottes. Akitada le
dévisagea avec une stupéfaction amusée.

— Allons-nous découvrir un mendiant entièrement
nu devant le portail d'entrée ?

— Que reprochez-vous à mes vêtements ? Ils sont
bien sombres, non ? J'ai dû donner dix piécettes de
cuivre et mon habit bleu à ce rapace de palefrenier
pour les obtenir.

Ce dernier, qui bayait aux corneilles non loin de là
après avoir sellé trois chevaux pour l'inspecteur
impérial et ses compagnons, préféra s'éclipser.

— Tu lui as donné ton habit bleu ? Mais j'ai payé
une bonne somme pour tes vêtements ! protesta Akitada.

Tora émit un grognement.

— On vous a trompé sur la marchandise. Ils ne me
tenaient pas aussi chaud que ça.

Il tapota son manteau avec affection, prit deux chevaux par la bride et s'éloigna, obligeant son maître à le suivre avec le troisième.

Ayako considéra son cheval avec une franche hostilité.

— Allons, monte, fit Tora d'un ton moqueur. Il ne va pas te mordre.

Elle le foudroya du regard et se hissa tant bien que mal sur le dos de l'animal. S'emparant des rênes, elle dirigea avec précaution la bête docile jusqu'à la route.

— Suivez-moi, lança-t-elle par-dessus son épaule. Nous ne pouvons pas sortir par la Grande Porte du Nord. Les gardes nous poseraient des questions.

Ils traversèrent les rues sombres et désertes à vive allure avant de s'engager dans une courte ruelle ; celle-ci s'achevait devant la palissade qui entourait la ville. Quelqu'un avait cassé les planches à cet endroit, pratiquant une ouverture suffisamment large pour permettre à un cheval et son cavalier de passer. Un chemin, à l'évidence très fréquenté, descendait dans le grand fossé et remontait de l'autre côté. Ils ne devaient pas être les seuls à éviter les gardes zélés de la Grande Porte du Nord.

Une fois dans la campagne, ils progressèrent rapidement le long de routes étroites. La lune presque pleine les accompagnait, présence rassurante derrière les fines ramures entrelacées des mûriers qui se dressaient vers le ciel étoilé.

Le souffle givré des chevaux demeurait en suspension dans l'air glacé lorsqu'ils s'ébrouaient. Ils avançaient à la file, Ayako en tête. Les yeux rivés sur le dos droit de la jeune femme, Akitada se demanda si elle avait froid avec son pantalon et sa fine chemise de coton. Un peu tard, il songea que, peu habituée à monter, elle s'était peut-être attendue à chevaucher avec l'un d'eux. Dès que le chemin s'élargit, il se porta à sa hauteur et lui demanda :

— Avez-vous froid ?

— Non, répondit-elle sèchement. Je n'aime pas les chevaux, c'est tout.

— Je suis désolé de ne pas vous l'avoir proposé plus tôt, mais voudriez-vous monter en croupe avec moi ?

L'espace d'un instant, elle hésita, puis elle se raidit et fit non de la tête.

— Pourquoi avoir proposé de venir ? Vous auriez pu nous donner les indications nécessaires.

— Je tenais à venir. (Au bout d'un moment, elle ajouta à contrecœur :) De toute façon, vous avez besoin de moi. Je sais comment entrer. Quand ma sœur a été agressée, j'ai commencé à me méfier des moines, et j'ai décidé de rendre visite au monastère.

— Et ?

— Pendant la journée, ils surveillent tous les visiteurs, alors j'y suis retournée à la nuit tombée. La première fois, ils ont failli m'attraper. Mais la dernière fois, j'ai découvert… quelque chose d'étrange.

— Quoi donc ?

— Vous verrez bien.

Elle mit son cheval au trot et le jeune noble se laissa distancer.

Comme les plantations de mûriers se raréfiaient, un vent glacial s'engouffra dans leurs vêtements. Le chemin rejoignit bientôt une route nettement plus large qui s'élevait vers les montagnes. Akitada jeta un œil par-dessus son épaule : derrière lui, la plaine s'étendait jusqu'à la mince bande argentée de la baie lointaine, ligne de démarcation entre ciel et terre. Entre la mer et eux apparaissait la ville, masse informe de toits enneigés, de pinèdes et de pagodes.

Recroquevillé dans son manteau, Tora fixait le chemin devant lui.

— Ces bois m'ont l'air bien sombres, marmonna-t-il.

Les montagnes se dressaient, menaçantes, devant eux, et le ruban de route éclairé par la lune les y conduisait tout droit. La forêt de pins ne tarda pas à les engloutir. Elle les protégeait du vent, mais de petits animaux nocturnes effrayaient les chevaux, et une myriade d'yeux, étincelles vivantes dans l'obscurité des arbres, les regardaient passer. Tora poussa un juron, et lorsque Akitada se retourna il constata qu'il étreignait une amulette autour de son cou. La terreur superstitieuse du jeune homme contrastait fortement avec le courage dont il faisait preuve face à ses adversaires humains.

La route serpentait entre les rochers. Elle était en très bon état et assez large, sans nul doute grâce à la renommée du temple dirigé par Joto.

Ayako ne tarda pas à arrêter sa monture. Quand ses compagnons arrivèrent à sa hauteur, elle désigna quelque chose.

— Là !

Les arbres s'éclaircissaient un peu plus loin, et ils aperçurent la flèche gracieuse et les toits retroussés d'une grande pagode qui s'élançaient vers le ciel étoilé.

— Il va falloir quitter la route, les informa la jeune femme. La porte principale est gardée jour et nuit. Nous allons nous enfoncer un peu dans la forêt avec les chevaux, et ensuite nous irons à pied.

Elle semblait savoir où elle allait ; Akitada, lui, perdit bien vite tout sens de l'orientation. Ils mirent pied à terre dans une petite clairière et attachèrent leurs chevaux à des arbres.

Tora regarda autour de lui d'un air mauvais.

— Où diable sommes-nous ?

— Près du mur ouest du temple, répondit Ayako d'un ton sec. Quand nous approcherons, il faudra vous taire et faire le moins de bruit possible. Ils effectuent des rondes, la nuit, et comme nous allons passer près des écuries les chevaux risquent de nous trahir.

Un petit animal surgit soudain sous l'arbuste que broutait le cheval de Tora, et ce dernier jura, tirant brusquement sur le col de son manteau pour toucher son amulette.

— Calme-toi ! lui ordonna son maître. Ce n'était qu'un renard ou un blaireau.

— Comment pouvez-vous en être sûr ? (Tora jeta un regard effrayé autour de lui.) Ces bois sont pleins d'*oni*[1] et de *tengu*[2]. Ils nous guettent dans l'obscurité de leurs yeux affamés. Là ! Il y en a un ! Allons-nous-en ! s'écria-t-il en tirant maladroitement sur ses rênes.

— Arrête, imbécile, lui dit Ayako d'un ton cassant. Je savais bien qu'on n'aurait pas dû t'emmener. Moi qui croyais que seuls les enfants avaient peur du noir !

— Ça suffit ! intervint Akitada. Je n'ai pas l'intention de rester planté dans une forêt glaciale au milieu de la nuit à vous écouter vous chamailler.

— Pardon, grommela la jeune femme.

Elle s'éloigna d'un pas si rapide que les deux autres peinèrent à la suivre.

Ayako se déplaçait en silence, avec grâce et d'un pied sûr malgré les rochers et les racines des arbres qui entravaient leur marche.

Ils sortirent de la forêt et se retrouvèrent au pied d'un escarpement au sommet duquel courait l'enceinte du monastère. À la lueur de la lune, l'endroit semblait inaccessible.

— Et voilà, maugréa Tora, je le savais. Elle nous a égarés. Voilà ce qui arrive quand on écoute une idiote de femme.

---

1. *Oni* : démons. (*N.d.T.*)
2. *Tengu* : sorte de lutins des montagnes à grand nez. (*N.d.T.*)

— Chut, siffla Ayako.

— On ne peut pas monter par ici, protesta Akitada dans un murmure. C'est beaucoup trop raide. Je ne vois pas pourquoi les moines se soucieraient de voir arriver des brigands de ce côté.

— Vous seriez surpris de ce dont se soucient les moines, rétorqua la jeune femme d'un ton sinistre. Venez, je sais par où passer.

Sur ce, elle plongea dans un massif d'arbustes. Après une brève hésitation, l'inspecteur impérial la suivit. La végétation dissimulait une fissure étroite dans la pierre. Ayako s'en servit pour escalader le rocher comme un singe, posant une main par-dessus l'autre. La raison dictait à Akitada de renoncer, mais curieusement il n'avait aucune envie de baisser les bras. Il ne voulait pas que cette étrange fille se moquât de son manque de courage ou d'agilité, sans compter qu'elle-même risquait de se blesser ; ces deux idées lui étaient insupportables.

L'escalade se révéla plus aisée que prévu, même s'il lui fallut pour cela ignorer Tora qui jurait, grognait et grattait maladroitement la pierre.

Lorsque Akitada rejoignit la jeune femme sur l'étroit rebord, un ridicule sentiment de fierté s'empara de lui. L'épreuve n'était pourtant pas terminée : devant eux se dressait un mur haut comme deux hommes et surmonté de tuiles glissantes. Plusieurs pins poussaient tout près, mais on avait pris soin de les élaguer.

Ayako se dirigea vers un arbre un peu éloigné ; l'une de ses branches, cassée, se trouvait à moins de un mètre des tuiles. Elle grimpa, s'avança prudemment et bondit vers le mur. Akitada retint son souffle. La jeune femme atterrit à quatre pattes comme un chat, demeura tapie un instant, puis s'assit et baissa les yeux vers lui.

— La voie est libre, annonça-t-elle à voix basse.

Dénouant son foulard en coton noir, elle le fit pendre devant lui.

— Attrapez ça et prenez appui sur le mur. Je vous aiderai à vous hisser.

Tora poussa un grognement désapprobateur.

— Je suis bien trop lourd pour vous, objecta l'aristocrate. Il va falloir que je vous imite, ajouta-t-il d'un ton dubitatif.

— Non. La branche ne résistera pas à votre poids.

— Ça ne fait rien, grommela Tora. J'ai une meilleure idée. Seulement…

Il considéra son maître avec hésitation.

— Qu'y a-t-il ? lui demanda ce dernier. Parle.

— Il va falloir que je passe le premier, messire.

— Ce n'est pas le moment de se soucier de l'étiquette ! Vas-y.

— Mais je vais devoir monter sur vos épaules.

Akitada retint un rire. Cette excursion lui faisait de plus en plus songer à une farce de chenapans.

— Où veux-tu que je me mette ?

Le serviteur lui désigna un endroit et l'invita à se poster dos au mur, les jambes un peu écartées et les mains sur les hanches. Ensuite, il prit appui sur une cuisse d'Akitada avant de poser un genou sur son épaule ; enfin, il se releva, un pied sur chaque épaule. La manœuvre fut douloureuse, car Tora était nettement plus lourd que son maître. Ce dernier gémit et retint sa respiration, attendant avec impatience le moment où il serait enfin délivré de ce poids.

Mais ce moment ne vint pas. Akitada entendit son serviteur jurer et un bref conciliabule s'ensuivre. Serrant les dents, il se concentra pour empêcher que ses genoux se dérobent sous lui.

— Écarte-toi, femme ! ordonna soudain Tora d'un ton hargneux. (Il poursuivit d'un air d'excuse :) Messire ? Je n'y suis pas tout à fait. Mais je pense qu'en sautant je pourrai y arriver.

L'aristocrate ne répondit pas. L'instant d'après, Tora mit son projet à exécution. Il y eut quelques grattements, et d'un coup la douleur vrilla les épaules et le dos d'Akitada. Il glissa le long du mur et tomba à genoux. Ses oreilles bourdonnaient et la souffrance lui avait fait monter les larmes aux yeux, mais grâce au ciel ses épaules étaient libres.

— Psst ! siffla Tora. Désolé. Allez, attrapez ça. Je vais vous hisser en un rien de temps, messire.

L'inspecteur impérial se redressa sur ses jambes tremblantes et contempla la bande de tissu qui se balançait devant ses yeux. Il doutait fort qu'elle résistât à son poids, mais sa fierté l'empêcha de parler. Bien qu'il eût la nuque et les épaules en feu, il leva adroitement les bras et saisit le foulard d'Ayako, l'enroula autour de son poignet et escalada le mur. Au sommet, les tuiles obliques n'avaient rien d'un perchoir confortable. Akitada se mit à califourchon sur le mur et fit mine de regarder autour de lui tout en remuant les épaules avec précaution pour les soulager.

Sous les étoiles le monastère était silencieux. Sa structure était bien visible à la lueur spectrale de la lune : des carrés et des rectangles de murs et de galeries dans lesquels étaient enclos les halls sacrés, les écuries, les cuisines, le logement des moines et les entrepôts. Tout comme celui de la pagode, les toits des grands halls étaient recouverts de tuiles, tandis que ceux des bâtiments de service étaient en chaume et ressortaient davantage sur le gravier gris des cours. Il n'y avait pas âme qui vive.

— Les cuisines sont juste ici, chuchota Ayako en désignant un long bâtiment, les écuries et l'hôtellerie de ce côté-là. Pour nous rendre aux entrepôts, nous allons descendre et emprunter la porte qui est là-bas.

Elle se leva et courut jusqu'à l'endroit où une barrique avait été placée contre le mur afin de recueillir les eaux de pluie. Akitada et Tora, moins habiles à évoluer sur les tuiles, la suivirent plus lentement.

À l'instant où ils s'apprêtaient à regagner la terre ferme, ils entendirent un crissement : quelqu'un marchait sur le gravier.

— Couchez-vous ! chuchota la jeune femme en s'aplatissant.

Ils l'imitèrent et virent deux silhouettes sortir de l'ombre et marcher droit vers les cuisines. Les hommes disparurent à l'intérieur du bâtiment et ressortirent peu après. Ils se dirigèrent alors vers la cour où se trouvaient les entrepôts.

— Qu'est-ce qu'on fait, maintenant ? demanda Tora d'un air dégoûté.

Ayako lui jeta un regard dépourvu d'aménité.

— Nous allons attendre un instant. D'après ce que j'ai vu, nous disposons d'une heure avant la prochaine ronde.

À son signal, ils descendirent et franchirent la porte le plus discrètement possible. Dans cette cour, tout était tranquille. La jeune femme se dirigea vers le premier des entrepôts, qui était également le plus grand. Lorsqu'ils arrivèrent devant sa large porte en bois, ils constatèrent qu'elle n'était pas simplement fermée, mais verrouillée.

— Vous voyez ? dit-elle.

Akitada acquiesça. Interdire ainsi l'accès à un entrepôt dans un temple surveillé signifiait qu'il contenait soit des produits de contrebande, soit des biens précieux.

— Si seulement nous avions la clé, soupira-t-elle. C'est le seul à être verrouillé, je parie que les impôts volés sont dedans.

L'inspecteur impérial examina le hangar : suffisamment vaste pour contenir vingt convois de marchandises, le bâtiment aurait fort bien pu abriter les trois qu'il cherchait.

— Attendez, intervint Tora, laissez-moi essayer.

À leur grande surprise, il tira une fine tige de métal de sa manche et étudia un instant le verrou avant de plier la tige de ses mains puissantes. Inséré au bon endroit, le crochet débloqua le mécanisme, et la porte s'ouvrit sur les ténèbres.

— Ferme vite, ordonna Akitada dès qu'ils furent à l'intérieur.

Il dut s'écarter et retenir son souffle : les vêtements de son serviteur exhalaient une odeur d'écurie qui le prenait à la gorge. Plongés dans le noir, les deux hommes battirent le briquet en même temps. Les étincelles révélèrent brièvement des montagnes de marchandises avant de s'éteindre d'un coup.

— Un instant, marmonna Tora pendant qu'il cherchait quelque chose à tâtons sur le sol.

Après une nouvelle tentative, il parvint à allumer une lanterne qu'il avait repérée près de l'entrée.

Ils regardèrent autour d'eux : leur lumière paraissait dérisoire dans le vaste entrepôt. La flamme vacillait à chacun de leurs mouvements et donnait un relief grotesque aux objets qui se détachaient sur l'obscurité qui planait au-dessus d'eux et envahissait tout l'espace. L'air sentait le renfermé, la natte de paille, le vieux bois et les épices.

Tandis qu'ils déambulaient lentement parmi les marchandises, ils entendirent de légers grattements qui signalaient la présence de rongeurs. Akitada souleva le couvercle d'un gros tonneau dans lequel il découvrit des haricots. Tora, lui, s'arrêta devant un alignement de jarres en terre cuite. Il s'empara d'une louche à long manche et ôta le bouchon : aussitôt, une riche odeur fruitée envahit l'air.

— Ça alors ! s'exclama-t-il en gloussant de ravissement. Les crânes rasés ont un faible pour le saké, tout comme nous autres, pauvres rustauds de pêcheurs. (Il goûta le breuvage et se lécha les babines.) Et en plus, il est bon !

Toujours endolori, Akitada se jucha sur des coffres empilés et contempla la longue rangée de jarres.

— Bizarre, maugréa-t-il. Si les haricots font partie de l'ordinaire d'un monastère bouddhiste, l'alcool y est interdit.

— Tout comme le viol, déclara abruptement Ayako en envoyant un coup de pied exaspéré dans une grosse natte de paille roulée. Aïe !

Elle se pencha pour tâter le rouleau, qui produisit un léger cliquetis.

— Arrête de boire, Tora, et va voir ce qu'il y a dans ces ballots ! ordonna son maître.

Quand ils eurent délié la natte, des hallebardes neuves et bien affûtées apparurent.

— Par le saint Bouddha ! Des *naginata* ! glapit Tora. Ils doivent s'attendre à une attaque. Pas étonnant qu'ils surveillent cet endroit comme s'il s'agissait d'une forteresse assiégée.

— Laisse-moi voir.

Akitada s'approcha et leva la lanterne. Il compta vingt hallebardes par ballot et, après un bref examen, estima à près d'une centaine le nombre de nattes contre le mur.

— Il y en a assez pour une armée, conclut-il avec un certain effroi.

Sur le rouleau peint d'Otomi, les soldats étaient armés de *naginata*. Un terrible malaise s'insinua en lui. L'idée de tout un ordre de moines se livrant à la débauche était déjà difficile à supporter, mais que dire s'ils s'armaient contre le gouvernement de la province ou l'empereur ? Pas étonnant que les incompétents présents chez le seigneur Tachibana lui aient rappelé des recrues, car c'était le cas. Les traits de brutes des trois moines qu'ils avaient aperçus sur le marché le jour de leur arrivée lui revinrent très distinctement en mémoire.

— Remets-les comme nous les avons trouvées, Tora, fit-il d'un air sombre.

Ayako observait la scène avec une tranquille satisfaction.

— Je vous l'avais bien dit. Je parie que vos impôts se trouvent ici.

Elle se mit à ouvrir des caisses et des tonneaux pendant qu'Akitada la suivait d'un pas traînant, lanterne à la main. Il se perdit dans la contemplation des reflets dorés qui jouaient sur sa peau, son visage déterminé, ses petites dents qui mordillaient sa lèvre inférieure, et sur la courbe de sa nuque gracile, où des mèches de cheveux s'étaient échappées du foulard noir. Puis il admira ses mains longues et habiles qui se déplaçaient rapidement parmi les caisses, les paniers, les tonneaux et les sacs. Malheureusement, ils ne firent aucune nouvelle découverte.

Ce ne fut que lorsqu'ils atteignirent le mur du fond qu'Akitada remarqua l'absence de Tora.

— On dirait bien que nous sommes seuls, glissa-t-il à Ayako.

Celle-ci se retourna et le dévisagea. Le jeune homme se sentit soudain oppressé et lui adressa un sourire embarrassé.

— Je me demande où est passé Tora, reprit-il d'une voix plus forte.

— Me voici. (Le serviteur eut un renvoi qui dégagea une forte odeur de saké.) Messire, je me disais, les coffres sur lesquels vous étiez assis, ils ne vous rappellent rien ?

— Comment ça ?

— Eh bien, c'est vous qui aviez la lanterne, alors je n'ai pas pu vérifier, mais on dirait bien ceux qui servent à transporter de l'or ou de l'argent.

Akitada revint sur ses pas et examina les coffres. Son cœur s'emballa. Visiblement résistants, les meubles en bois recouvert de cuir avaient les coins et les côtés renforcés par des plaques de métal, de larges poignées, et une grosse serrure.

— Oui, tu as raison, je crois. Ce sont les coffres qu'utilisent les marchands et les agents du gouvernement pour transporter des pièces et des lingots d'or et d'argent.

Avec des exclamations de joie, Tora et Akitada se ruèrent dessus. Mais les meubles, non verrouillés, étaient parfaitement vides et avaient dû être conservés pour un usage ultérieur. S'ils avaient été marqués des sceaux de l'administration impériale, ceux-ci avaient disparu depuis longtemps. À la lumière de la lanterne, les deux hommes examinèrent attentivement chaque coffre, mais ne découvrirent rien d'autre que des éraflures et une marque de brûlure assez particulière qui ressemblait à un poisson sautant après une balle.

Akitada soupira.

— Ils ont peut-être contenu des objets précieux destinés aux cérémonies religieuses. Et le reste de l'entrepôt ne renferme rien d'autre que des balles de chanvre et des caisses remplies d'encensoirs en cuivre, de clochettes et d'habits de cérémonie.

Il regarda autour de lui d'un air malheureux. Du saké et des hallebardes ! Cela ne rimait à rien ! Peut-être gardaient-ils tout cela pour le compte de quelque riche notable… Mais quel usage les potentats soi-disant pacifiques de la province pourraient-ils bien avoir de deux mille hallebardes ?

— Voulez-vous que nous allions jeter un œil sur les autres entrepôts ? lui demanda Ayako au bout d'un moment.

Malgré sa fatigue, il acquiesça :

— Très bien. Tora, éteins la lanterne, mais ne verrouille pas la porte. J'ai le sentiment que nous avons négligé un détail important.

Ils inspectèrent les autres hangars, auxquels ils accédèrent sans difficulté, mais ne trouvèrent que les habituels barils de pâte de haricots et de condiments ; des sacs de riz, d'orge, de millet et de haricots ; des jarres d'huile, des boîtes de chandelles, des balles de soie et de chanvre, des étagères pleines de poteries, d'objets religieux et de statues abîmées... Bref, il y avait de tout, mais rien de compromettant.

— Il se fait tard, dit Ayako d'un ton pressant, mais je tiens à vous montrer une dernière chose. Cela me hante depuis que je l'ai entendu.

— Depuis que vous l'avez entendu ? répéta Akitada, étonné.

— Oui. Dehors, derrière cet entrepôt.

Dans la grande cour, tout était paisible. Les étoiles brillaient au-dessus d'eux, mais la lune s'était un peu déplacée à l'ouest tandis qu'à l'est on distinguait les prémices de l'aube.

Ils dépassèrent l'arrière du bâtiment et s'arrêtèrent au milieu de la cour, à mi-distance du hangar et d'une galerie couverte.

— Qu'y a-t-il là-bas ? demanda Akitada en désignant les toits couverts de tuiles dans la cour voisine.

— Les appartements du supérieur et l'administration du temple, répondit la jeune femme.

Elle se déplaçait avec précaution, visiblement à l'affût du moindre bruit. Soudain, elle leur fit signe.

— Écoutez ! Vous entendez ?

Akitada pencha la tête. On distinguait un vague bourdonnement.

— C'est le vent ?

— Non. Le vent est tombé. Et puis, c'est bien trop régulier. On dirait des gens qui chantent au loin.

— Oui, vous avez raison. Mais j'ai l'impression que ça vient du sol, affirma l'inspecteur en s'accroupissant.

Bien que le son demeurât lointain, il acquit la certitude qu'il s'agissait de chants sacrés. Ils ressemblaient à ceux qu'il avait entendus dans la demeure du seigneur Tachibana, mais là, le chœur semblait répondre à une voix aiguë.

— Ce sont des voix de moines, déclara-t-il en se relevant, sourcils froncés.

Pris de panique, Tora en oublia de chuchoter.

— Des voix qui viennent du sol ? Partons ! Je parie que c'est ici que ces maudits crânes rasés enterrent leurs morts.

— Chut ! souffla Akitada. Je voudrais repérer d'où elles viennent, exactement.

Penché en avant, il se mit à décrire des cercles de plus en plus larges qui le rapprochèrent progressivement de l'entrepôt qu'ils venaient de quitter.

Enfin, il découvrit ce qu'il cherchait dans l'ombre du bâtiment : une petite grille en bois à ras de terre, large d'environ un *shaku*[1] carré, recouvrait une bouche d'aération souterraine par laquelle montait, plus clairement à présent, le chant faible et surnaturel. Ses cheveux se dressèrent sur sa tête.

Il s'agenouilla et se pencha pour tenter, en vain, de percer l'obscurité. Une puanteur chaude proche de l'odeur de la putréfaction le prit à la gorge. Il se releva bien vite et réprima un haut-le-cœur. Les paroles de Tora résonnèrent en lui : « C'est ici que ces maudits crânes rasés enterrent leurs morts. »

— Qu'est-ce que c'est ? s'enquit ce dernier, qui avait conservé une distance prudente.

— Je ne sais pas trop. On dirait la bouche d'aération d'une pièce souterraine, répondit Akitada, tendu.

---

1. Environ trente centimètres. (*N.d.T.*)

Ayako vint se poster près de lui.

— Vous avez raison, confirma-t-elle en examinant la grille à son tour. Je n'aime pas ça du tout. (Elle se rapprocha de lui et ajouta :) Ça me donne la chair de poule.

— Hé, on vient ! lança Tora depuis le coin du bâtiment. Je crois que c'est la ronde.

— Allons-y, dit son maître.

Avec beaucoup de précaution, ils revinrent rapidement sur leurs pas et traversèrent la cour déserte sans encombre. Ils s'apprêtaient à pénétrer dans celle où se trouvaient les cuisines quand ils entendirent des voix. Plaqués contre un mur, ils attendirent.

Deux gardes apparurent bientôt, un vieux moine clopinant sur leurs talons. Tous les trois se dirigèrent vers le premier hangar.

— Par le Bouddha ! chuchota le jeune noble. Nous ne l'avons pas verrouillé.

Il comprit brusquement dans quelle situation difficile ils se trouvaient. Jusqu'à cet instant, pas même sa douleur aux épaules n'avait pu rompre l'enchantement lié à la nuit et à la présence de la jeune femme à ses côtés. À présent, ils risquaient fort d'être découverts. Il ne pouvait pas se permettre d'être inculpé pour effraction, ni en qualité d'inspecteur impérial, ni même en tant que modeste fonctionnaire du ministère de la Justice. S'il était pris, comment pourrait il étayer ses soupçons contre Joto ? Cet échec lamentable signerait la fin de sa carrière. Mais non ! Quelle idée ! Jamais ils ne les laisseraient repartir. Avec un frisson, il songea à la bouche d'aération.

Impuissants, ils regardèrent les gardes secouer la porte et pousser des exclamations de surprise avant de s'en prendre à leur compagnon.

— Espèce de bâtard sénile ! hurla l'un d'eux. Tu as encore oublié de fermer à clé ! Cette fois, le supérieur sera prévenu et c'en sera fini de toi.

Sans cesser de l'injurier, ils le rouèrent de coups. Le vieux moine cria de douleur et se mit à courir en direction des trois témoins muets de la scène. Figés, ceux-ci prièrent pour que leurs vêtements foncés se confondent avec l'ombre du mur.

Le vieil homme n'alla pas loin. En un instant, ses persécuteurs furent sur lui. Ils le jetèrent à terre et le bourrèrent de coups de poing. Tora marmonna un juron tandis qu'Akitada, d'abord soulagé de ne pas avoir été découvert, tressaillait à chaque coup, se reprochant amèrement sa décision de ne pas verrouiller la porte.

Enfin, l'un des jeunes moines remit brutalement son aîné sur ses pieds.

— Si tu ne la fermes pas, tu vas dans ce trou, rejoindre le vieux Gennin !

Courageusement, le vieux lui tint tête et s'écria d'une voix stridente :

— Vous êtes des démons ! Vous êtes une abomination aux yeux du Bouddha, et votre maître se vautre dans les péchés de chair et de corruption. Vous êtes des assassins, des fornicateurs, et vous passerez l'éternité en enfer, où… Ahhh !

Le direct qu'il reçut en pleine bouche l'interrompit net. Incapable d'en supporter davantage, Akitada fit mine de s'avancer, mais Ayako le retint vivement par l'épaule. La douleur lui arracha un gémissement étranglé.

L'un des gardes releva la tête et regarda dans leur direction. Comme il s'attardait, ils se crurent perdus.

— Tu as entendu quelque chose ? demanda-t-il à son acolyte.

Occupé à tordre les bras du vieux moine dans son dos, l'autre homme répliqua avec irritation :

— Quoi ? Non. Aide-moi un peu, va !

L'homme jeta un nouveau regard de leur côté.

— Il m'a semblé qu'il y avait quelque chose par là-bas. Il y a eu du mouvement.

— Bah, c'était sûrement un chat.

Traînant le vieux moine à leur suite, les deux gardes pénétrèrent dans l'entrepôt, et une lumière ne tarda pas à s'allumer.

— Vite ! chuchota Ayako. Ils vont s'apercevoir que la lanterne est encore chaude. Lorsqu'ils donneront l'alarme, il y en aura partout.

Elle n'avait pas plus tôt prononcé ces paroles qu'un cri s'éleva :

— Au voleur ! À l'aide ! Au voleur !

Ils franchirent la porte comme des flèches, se précipitèrent vers la barrique et escaladèrent le mur tant bien que mal. Tora et Akitada, qui avaient pris les devants, aidèrent Ayako à se hisser. Dans sa hâte, elle renversa le tonneau, mais parvint cependant à gagner le sommet du mur. Ils coururent sur les tuiles jusqu'aux pins. Là, les deux hommes sautèrent les premiers. Ils atterrirent lourdement et faillirent basculer dans le vide.

Dans la frénésie de leur évasion, Akitada avait ignoré la douleur qui lui vrillait les épaules, mais dès qu'ils furent à l'extérieur de l'enceinte ses genoux le trahirent et il dut s'appuyer un instant contre le mur.

Des clameurs s'élevèrent bientôt, et une cloche retentit. Akitada leva la tête. Ayako s'apprêtait à sauter. Elle prit un peu d'élan et retomba avec un cri de douleur. Quand il l'aida à se redresser, elle s'accrocha à son bras.

— Qu'y a-t-il ?

— Ma cheville ! (Elle le repoussa, fit quelques pas et chancela.) C'est une entorse, souffla-t-elle. Ça ira mieux dans une minute. Partez ! Dépêchez-vous !

De l'autre côté du mur, il y eut des cris et des appels : quelqu'un avait découvert le tonneau renversé.

Akitada prit la jeune femme par le bras.

— Non. C'est trop dangereux pour vous de redescendre seule. Nous y allons ensemble. Comme ça, si vous glissez, je vous rattraperai.

Derrière l'enceinte, les clameurs s'amplifièrent, et une tête apparut au sommet du mur. Après un instant d'hésitation, Ayako acquiesça.

Ils redescendirent le long de la fissure avec une lenteur exaspérante. Akitada ne voyait pas où il mettait les pieds, et il devait concentrer presque toute son attention sur Ayako, pour la soutenir et la guider. Malgré la difficulté et l'urgence de la situation, il avait une conscience aiguë de son odeur et de son corps mince chaque fois qu'ils se touchaient. Au puissant instinct protecteur qu'il éprouvait à son égard s'ajouta un désir naissant. Lorsque la descente s'acheva enfin, elle s'accrocha un instant à lui avant de se dégager et de s'éloigner le plus vite possible vers les arbres malgré sa cheville douloureuse.

Ils retrouvèrent leurs chevaux, se remirent en selle et regagnèrent la route. Derrière eux, la cloche cessa de sonner et les cris s'éloignèrent.

Le trajet de retour s'effectua sans incident, et ils atteignirent la ville au matin. Akitada avait l'intention de raccompagner Ayako chez son père avant d'aller prendre quelques heures de repos, mais la jeune femme, éblouissante dans la lueur dorée du soleil levant, s'arrêta devant un établissement de bains déjà ouvert.

— Il n'y aura pas d'eau chaude chez moi à cette heure-ci, expliqua-t-elle, et il faut que je baigne ma cheville. (Après un silence, elle ajouta précipitamment :) Tora pourrait se charger des chevaux. Pourquoi ne venez-vous pas avec moi ? Vos épaules doivent vous faire souffrir maintenant qu'elles se sont refroidies.

Ils échangèrent un regard et elle eut un sourire nerveux. Ses yeux étaient lumineux. L'incident qui s'était produit au cours de l'escalade du mur d'enceinte ne lui avait donc pas échappé, et Akitada fut touché par sa sollicitude. Il accepta tout naturellement son invitation.

— Ramène les chevaux, Tora. Un peu de marche me fera du bien, déclara-t-il en mettant pied à terre.

11

UN MONDE DE ROSÉE

La femme qui prit leur argent les guida jusqu'à une petite pièce où se trouvait une grande cuve en bois couverte. Juste à côté, un tabouret servait à la fois de siège et de marchepied ; sur le sol en pierre, près de l'orifice d'écoulement, étaient posés deux petits seaux et des sacs de son. Une estrade recouverte d'un tatami complétait le mobilier. Deux kimonos délavés en coton étaient suspendus à un crochet, et l'air chaud et humide sentait le bois mouillé et l'herbe.

La servante repoussa le lourd couvercle, et une épaisse vapeur s'éleva devant l'étroite fenêtre par laquelle pénétrait le soleil. Pendant un instant, ils eurent l'impression de se retrouver dans un nuage de lumière en liquéfaction. Akitada entendit Ayako chuchoter quelque chose à la femme, mais après cette nuit blanche il était trop fatigué et désorienté pour prêter attention à leurs propos. Machinalement, il commença à se déshabiller, laissant ses vêtements choir sur le tatami. Il remplit son seau à la cuve, s'accroupit près du trou d'évacuation et tenta de se frotter avec un sac de son, vaguement conscient qu'Ayako faisait de même à ses côtés. Presque aussitôt, une douleur aiguë lui transperça l'épaule et lui arracha un cri.

Lorsque sa compagne lui prit le sac des mains pour l'aider, il n'eut pas la force de protester.

— Et maintenant, entrez dans l'eau, lui ordonna-t-elle. Vous ne tarderez pas à vous sentir mieux.

— Merci, murmura-t-il, à demi endormi par la chaleur humide de la pièce.

Il fit un effort pour sortir de sa torpeur et admira le corps resplendissant de la jeune femme à travers l'écran de vapeur blanche. On eût dit une créature d'un autre monde.

— Et votre cheville ?

— Ne vous inquiétez pas.

Elle passa devant lui en boitillant, monta sur le tabouret et se glissa dans le bain fumant avec son aisance habituelle.

Il la suivit plus maladroitement et entra dans l'eau en éclaboussant un peu autour de lui. La chaleur l'enveloppa sur-le-champ, effaçant les heures passées dans le vent glacial et le froid mordant de la nuit. Quand il fut immergé jusqu'au menton, il replia les jambes afin de ne pas occuper toute la place. L'eau chaude baignait chaque pore de sa peau. Détendu, il ferma les yeux.

Sa fatigue ne tarda pas à s'envoler. Soudain bien éveillé, il songea que c'était la première fois qu'il allait aux bains avec une femme. Cela n'avait rien d'extraordinaire : il était courant de se laver en famille, et les établissements, ouverts aux personnes des deux sexes, n'imposaient pas de séparation.

Dans ce cas précis cependant, ce n'était pas anodin. Prétendre que ce bain était la conclusion logique de leur expédition nocturne eût été absurde. Il désirait Ayako depuis le moment où il l'avait vue, nue jusqu'à la taille, avant leur affrontement au bâton. Après cela, il avait eu toutes les peines du monde à la quitter des yeux et n'avait cessé d'imaginer son corps sous ses vêtements. Sa peau avait immédiatement réagi au contact de ses doigts, et à présent il n'était que trop conscient de l'excitation bien tangible que la jeune femme avait provoquée chez lui.

Honteux, il la contempla à travers la vapeur. Que faire ? Si elle savait, serait-elle furieuse, dégoûtée, l'accuserait-elle de manquer de maîtrise de soi, ou pis, se rirait-elle de lui ?

Elle avait les yeux clos. Des gouttelettes d'humidité étincelaient sur ses cils et perlaient sur ses joues, son nez et ses lèvres, tandis que sa chevelure humide s'enroulait en vrilles noires sur son cou gracile et ses épaules rondes ; une mèche presque invisible dans l'eau disparaissait entre ses seins. Ayako était magnifique. La bouche sèche, Akitada tenta de détourner le regard, en vain. Telle la rosée scintillant dans l'herbe sous le soleil du matin, l'unique goutte d'eau accrochée à sa lèvre supérieure était illuminée des couleurs de l'arc-en-ciel. Au supplice, il ferma de nouveau les yeux.

Il se réveilla au contact de ses mains sur ses épaules : agenouillée entre ses jambes écartées, elle se mit à le masser doucement et lui sourit.

— Vous vous sentez mieux ?

Son haleine lui caressait les lèvres. Effrayé par leur proximité, il chercha à s'écarter.

— Vous n'êtes pas obligée de faire ça, dit-il d'une voix rauque, tout en souhaitant qu'elle continue.

— C'est en malaxant les muscles qu'on parvient à les dénouer, expliqua-t-elle simplement.

— Mais quelqu'un pourrait venir.

— Non, répondit-elle avec un petit rire. J'ai dit à la femme de ne pas nous déranger.

Akitada ne fréquentait guère les bains publics et ne les avait jamais considérés comme des lieux de rendez-vous galants. À l'idée qu'Ayako avait dû y amener d'autres hommes avant lui sa gorge se serra.

Elle soutint calmement son regard sans cesser de le masser. Ses légères pressions étaient à la fois merveilleuses et frustrantes, et le désir du jeune homme se nourrissait autant de la douleur que du plaisir qu'il éprouvait.

— Ayako, soupira-t-il. Vous ne devriez pas faire ça.

— Vous ne me désirez donc pas ? demanda-t-elle en se rapprochant jusqu'à l'effleurer de son propre corps.

Il sentit ses seins contre lui. C'était si délicieux qu'il soupira et ferma les yeux. Une cuisse douce s'insinua dans son entrejambe. Elle appuya les lèvres contre les siennes et leurs souffles se mêlèrent.

— Si, plus que tout, murmura-t-il en la prenant dans ses bras.

Elle l'étreignit un moment, puis lui prit la main et se leva.

— Venez.

Entièrement absorbés l'un par l'autre, ils sortirent de l'eau, s'aidèrent mutuellement à enfiler les kimonos en coton pour se sécher et s'étendirent sur le tatami.

Ayako était expérimentée dans l'art d'aimer. Tout à sa passion, Akitada ne put s'empêcher de le remarquer ; cette réflexion ne lui inspira cependant ni ressentiment ni dégoût, mais de la gratitude. Sa propre expérience était limitée. Par deux fois, il avait fait l'amour avec des femmes de la noblesse, mais la gêne l'avait emporté sur le plaisir : elles avaient insisté pour que tout se déroule dans l'obscurité la plus complète et refusé de quitter leurs vêtements. Or la robe d'une femme, portée par-dessus une multitude de sous-robes et nouée avec une large ceinture, constituait un obstacle formidable, d'autant qu'il avait également eu à se battre contre son ample pantalon en soie. En outre, elles étaient demeurées parfaitement silencieuses et passives pendant l'acte.

Les quelques prostituées qu'il avait fréquentées s'étaient montrées plus loquaces et plus accommodantes, mais leurs attentions lui avaient paru machinales et forcées.

Avec Ayako, c'était totalement différent. La joute amoureuse tenait du concours d'adresse. Elle répondit à son empressement maladroit par d'habiles dérobades avant de se mettre à explorer chaque partie sensible de son corps par des caresses jusqu'à ce qu'il fasse de même et découvre que donner du plaisir procurait davantage de jouissance que d'en prendre. Tout à la fois initiatrice et amante, la jeune femme était aussi passionnée et douée pour l'amour que pour le combat.

Quand elle se rendit enfin à lui dans un petit miaulement et qu'il entra en elle, il comprit qu'elle le possédait tout autant que lui la possédait. La tête renversée, les paupières closes, le visage sublime dans son abandon, elle poussa un cri de triomphe.

Son absurde confusion entre les arts martiaux et l'acte amoureux fit sourire Akitada, et il souriait encore lorsqu'ils se détachèrent l'un de l'autre.

— Je t'aime bien, Akitada, constata-t-elle avec de la surprise dans la voix.

— Moi aussi, répondit-il gaiement.

D'une façon prosaïque, elle expliqua :

— J'ai su que tu me désirais quand j'ai vu tes yeux sur mes seins hier soir. Moi aussi, j'avais envie de toi, alors je t'ai amené ici. Beaucoup d'hommes m'ont déjà regardée de cette façon. Certains m'ont accompagnée aux bains, mais aucun ne me plaisait vraiment.

Son aveu désinvolte lui fit l'effet d'une douche glacée. Il se redressa, blessé de n'avoir été rien d'autre qu'un simple moyen de satisfaire son désir physique. D'un ton léger, il lança :

— J'en conclus qu'ils n'étaient pas à la hauteur.

Puis il rougit de sa présomption.

— Non, ce n'était pas ça. (Elle se leva.) Viens. Il y a des clients qui attendent.

Il la regarda remplir de nouveau le seau et faire disparaître les traces de leurs ébats sans le moindre embarras. Son corps, qu'il trouvait toujours aussi beau, lui était à présent familier et précieux, et cette idée l'effrayait. Il était jaloux mais n'avait aucun droits sur elle. Et même si elle avait été susceptible d'accepter, il n'aurait pu lui proposer le mariage.

— Il va nous falloir rentrer à pied. Comment va ta cheville ?

Elle se leva et la considéra pensivement. Il se baissa pour palper avec douceur le membre enflé et fit jouer l'articulation.

— Peux-tu marcher ?

— Parfaitement.

Elle lui en fit la démonstration en l'observant par-dessus son épaule.

Les yeux d'Akitada quittèrent sa bouche souriante et s'attardèrent sur ses épaules droites avant de descendre le long de son dos, de ses fesses harmonieuses, de ses minces cuisses, de ses longues jambes aux attaches fines et de ses pieds menus. L'eau du bain s'était refroidie et il y avait moins de vapeur, mais des gouttes s'accrochaient à sa nuque et à ses omoplates. Il aurait voulu y poser les lèvres et la savourer encore.

— Tu es la plus belle femme que j'aie jamais vue.

— C'est faux, répliqua-t-elle en remettant ses vêtements. Je suis trop grande et trop maigre. Je ressemble à un garçon efflanqué. Otomi, elle, est belle. N'importe quel homme la préférerait à moi.

— Pas moi, rétorqua Akitada.

Après un silence, elle remplit de nouveau le seau.

— Viens, je vais t'aider.

Cette fois-ci, il refusa son aide. Ses épaules ne le faisaient presque plus souffrir.

— Je te raccompagne, dit-il après s'être rhabillé à son tour.

Comment allait-il affronter son père ?

— Non, je ne vais pas rentrer tout de suite, j'ai quelque chose à faire avant.

Troublé par son attitude soudain distante, il ne répliqua point. Dans le couloir, les voix d'autres baigneurs leur parvinrent à travers les minces cloisons. La servante passa la tête par une porte et les salua avec un sourire complice. Ayako pressa le pas. Devant l'entrée, Akitada écarta galamment le rideau pour la laisser passer, et ils se retrouvèrent dans la rue ensoleillée.

— Que comptes-tu faire, au sujet des moines prisonniers ? demanda-t-elle d'une voix tendue.

Cette question le ramena à la sinistre réalité.

— Je n'en sais rien, avoua-t-il. En référer au gouverneur, j'imagine. Je vais le trouver de ce pas. (Après un silence, il reprit :) Qu'a répondu ta sœur hier soir, à propos du convoi militaire ?

Elle détourna les yeux.

— « Une autre vie. » Elle l'a écrit à plusieurs reprises. Ce n'était pas très lisible, parce qu'elle était bouleversée. J'ignore ce que cela signifie.

Akitada pinça les lèvres.

— Nous devons mourir pour commencer une autre vie, déclara-t-il. Je te conseille de surveiller ta sœur de près, à l'avenir.

Alarmée, elle planta son regard dans le sien, et il lui posa la main sur le bras dans un geste apaisant. Elle était presque aussi grande que lui.

— Ce qui s'est passé entre nous…, commença-t-il maladroitement.

Il espérait quelque chose, un signe d'affection, mais elle demeura impassible. Il laissa retomber sa main.

— Je ne t'ai pas remerciée de nous avoir montré les secrets du temple. C'était très courageux.

Une lueur étrange qui se mua bientôt en colère parcourut ses yeux, et elle fit un pas en arrière.

— Oui, je sais. Pour une femme !

Sur ce, elle s'éloigna.

Lorsque Akitada demanda à voir Motosuke, il apprit que le gouverneur était parti très tôt pour la campagne afin d'acheter des chevaux en vue de leur retour à Heian-kyo. Avec un soupir, l'inspecteur regagna ses appartements, mangea un peu de gruau et dormit quelques heures.

Il fut réveillé par Tora, qui se grattait frénétiquement.

— Débarrasse-toi de ces haillons crasseux et va prendre un bain, lui jeta-t-il d'un ton ensommeillé.

— Plus tard, répondit Tora en souriant. Vous avez promis de m'aider à retrouver Hidesato.

Akitada se redressa avec un grognement.

— Très bien. Mais va te changer, alors.

Un peu plus tard, vêtus d'habits propres et simples, ils quittèrent l'enceinte du tribunal et partirent vers le sud de la ville. C'était la mi-journée, et le soleil qui réchauffait l'atmosphère évoquait le printemps.

Ses pensées tournées vers Ayako, Akitada cheminait en silence. Une fois sur le marché, Tora arrêta un gamin des rues pour lui demander où l'on pouvait acheter des gâteaux de riz. Le garçon tendit une main sale comme pour monnayer sa réponse mais, dès que Tora eut déposé une piécette de cuivre dans sa paume, il s'enfuit dans la foule. Le jeune homme jura.

— Ton estomac est-il donc plus important que ton ami ? l'interrogea Akitada avec irritation.

Il commençait à regretter sa promesse.

— Je cherche le marchand de gâteaux, messire. J'ai toujours son argent, et il avait l'air à demi mort de faim. Je suis sûr qu'il en a besoin.

L'inspecteur impérial se radoucit.

— Oh, dans ce cas... Mais peut-être ne travaille-t-il que le soir ?

Il se trompait. Quelques instants plus tard, Tora reconnut l'odeur familière des gâteaux frits et la suivit en toute hâte, narines frémissantes. Akitada le retrouva en compagnie d'un jeune homme maigre et dépenaillé qui semblait hypnotisé par l'argent que Tora avait déposé entre ses mains.

— Nous avons attrapé les scélérats, expliquait-il. Tu n'auras plus à les payer. La prochaine fois qu'on te menacera de la sorte, adresse-toi donc à la police.

Le vendeur eut un rire amer et rangea les pièces.

— Merci du conseil. Vous dites que vous avez attrapé ces salauds, mais ils sont déjà libres. Pour qui travaille la police, à votre avis ? Tout le monde touche sa part.

— Que veux-tu dire ? s'enquit Akitada d'un air sévère.

Le marchand lui jeta un regard interloqué et marmonna :

— Rien du tout, messire.

Il reprit sa palanche en bambou, y accrocha ses paniers et s'éloigna rapidement. Tora le suivit un instant des yeux et cracha de dégoût.

— Des fonctionnaires véreux ! Je vous l'avais bien dit, affirma-t-il d'une voix accablée. Voilà pourquoi ces bâtards d'assassins sont de nouveau en liberté.

— J'ai du mal à le croire. Ikeda a l'air efficace, et le gouverneur n'a fait état d'aucun problème. Ce sont sûrement des racontars. Dis-moi, l'établissement où tu as rencontré Hidesato n'est pas loin, n'est-ce pas ? Peut-être ton ami y est-il retourné.

— Ce n'est pas un endroit pour vous. Il n'y a que la racaille dans mon genre pour aller là-bas.

Akitada s'arrêta net.

— Tant que tu travailleras pour moi, je ne veux pas que tu parles de toi en ces termes.

Tora sourit à contrecœur.

— Pardon, messire.

Le gros tenancier de la Demeure Céleste l'accueillit en vieil ami mais se contenta d'adresser un signe de tête à l'inspecteur impérial. À l'exception d'un vieillard qui somnolait dans un coin, l'endroit était désert.

— Il paraît que ces truands sont déjà sortis de prison. Qu'est-ce que c'est que cette histoire ? demanda Tora.

L'homme roula des yeux.

— Les bâtards ! La prochaine fois qu'ils mettent les pieds ici, je leur ouvre le ventre, fanfaronna-t-il. J'ai un poignard bien aiguisé sous le comptoir.

— Je ne t'ai pas vu éventrer qui que ce soit, l'autre jour.

Le tenancier eut un geste insouciant.

— Vous aviez les choses bien en main, toi et ton ami.

Le vieillard tout courbé émergea de son sommeil et s'écria soudain d'une voix fêlée :

— Amida est grand ! Amida sauve.

Ils lui jetèrent un bref coup d'œil avant de s'en désintéresser.

— Je cherche mon ami, déclara Tora. Il est revenu ?

— Non. (Voyant sa déception, le gros homme proposa :) Mais s'il revient, je lui dirai que tu le cherches.

— Merci.

Akitada suivit son serviteur dehors. Devant son découragement, il suggéra :

— Nous devrions essayer la garnison. Hidesato est un ancien sergent, il est peut-être allé leur proposer ses services.

Le visage de Tora s'éclaira.

— Vous avez raison. Il a très bien pu faire ça.

Installée à côté de la Porte Ouest, la garnison était entourée de palissades élevées, et des étendards colorés flottaient au-dessus du grand portail d'entrée. Akitada se présenta au garde et demanda à voir le commandant. L'homme considéra leurs vêtements modestes d'un air dubitatif, puis envoya une recrue se renseigner.

Celle-ci revint avec un homme plus âgé à la peau sombre. Robuste, le visage encadré d'une barbe grisonnante, il portait une cuirasse légère sur sa chemise, un pantalon court et bouffant et des jambières. Il les dévisagea avec intérêt.

— Lieutenant Nakano, se présenta-t-il d'une voix râpeuse une fois qu'Akitada eut répété son nom et sa qualité. Le capitaine est dans son bureau.

La garnison occupait un vaste terrain sur lequel s'élevaient plusieurs bâtiments tout en longueur : poste de commandement, quartiers des soldats, écuries, etc. Dans la cour, des fantassins munis de hallebardes et de longs boucliers s'entraînaient. Un peu plus loin, des cavaliers tournaient autour d'une cible au grand galop, envoyant des volées de flèches à intervalles réguliers.

— Regardez-moi ça ! s'exclama Tora. Ils me font vraiment l'effet d'être de bons soldats. C'est tout à l'honneur de leur capitaine.

Akitada le laissa dehors et suivit le lieutenant Nakano, qui le fit passer devant de nombreuses personnes fort affairées. Enfin, l'officier ouvrit une porte et annonça :

— Le seigneur Sugawara.

Ce dernier s'arrêta sur le seuil. Le capitaine Yukinari avait la tête enveloppée d'un bandage ensanglanté. Très pâle, il se leva et parut tanguer dangereusement lorsqu'il s'inclina.

— Ce sera tout, lieutenant.

La porte se referma.

— Que vous est-il arrivé ? lui demanda Akitada.

— Ce n'est rien. Un accident stupide. Asseyez-vous, messire, je vous en prie.

Tout en prenant place, le jeune noble s'aperçut que le capitaine avait le bras gauche replié contre la poitrine.

— Vos blessures m'ont l'air sérieuses. On vous a attaqué ?

Yukinari s'épongea le front.

— Non, non, comme je vous l'ai dit, il s'agit d'un accident absurde. Tous les matins, je m'exerce avant le lever des hommes. Quand j'ai terminé, je sonne le rassemblement dans la cour. Ce matin, lorsque j'ai poussé la grosse cloche en bronze comme à mon habitude, elle est tombée. Heureusement, elle m'a seulement entaillé la tête et l'épaule gauche. Elle aurait pu me tuer. Il semblerait qu'une poutre pourrie ait cédé.

— Je vois. Eh bien, je suis heureux que vous en ayez réchappé. Je serai bref. Pourriez-vous m'indiquer très précisément comment vous avez organisé le dernier convoi ?

Le capitaine acquiesça.

— Les deux premières disparitions se sont produites avant mon arrivée, mais j'ai donné des ordres très clairs pour le dernier acheminement. Ils devaient suivre la route de la côte jusqu'à ce qu'elle rejoigne la grand-route de l'Est. Au lieu de faire appel à des porteurs et à des palefreniers ordinaires, j'ai décidé d'envoyer des fantassins. En outre, le convoi était précédé et fermé par vingt cavaliers. Ces hommes avaient été triés sur le volet, seulement des fines lames et d'excellents archers. (Il soupira.) Le lieutenant Ono, un officier courageux et expérimenté qui avait été l'aide de mon prédécesseur, s'était porté volontaire pour prendre leur tête.

Akitada prit mentalement note de ce « volontaire » mais se contenta de dire :

— Je n'en doute pas.

— Deux semaines plus tard, j'ai envoyé un éclaireur par bateau pour qu'il traverse la baie. À son retour, il m'a informé que le convoi n'avait jamais atteint Fujisawa. Aussitôt, je me suis mis en route avec un petit détachement et j'ai suivi le trajet emprunté par le lieutenant Ono. Nous avons perdu toute trace du convoi dans la province de Shimosa. On eût dit qu'ils s'étaient évanouis dans la nature. La veille de leur disparition, ils approchaient d'un gros village qui borde la province de Musashi. Ils ne se sont jamais présentés à la barrière.

— Quelle a été l'attitude des autorités de la province de Shimosa ?

— Oh, pas coopérative du tout.

L'inspecteur impérial haussa les sourcils.

— Soupçonnez-vous ces autorités ou les gardes du poste de contrôle de complicité avec des voleurs ?

— Non. Lorsque nous avons évoqué l'existence de bandits de grand chemin, ils ont été offensés. Ils l'ont pris comme une critique du maintien de l'ordre dans leur province. Je suis bien certain qu'ils ont rapporté mon comportement insultant aux autorités militaires de la capitale. (Il fit la grimace.) Franchement, j'ai hâte d'être renvoyé au front, conclut-il d'un ton fataliste.

Surpris, Akitada médita un instant là-dessus. Le teint blafard du jeune capitaine n'était peut-être pas seulement dû à son accident. Yukinari semblait très malheureux.

Avec un air d'excuse, il s'éclaircit la gorge.

— Il y a un autre sujet dont je voulais vous entretenir. Mon serviteur Tora est très ami avec un certain

Hidesato, ancien sergent de son état. Ils se sont croisés il y a deux jours de cela, et Tora cherche à le retrouver. Je me suis dit qu'il était peut-être venu vous proposer ses services. Savez-vous ce qu'il en est ?

Yukinari parut très surpris par cette étrange requête, mais ne fit aucun commentaire. Il claqua dans ses mains, puis expliqua la situation au lieutenant sans perdre de temps. Nakano les salua et partit se renseigner.

Akitada se demanda comment il allait bien pouvoir aborder l'affaire Tachibana. Le capitaine lui épargna cette peine.

— Avez-vous d'autres informations à propos de la mort du seigneur Tachibana ?

— Non, mais en allant présenter mes condoléances à sa veuve, je l'ai trouvée plongée dans l'affliction. Apparemment, tout le monde l'a abandonnée.

Les oreilles de Yukinari rosirent sur-le-champ.

— On ne sait jamais quelle attitude adopter dans ce genre de circonstances, répondit-il, évasif.

— Il m'aurait semblé convenable, au nom de votre amitié pour le couple, d'aller proposer vos services à la jeune veuve.

Le capitaine lui lança un regard désespéré et s'épongea le front.

— Je… Vous ne comprenez pas, bégaya-t-il. Elle n'attend rien de moi.

— Quelle est la nature exacte de votre relation avec dame Tachibana, capitaine ? demanda abruptement Akitada.

Le jeune officier devint écarlate.

— Puis-je savoir en quoi cela vous intéresse, messire ?

Yukinari n'avait rien d'un meurtrier, mais l'amour pouvait pousser un homme à des actions irréfléchies. Akitada décida de ne pas tergiverser.

— Le seigneur Tachibana a été assassiné, et vous avez été vu dans l'enceinte de sa demeure la nuit de sa mort.

Le visage entre les mains, l'officier marmonna :

— Juste ciel !

— Reconnaissez-vous le meurtre, capitaine ?

Yukinari secoua la tête d'un air hébété.

— Non, bien sûr que non. Je le respectais comme un père.

— Alors que vouliez-vous dire ?

— Je ne sais pas, avoua le jeune homme en rougissant de nouveau. Je me sens responsable. Peut-être aurais-je dû lui en parler.

— Lui parler de quoi ?

Le capitaine paraissait bouleversé.

— Elle n'est pas... Elle n'était pas très heureuse. C'est pour cela que nous... que nous sommes devenus amants. J'avais bien trop honte pour le lui avouer. Je ne voulais pas le blesser... et je ne voulais pas la blesser non plus, d'ailleurs.

— Votre présence dans la demeure Tachibana la nuit du crime fait de vous un suspect, et vous venez de reconnaître que vous aviez un mobile.

Yukinari secoua la tête en signe de dénégation et grimaça de douleur avant de poser sa main valide sur le bandage.

— Ce n'était pas moi. Je n'étais pas en ville cette nuit-là et je ne suis revenu qu'après le lever du soleil. J'ai appris sa mort à mon retour. De toute façon, notre liaison a été brève et s'est achevée l'été dernier.

Devant l'air dubitatif de son interlocuteur, il s'empressa d'ajouter :

— Croyez-moi, je regrette profondément ma conduite. Je considérais le seigneur Tachibana comme le père que je n'ai jamais connu. Il a été bon avec moi. (Il soupira.) Rien ne vous oblige à me comprendre, mais ce n'était pas une union comme les autres. Avec leur différence d'âge, elle était plus une fille qu'une épouse pour lui. En fait, elle était... Ils n'ont jamais... Il m'est parfois arrivé de penser qu'il aurait peut-être approuvé notre...

Akitada accueillit ces déclarations avec beaucoup de sévérité. Il trouvait les tentatives de justification du capitaine hautement condamnables.

— Est-ce dame Tachibana qui a mis un terme à cette liaison ?

— Non, c'est moi. Elle était furieuse, mais j'avais mes raisons.

L'inspecteur songea à la fragile enfant en larmes.

— Que n'y avez-vous pensé avant ! aboya-t-il. Quelles étaient vos raisons ?

— Je... Il y avait quelqu'un d'autre, balbutia le capitaine. Ça n'a plus d'importance à présent. (Il eut un rire amer.) Le poète Narihira a dit que l'amour était aussi éphémère et trompeur que la rosée. Il avait raison.

Il laissa retomber son visage dans ses mains.

L'image poétique de la rosée rappela à Akitada les gouttes d'eau sur la peau dorée d'Ayako. Les yeux fixés sur Yukinari, il cherchait une réponse quand le lieutenant Nakano revint les informer qu'un sergent Hidesato s'était présenté pour se faire enrôler la semaine précédente. Il avait été accepté, mais on n'avait pu le lui apprendre, car il ne vivait plus à l'adresse qu'il avait indiquée : le propriétaire l'avait mis à la porte pour non-paiement du loyer, et personne ne savait où il était parti.

— Merci, lieutenant. À présent, je vous prie de rapporter à Son Excellence l'incident qui s'est produit dans le village de Hanifu.

Nakano se mit au garde-à-vous et récita :

— Avant-hier, après le coucher du soleil, nous avons appris qu'une de nos patrouilles était tombée dans une embuscade. Dès que le capitaine a été prévenu, il est parti leur porter secours avec quatre cavaliers. Il est revenu le lendemain, après le riz du matin, avec nos hommes. Quatre d'entre eux avaient été blessés au cours d'un affrontement avec un groupe de criminels cagoulés armés de sabres et de hallebardes. Leurs agresseurs se sont enfuis, mais l'un d'eux était un moine. (Devant la surprise manifeste de l'inspecteur impérial, il ajouta :) Nous le savons parce qu'il a perdu sa cagoule.

— Merci, lieutenant. (Akitada se tourna vers le capitaine.) Avez-vous eu des problèmes avec les moines du temple des Quatre Nobles Vérités ?

Yukinari devint rouge de colère.

— Si nous avons eu des problèmes ? Je pense bien ! Il y a sans arrêt des accrochages entre ces truands et mes soldats. Ce n'est que l'incident le plus récent, et en cette occasion ils étaient armés. Chaque fois que mes hommes croisent la route de ces crânes rasés, ils en viennent aux mains avec eux. Au début, nous châtiions sévèrement les nôtres, même lorsqu'ils assuraient qu'on les avait provoqués. Et un jour, j'ai été témoin du comportement de ces moines lors d'un incident avec un commerçant. Depuis, je n'ai cessé de m'en plaindre à Ikeda, y compris le matin du… meurtre, mais en vain. Ce préfet est un incapable !

Le capitaine se tut, déglutit et ajouta plus calmement :

— J'ai ordonné à mes hommes d'éviter les moines. Je ne peux faire davantage.

— Merci. Cela confirme mes soupçons. Peut-être allez-vous pouvoir m'aider, après tout. Nous en reparlerons plus tard.

Yukinari se leva et s'inclina avant de poser sur lui des yeux dénués d'expression.

— Je serais heureux de pouvoir me rendre utile dans l'autre affaire si vous le permettez, Excellence.

Akitada prit congé et retrouva Tora en train de régaler des soldats des récits de ses exploits militaires dans le Nord. Le petit groupe se sépara à regret.

— Vous aviez raison, messire, déclara le serviteur avec excitation. Hidesato est bien venu ici. Il a proposé ses services et il est reparti.

— Je sais. Il a été accepté mais, lorsqu'ils ont voulu l'en informer, il était parti sans laisser d'adresse.

Tora se rembrunit.

— Oh ! L'un des soldats l'a vu en ville. Dans le quartier des plaisirs. Je vais essayer là-bas.

— Très bien. Je te suis.

— Vous ? Dans cette partie de la ville ? Non. J'irai seul.

— Je t'accompagne, dit Akitada, dont l'expression n'autorisait pas la contestation.

12

LES HISTOIRES DU RAT

Les maisons de plaisirs étaient situées au sud-ouest de la ville, non loin du marché, dans un quartier de pauvres masures et de débits de boissons où l'on vendait de l'alcool bon marché. Dans les rues étroites et sales jonchées de décombres, humains ou non, infirmes et mendiants aveugles se serraient contre le moindre pan de mur exposé au soleil, et des enfants crasseux et à demi nus couverts de plaies et de bleus se poursuivaient en criant. Les rares hommes jeunes et en bonne santé observaient Akitada et son serviteur avec des yeux avides et inquisiteurs. De temps en temps, l'un d'eux s'approchait et leur proposait de les conduire dans une « maison d'amour » avec des « filles de premier choix » ou de les présenter à des « gitons ».

— Des gitons ? s'étonna l'inspecteur impérial.

— Des jolis garçons, expliqua Tora avec une grimace.

Ils cherchèrent des renseignements sur Hidesato et, à deux reprises, payèrent pour être menés à lui, pour découvrir chaque fois que leur guide, ayant fait semblant de mal comprendre, les avait conduits auprès de prostituées.

Petit à petit, les rues devinrent plus sombres et glaciales. Çà et là, une lanterne oscillait, signalant l'arrivée de nouveaux clients. De gros rires et des chansons résonnaient quand quelqu'un soulevait les rideaux criards d'un établissement de plaisirs ou d'un débit de boissons. Des femmes les appelaient derrière des claires-voies en bambou ; lorsqu'ils regardaient dans leur direction, ils avaient l'impression de voir des spectres : sous les lueurs colorées des lanternes en papier, leurs visages aux lèvres et aux yeux trop fardés ressemblaient à des masques aux couleurs maladives. Vert, jaune, bleu lavande… L'amour tarifé se déclinait dans toutes les couleurs de l'arc-en-ciel.

L'idée de payer pour aller avec l'une de ces femelles grotesques écœurait Akitada. Songeant à Ayako, à sa pureté, au parfum si doux de sa peau, à la façon naturelle dont elle était venue à lui, il fut soudain saisi d'un immense désir de la revoir.

— Tora, dit-il en s'arrêtant au milieu de la rue. Je crois que nous en avons assez fait pour aujourd'hui. Pourquoi ne pas passer chez Higekuro avant d'aller nous coucher ?

Le serviteur acquiesça sur-le-champ.

Le quartier où était située l'école du lutteur appartenait à un monde différent. Dans le crépuscule, des voisins discutaient paisiblement en pleine rue. Appuyée sur un balai, Ayako elle-même était en train de bavarder avec une femme qui tenait un jeune enfant dans ses bras. Bien qu'elle fût vêtue et coiffée très simplement, les cheveux tirés en arrière et retenus par un ruban, le cœur d'Akitada s'emballa aussitôt.

Dès qu'elle l'aperçut, son visage s'illumina. Elle se lissa les cheveux avec une grâce involontaire et esquissa un sourire timide.

Tora siffla entre ses dents.

— En voilà un changement appréciable ! Je suppose que cette fille avait besoin d'un homme dans son lit pour se transformer en véritable femme !

Son maître le foudroya du regard.

— Ayako a risqué sa vie la nuit dernière, lâcha-t-il entre ses dents. Si jamais je te surprends encore à l'insulter, ce sera la dernière fois que tu élèveras la voix en ma présence. C'est bien compris ?

Le serviteur en resta bouche bée. Akitada alla saluer la jeune femme, cherchant dans son regard le reflet de ses propres sentiments. Il espérait qu'elle n'était plus fâchée. À ce moment, la voisine prit congé et traversa la rue d'un pas alerte.

— Comment vas-tu ? demanda-t-il à voix basse.

— Très bien. Et tes épaules ?

— Beaucoup mieux. Je te suis… (Il chercha ses mots.)… profondément reconnaissant.

Les yeux de la jeune femme s'adoucirent.

— Peut-être pourrions-nous recommencer le traitement demain matin ? suggéra-t-il avec audace.

Elle rougit.

— Pourquoi pas ? Si tes épaules te font encore mal.

— Demain, alors. (D'une voix plus forte, il ajouta :) Nous sommes venus vous rendre visite.

— Oh.

Ils se dévorèrent du regard.

Akitada se souvint brusquement de Tora. Lorsqu'il se retourna, ce dernier faisait mine d'examiner l'immense portail de la demeure voisine. Seule ouverture dans un mur haut de dix *shakus*[1], il était orné de gros clous en métal et paraissait singulièrement menaçant.

— C'est la résidence du riche négociant en soie, je suppose. Vous le connaissez bien ? demanda l'inspecteur à Ayako.

1. Environ trois mètres. (*N.d.T.*)

— Pas du tout. C'est un homme très déplaisant, et ses domestiques sont grossiers. Dans cette rue, personne ne leur adresse la parole. Quant à sa famille, elle ne sort jamais. Je suppose que c'est sa fortune qui l'a rendu si méfiant à l'égard des autres.

— Peut-être, répondit Akitada, sourcils froncés.

La jeune femme s'éclaircit la gorge.

— Entrez, je vous en prie. Je… Nous n'attendions pas votre visite, mais vous êtes les bienvenus. (Se tournant pour leur ouvrir la porte, elle ajouta :) Vous n'êtes pas les premiers, ce soir. Le Rat est passé nous voir.

— Le Rat est ici ? s'exclama Tora en grimpant les marches. Ce vieux filou m'a soutiré la moitié de mes gages pour acheter du saké et des vêtements neufs.

D'abord surprise, Ayako sourit.

— C'était très aimable à toi, Tora, déclara-t-elle en lui touchant le bras.

Désarçonné, le serviteur cligna des yeux.

À l'intérieur, ils trouvèrent Higekuro assis à sa place habituelle. Agenouillée à côté de lui, Otomi était entourée de petits pots de peinture, le pinceau suspendu au-dessus d'une feuille de papier. En voyant Tora, son regard s'éclaira.

Le fourneau répandait une chaleur agréable dans la pièce, et ce qui bouillonnait dans la marmite dégageait une délicieuse odeur.

— Hé, hé, hé ! siffla le mendiant, qui s'était réfugié près de la source de chaleur. Je te l'avais bien dit, Higekuro. Très bientôt, tes deux filles t'amèneront les fils que tu n'as jamais eus.

Ayako se détourna soudain et fila au grenier.

Ignorant le Rat, son père invita Akitada à prendre place à ses côtés tandis qu'Otomi rassemblait ses peintures.

— Vous êtes juste à l'heure pour notre repas du soir, annonça-t-il gaiement en servant du saké à ses hôtes. Un voisin nous a donné d'excellentes palourdes, et Otomi en a fait une soupe en ajoutant des légumes de notre potager. C'est une chère bien modeste, mais pour une fois nous avons du bon riz pour l'accompagner à la place de notre millet habituel. En fait, c'est un véritable festin. (Il gloussa et se frotta les mains.) Cela n'empêche pas que le millet soit ma prédilection, vous savez.

Akitada admirait cet homme qui savait se réjouir des choses simples que la vie lui offrait, mais il se sentait mal à l'aise à l'idée qu'il puisse deviner ce qui s'était passé entre sa fille et lui.

— Et le Rat est ici, lui aussi. (Higekuro se mit à rire.) C'est un excellent conteur quand il est ivre, et voilà bien une heure que nous remplissons sa tasse.

— Dis-moi, Rat, l'interpella Tora, comment se fait-il que tu ne parles jamais de ton talent ? Et où sont ces nouveaux habits que je t'ai payés ?

Le mendiant s'étrangla avec sa boisson et eut un accès de toux asthmatique. Le serviteur lui tapa dans le dos avec sollicitude avant de lancer :

— J'adore les histoires de fantômes.

Le Rat haussa ses épaules osseuses.

— Ne te moque pas des fantômes ! croassa-t-il.

Akitada éclata de rire. Il se sentait étrangement heureux.

— N'aie crainte, intervint-il. Tora les respecte beaucoup trop pour s'en moquer.

— En vérité, plus les hommes sont superstitieux, plus ils aiment à entendre ce genre d'histoires. C'est très curieux, observa Higekuro.

— Ayako vous a-t-elle fait part de ce que nous avons découvert dans le temple ? lui demanda l'inspecteur impérial à voix basse.

L'infirme devint grave.

— Oui. Et je ne pense pas qu'il s'agisse de spectres. Avez-vous prévenu le gouverneur ?

— Pas encore. Il n'était pas en ville aujourd'hui.

Ayako choisit ce moment pour redescendre. Elle avait passé une robe de soie couleur châtaigne et noué par-dessus une large ceinture blanc et marron. Épaisse, brillante et légèrement bouclée à ses extrémités, sa chevelure lâchée lui descendait jusqu'à la taille. Akitada la suivit des yeux pendant qu'elle rassemblait bols de riz et baguettes. Il admirait l'élégance et l'efficacité de ses gestes quand une phrase attira brusquement son attention.

Il se tourna vers le mendiant.

— Tu as vu des fantômes dans la demeure du seigneur Tachibana ? Quand ? Allez, parle ! lui ordonnat-il d'un ton impérieux.

Reconnaissant la voix de l'autorité, le Rat eut un mouvement de recul.

— Ce n'était pas à l'intérieur, Votre Honneur. Jamais. Le Rat ne va jamais là où il n'a pas sa place. C'était dans la ruelle juste derrière. J'étais en train de jeter un œil sur les ordures.

— Par le ciel, s'exclama Akitada, il y a donc des gens qui mangent la nourriture pourrie que leurs supérieurs ne donneraient pas à leurs chiens ?

— Je ne mange jamais ce qui est pourri, répliqua le mendiant, vexé. Les riches jettent de bonnes choses. Le mois dernier, derrière chez le marchand de riz, j'ai trouvé une brème entière au milieu des queues de radis et des coquilles d'ormeau.

— Revenons à la demeure Tachibana, reprit le jeune homme avec plus de douceur.

— Je n'ai pas eu le temps de bien voir. (D'une respiration sifflante, il chuchota :) Jikoku m'a donné un coup de sabre.

— Jikoku[1] ? Le Roi Gardien de l'Orient ?

Le Rat acquiesça.

---

1. L'un des quatre rois célestes, divinité protectrice de l'Orient. (*N.d.T.*)

— Lui-même. C'est un miracle que je sois encore vivant, affirma-t-il d'un ton sinistre. Il était venu chercher l'âme de l'ancien gouverneur.

— Non ! s'écria Tora en le considérant avec des yeux ronds. Et il t'a vu ?

Le mendiant se frotta le crâne.

— Je crois bien ! J'étais près du portail de derrière, et je le regardais. Il avait des yeux de braise et il m'a frappé avec son sabre… Juste là, tu vois ? J'ai perdu connaissance, et lorsque je suis revenu à moi j'étais étendu à demi mort de froid dans la neige, sous une fenêtre de la cuisine, et j'entendais les servantes à l'intérieur qui sanglotaient et se lamentaient sur la mort du vieux seigneur. Je vous le dis, depuis, je ne suis plus moi-même, conclut-il en tendant sa tasse vide.

D'un bond, Akitada fut debout. Il se précipita vers le Rat et serra son maigre poignet avant de lui retirer sa tasse sans ménagement.

— Écoute-moi bien ! Quand cela s'est-il produit ?

Le vieux poussa un cri, et l'inspecteur sentit la main d'Ayako se poser sur son propre bras.

— Vous lui faites peur, murmura-t-elle.

Aussitôt, il relâcha le mendiant.

Le Rat lui adressa un regard mécontent et se frotta le poignet.

— Pas cette nuit, mais celle d'avant. J'ai dormi dans le vieux sanctuaire d'Inari derrière chez le seigneur Tachibana, voyez-vous. C'est très tranquille d'habitude, là-bas. Pourtant, la dernière fois, quelque chose m'a réveillé et je suis sorti dans la ruelle pour uriner. Il neigeait. J'avais un petit creux, et comme j'ai vu le tonneau à ordures près du portail, je suis allé y jeter un œil. J'ai alors repéré une lumière qui se déplaçait. (Le vieux frissonna, et Tora retint son souffle.) Tout d'un coup, ça s'est mis à crépiter, à siffler, à cracher comme un feu. Mais de fumée, point !

— Continue, continue, le pressa le serviteur, les yeux écarquillés.

— J'allais regarder à travers les planches du portail quand il s'est brusquement ouvert. D'abord, j'ai vu ses bottes et un pan de sa robe bleue. Puis j'ai levé la tête et j'ai découvert ses yeux rougeoyants qui me transperçaient. Je suis tombé à genoux en implorant le Bouddha, et il m'a frappé. Après ça, je ne me souviens plus de rien. J'ai toujours cette énorme douleur à la tête, et depuis je n'ai rien pu avaler.

Avec un coup d'œil en direction du fourneau, il ajouta :

— Ça va un peu mieux, je crois.

Akitada regagna sa place.

— Drôle d'histoire, déclara-t-il en fronçant les sourcils.

Higekuro se mit à rire.

— Le saké a fait son œuvre. Voyons s'il peut nous en conter une autre. La soupe est-elle prête, mes filles ?

Non seulement elle était prête, mais elle était savoureuse. Installée à côté de son amant, Ayako s'employait à le servir : elle ne laissait jamais sa tasse ni son bol vides et cherchait pour lui les meilleures palourdes.

Le Rat avait retrouvé l'appétit et lorsque le repas fut terminé et que les femmes commencèrent à débarrasser, il se lança dans un nouveau récit.

— J'ai un ami qui a vu passer tout un cortège d'*oni* et qui a survécu, affirma-t-il en rotant et en se grattant le ventre. Ça s'est produit dans la cité de l'empereur, à Heian-kyo. Il paraît que, là-bas, les palais ont des toits dorés et que les dames bien nées sont si belles qu'on dirait des déesses. Mon ami y serait resté jusqu'à la fin de ses jours s'il n'y avait eu les démons.

Tora frissonna.

— Je parie qu'il a eu aussi peur qu'une souris entre les griffes d'un chat.

Higekuro adressa un clin d'œil à Akitada et lui glissa :

— Et moi, je parie que l'ami du Rat avait goûté de cet alcool fort qu'on buvait déjà du temps de ma jeunesse.

Le mendiant, qui l'avait entendu, acquiesça.

— C'est vrai. C'était la fête des Chrysanthèmes, et mon ami avait participé aux festivités, mais ce soir-là il n'avait rien bu. Comme il avait dépensé ses dernières pièces de cuivre, il n'avait plus les moyens de se payer une chambre, alors il est allé dormir dans un vieux temple à l'abandon. Il s'est installé confortablement sur son ballot et s'est assoupi. Mais il ne savait pas que les vieux temples sont des lieux de rencontre pour les mauvais esprits. Lorsqu'il a entendu des chants et des rires, il a cru qu'on donnait une fête et s'est levé pour aller voir. (Il s'arrêta un instant pour vider sa tasse, puis il regarda autour de lui et chuchota :) Il n'y avait aucun humain à cette fête-là.

Sur ce, il se tut. Tora, qui était suspendu à ses lèvres, lui secoua le bras avec impatience, déclenchant une nouvelle quinte de toux chez le vieil homme. Aussitôt, Otomi lui remplit sa tasse. Après avoir bu, il s'essuya la bouche d'un revers de la manche et reprit en haussant un peu la voix :

— Oh, c'était une vision terrifiante ! Imaginez cette foule d'*oni* plus méchants les uns que les autres qui défilaient sous ses yeux. Il y en avait près d'une centaine, et ils étaient monstrueux. Certains n'avaient qu'un œil au milieu du visage, d'autres avaient des cornes ou des oreilles pointues et de longs nez, d'autres encore le corps entièrement recouvert de poils roux. Il y en avait des minces comme des baguettes et d'autres ronds, semblables à des marrons. Et en tête du cortège marchait un géant avec un visage de feu et des griffes à la place des mains. Ils se sont tous rassemblés près d'un vieux puits au milieu de la cour.

Akitada échangea un sourire avec Ayako. L'histoire lui plaisait et il commençait à éprouver une certaine bienveillance à l'égard du Rat.

— À ce moment-là, poursuivit ce dernier, avec la lumière de la lune et toutes leurs torches, on y voyait comme en plein jour, et mon ami a aperçu une jeune dame parmi eux. Elle était vraiment très belle, elle avait des bijoux dans les cheveux et elle pleurait. Mais les affreux démons riaient et se moquaient d'elle, la tirant d'un côté ou de l'autre. Puis ils lui ont déchiré sa robe, ils lui ont arraché les bijoux des cheveux, et elle s'est retrouvée étendue sur le sol...

Il s'arrêta et se tourna vers Ayako.

— Ça creuse l'appétit, de raconter des histoires. Il ne resterait pas un peu de soupe ?

La jeune femme alla lui remplir un bol et le lui apporta. Il en avala bruyamment le contenu et, tout en mâchant, demanda :

— Où en étais-je ?

Avec impatience, Tora lança :

— La belle dame était allongée sur le sol, toute nue...

— Non, pas toute nue ! s'écria le mendiant, scandalisé. Je n'ai jamais dit ça. Tu as l'esprit mal tourné, Tora. Non, elle portait encore sa robe du dessous. Mais pas pour longtemps...

— Ah ! Je le savais bien, maugréa le serviteur.

— Vas-tu te taire à la fin ? Si tu m'interromps tout le temps, je n'arriverai jamais au bout. J'ai dit « pas pour longtemps », parce que le géant aux yeux rouges et aux flammes qui lui sortaient du visage s'est disputé avec les autres à propos des bijoux. Il a hurlé comme le monstre qu'il était, mais les autres démons ont été plus rapides et se sont enfuis. Il a poussé de nouveaux hurlements, et c'est alors qu'il a vu la dame qui gisait à terre dans sa robe toute mince. Il s'est jeté sur elle et la dame a crié. Lorsqu'il a entrepris de déchirer son vêtement, elle s'est débattue. Il a sorti son poignard, l'a transpercée, et s'est laissé tomber sur son corps…

Ayako poussa un cri étranglé, et le Rat s'arrêta net avant de déclarer d'un ton sentencieux :

— Je ne peux pas parler de ce qui s'est passé ensuite en présence de ces dames, mais les démons sont des créatures vicieuses. Bref, quand il en a eu fini avec elle, il l'a jetée dans le puits et s'en est allé. Mon ami a été tellement effrayé qu'il a quitté la capitale sur-le-champ.

Tora poussa un gros soupir d'épouvante satisfaite, mais Ayako foudroya le mendiant du regard.

— J'aurais dû me douter que tu raconterais des saletés, cracha-t-elle. Je suis sûre que ton ami n'existe pas. Tu as tout inventé, toi et ton esprit dévoyé !

Le Rat siffla.

— Oh, je t'ai bien vue. Tu étais tout ouïe, ma belle. (Il gloussa.) Les femmes jouent les vertus effarouchées mais, entre elles, elles n'hésitent pas à dire des obscénités.

— Comment oses-tu…

Ayako se leva au milieu des rires.

Akitada allait lui prendre la main pour la faire asseoir lorsqu'il vit le sourire entendu d'Higekuro.

13

HIDESATO ET LA FILLE DE JOIE

Le lendemain matin, quand Akitada se présenta de nouveau chez le gouverneur, il apprit que Motosuke, rentré tard, dormait encore. Remis à sa place par l'éclat de la veille, Tora ne fit aucun commentaire lorsque son maître lui annonça son intention de se rendre aux bains publics au lieu de s'exercer au maniement du bâton avec lui. Seimei, lui, exprima quelques réserves.

— Pourquoi ? Celui du tribunal ne vous convient pas ?

— Si… Mais là où je vais, il y a des masseurs, et comme je me suis blessé à l'épaule…

Il laissa la phrase en suspens et plongea le nez dans son riz. À l'évocation de sa blessure, Seimei en oublia la question du bain.

— Vous avez eu de la chance. Cela aurait pu être pire. Vos ancêtres doivent frémir devant les risques que vous faites courir à votre bonne réputation. Pénétrer dans un monastère comme un voleur en compagnie d'inférieurs ! Imaginez le scandale si on vous avait pris. C'en aurait été fini de votre carrière.

— C'en aurait été fini de ma vie, plutôt, rétorqua Akitada avec un sourire, ses pensées tournées vers Ayako.

— Il n'y a pas de quoi plaisanter ! s'écria Seimei. Après des années d'attente déçue, vous avez enfin l'occasion de vous faire un nom. Vous êtes nommé inspecteur impérial avant votre vingt-sixième année, et vous vous comportez en parfait irresponsable ! N'oubliez pas que la voie de la réussite est longue et semée d'embûches, mais celle qui mène à l'échec rapide et aisée.

La voix du fidèle serviteur se brisa. Pris d'un sentiment de culpabilité, Akitada répondit :

— Je suis désolé de t'avoir causé de l'inquiétude, mon vieil ami. Tu as raison, c'était une entreprise très risquée, mais je n'avais pas le choix. Elle s'inscrit parmi les embûches qui se dressent sur la voie de la réussite, si tu préfères.

Le visage de Seimei s'éclaira.

— Ah ! Vous avez donc résolu l'affaire.

— Pas encore. Disons simplement que nous approchons de la vérité.

Là-dessus, le jeune Sugawara repoussa son bol vide et partit à son rendez-vous galant.

L'heure du cheval avait déjà sonné lorsqu'il fut de retour. Muni des rouleaux peints par Otomi, il se rendit chez le gouverneur. Akinobu l'accueillit avec le sourire et le conduisit à la bibliothèque. Là, attablé devant de nombreux plats, Motosuke mangeait de bon appétit. Il était vêtu avec son élégance habituelle d'une robe en soie bleue brochée qui tombait sur un pantalon vert pâle.

— Son Excellence est ici, messire, annonça son secrétaire avant de se retirer.

— Grand frère ! s'exclama gaiement le gouverneur.

À l'évidence, cette façon de s'adresser à Akitada l'enchantait toujours autant. Il sourit et agita ses baguettes.

— Bienvenue, bienvenue ! Veuillez m'excuser si je reste assis. Je suis revenu très tard, et me voici seulement en train de manger mon riz du matin. Honteux, n'est-ce pas ? (Il désigna un coussin à côté de lui.) Asseyez-vous. Prenez du poisson. Ou des ormeaux peut-être ? Des radis au vinaigre ? Non, rien ? Bon. Dites-moi, Akinobu m'a appris que vous étiez passé me voir à deux reprises. Je suis terriblement désolé de vous avoir manqué. Qu'est-il arrivé ?

— C'est une longue histoire. Avec votre permission…

Il suspendit les rouleaux d'Otomi à un paravent. Motosuke les contempla un instant puis applaudit.

— La sourde-muette ! Vous l'avez trouvée. Oh, ces peintures sont magnifiques. Magnifiques, vraiment. Est-elle aussi jolie qu'on le dit ?

— Elle est très jolie, en effet, mais ce n'est pas pour cela que j'ai apporté les rouleaux.

— Si vous le dites. Quoi qu'il en soit, je suis ravi que vous ayez découvert une beauté locale.

Akitada rougit malgré lui, et le gouverneur le dévisagea avec des yeux pétillants de malice.

— Ah ! Je vois. Ha, ha, ha ! Moi qui vous prenais pour un esprit chagrin. Ou pire, pour un amateur de garçons, comme notre cher supérieur.

— Joto ?

— Hum, hum.

Ils relevèrent la tête. Le visage impassible, Akinobu se tenait sur le seuil de la porte, le supérieur à ses côtés. Ce dernier entra d'un pas souple.

— Ai-je entendu mon nom ?

Il évita adroitement la question de la préséance en s'inclinant simultanément devant Motosuke et Akitada puis, sans y avoir été convié, il prit place et considéra avec intérêt le déploiement de nourriture.

— Je suis en retard pour le déjeuner, à ce que je vois, nota-t-il avec un sourire.

— Vous n'êtes pas en retard, on ne vous attendait pas, c'est tout, répliqua le gouverneur, flegmatique.

Il frappa dans ses mains. Dès que son secrétaire apparut, il lui dit :

— Maître Joto a faim. Fais-lui porter quelques plats de riz et de légumes et… (Il s'interrompit et se tourna vers le moine :) Que voulez-vous boire ?

— Je ne prendrai que du thé, Akinobu, rectifia le supérieur avant de se tourner vers son hôte. Je vous présente mes excuses pour ma petite plaisanterie, gouverneur. Il est trop tôt pour prendre mon unique repas de la journée, et je suis venu pour tout autre chose. (Remarquant les rouleaux peints, il demanda :) Vous venez de les acheter ? C'est l'œuvre d'un artiste d'ici ?

— Vous la connaissez, je crois, intervint Akitada, guettant sa réaction. Il s'agit d'une jeune sourde-muette experte en peintures bouddhistes.

— Ah oui, Otomi. (Joto jeta un nouveau regard oblique sur les peintures.) Pauvre fille. Nous lui avons apporté toute l'aide possible en l'autorisant à copier nos originaux et en la présentant à de riches visiteurs.

On frappa à la porte, et un domestique entra pour servir le thé. Après s'être acquitté de sa tâche, il se retira en laissant la grande théière sur le brasero.

— Quel est donc le motif de votre visite ? s'enquit Motosuke dès que le serviteur eut refermé la porte derrière lui.

Il se montrait d'une rudesse croissante à l'égard du supérieur. Akitada se demanda s'il souhaitait simplement se débarrasser du moine ou si son manque de courtoisie dissimulait autre chose. Joto, lui, semblait ne s'être aperçu de rien.

— Je suis venu lancer une invitation. À vous, dit-il au gouverneur avec une courbette, ainsi qu'à Son Excellence (nouvelle courbette). Nous espérons que vous serez nos invités d'honneur lors des cérémonies de consécration de notre nouveau bâtiment. La présence de deux représentants de notre auguste empereur conférera une importance toute particulière à nos simples festivités et inspirera la vénération requise à la population locale. Puis-je nourrir l'espoir que vous prononcerez quelques mots en cette occasion ?

Motosuke posa ses baguettes et s'essuya la bouche avec une douce feuille de papier de mûrier qu'il avait tiré d'une de ses manches.

— Vous pouvez compter sur ma présence, déclara-t-il de bonne grâce.

L'inspecteur impérial accepta à son tour, espérant qu'il serait dispensé de discours.

À leur grande surprise, après leur avoir exposé le programme de la cérémonie, Joto s'attarda.

— Je souhaite porter à votre attention une question beaucoup moins plaisante, gouverneur. Il s'agit d'un crime. Des voleurs sacrilèges ont été assez audacieux pour s'en prendre au Bouddha lui-même.

Akitada comprit sur-le-champ où il voulait en venir.

— Vraiment ? s'exclama Motosuke, stupéfait. Vos trésors doivent commencer à susciter des convoitises. Qu'ont-ils donc pris ?

Le supérieur joignit les mains et les porta à ses lèvres.

— Rien, grâces en soient rendues à Amida[1]. Nos gens étaient sur leurs gardes et les ont surpris. Les scélérats sont parvenus à s'enfuir, mais la prochaine fois, peut-être ne repartiront-ils pas les mains vides ?

— C'est odieux, affirma l'inspecteur impérial. Mais si rien n'a été volé, sans doute s'agissait-il simplement de pèlerins un peu curieux, vous ne croyez pas ?

Joto le dévisagea avec froideur.

— Impossible. Nous avons appris à nous méfier de ceux qui feignent la dévotion et sont animés d'intentions

---

1. L'amidisme ou croyance dans le bouddha Amida – bouddha à la miséricorde infinie qui a fait le vœu de sauver tous les pécheurs – est un courant populaire qui s'est développé à partir du XIe siècle au Japon. (*N.d.T.*)

impies. Les pèlerins ne sont pas admis après la tombée de la nuit, et ceux qui dorment au monastère sont enfermés dans leur cellule. En outre, mes disciples ont aperçu les trois coupables pendant qu'ils escaladaient le mur. Leur tenue et leur attitude les désignaient comme des voleurs de profession, de ceux qui écument nos villes et nos campagnes avec une scandaleuse impunité.

Akitada haussa les sourcils.

— J'ai du mal à imaginer des bandits de grand chemin commettant un tel acte. Il y a une autre possibilité, si je puis me permettre. Tout comme un criminel peut se dissimuler sous la robe et le chapeau de paille du pèlerin, il peut se raser la tête et revêtir l'habit de moine. Êtes-vous bien certain que tous les moines de votre monastère sont ce qu'ils prétendent être ?

Les yeux du supérieur lancèrent des étincelles.

— Je ne puis accepter votre supposition. Elle jette le soupçon sur notre communauté et revient à discréditer tout ce que nous avons apporté à la province. De telles rumeurs ont déjà été répandues, mais seulement par nos ennemis.

Les hostilités avaient donc commencé... Impassible, l'inspecteur impérial répliqua :

— Ce n'était qu'une suggestion. Peut-être étaient-ce de jeunes chenapans à la chasse au fantôme, après tout. On dit bien que le temple est hanté.

— Je me demande où Votre Excellence a entendu une chose pareille. Nous sommes formés à exorciser les esprits, pas à les évoquer.

— Très juste, approuva Akitada. Mais les âmes les moins éclairées du petit peuple ont souvent du mal à faire la différence entre les saints et les démons. Vous devez bien reconnaître que, tant dans ce monde-ci que dans l'autre, les apparences sont parfois trompeuses.

À la grande satisfaction d'Akitada, Joto ne sut que répondre.

Le gouverneur se racla la gorge.

— Avez-vous rapporté l'incident au préfet ? C'est lui qu'il faut aller trouver. Je le regrette, mais l'organisation de mon voyage me prend tout mon temps. En fait, le seigneur Sugawara et moi-même étions justement en train de préparer notre itinéraire.

Le moine pinça les lèvres et se leva avant de s'incliner avec raideur.

— Dans ce cas, je suis désolé de vous avoir dérangé.

Akitada et Motosuke se levèrent à leur tour.

— N'y pensez plus, murmura le gouverneur en se dirigeant vers la porte.

Joto s'arrangea pour frôler les rouleaux et parut chanceler devant le dragon tempête, mais il se ressaisit et quitta rapidement la pièce.

— Ouf ! soupira Motosuke comme ils regagnaient leur siège. J'ai cru qu'il ne partirait jamais. Des voleurs dans le temple. Quelle histoire absurde ! Bon, que vouliez-vous me dire ?

— Que je suis l'un des voleurs.

Le gouverneur en resta bouche bée.

Akitada lui narra leur expédition nocturne et leurs découvertes. La stupéfaction se peignit sur le visage de Motosuke, mais son amusement initial laissa bientôt place à une expression horrifiée.

— Juste ciel ! s'écria-t-il lorsque le jeune inspecteur eut terminé, Joto aurait enterré des moines vivants ? Mais pourquoi ?

— Je suppose qu'ils ont refusé de se convertir à ses enseignements, répondit ironiquement Akitada. Le nom de Gennin vous dit-il quelque chose ?

— Bien sûr ! C'est l'ancien supérieur du monastère. J'ai entendu dire qu'il s'était retiré en raison de sa mauvaise santé. Il est enfermé sous terre ?

— Je le crains. Et il n'est pas seul. Nous avons entendu plusieurs moines chanter. Quand pourrons-nous libérer ces hommes avec l'appui de la police ?

Le gouverneur secoua la tête.

— Je ne vois pas comment… pas avec la police, en tout cas. Avec cette cache de *naginata*, il nous faudrait une armée, affirma-t-il en se tordant les mains de frustration.

— Cet homme menace la sécurité du pays. (L'inspecteur désigna le dragon tempête peint par Otomi.) C'est ce rouleau qui a éveillé mes soupçons sur Joto et son temple. Tous les soldats à bord du bateau sont armés de *naginata*, et un moine est assis à la place normalement réservée au capitaine ou au général.

Motosuke se leva pour examiner la peinture.

— C'est vraiment très étrange. Dans quelles circonstances a-t-elle peint cela ?

— Je crois qu'Otomi a assisté à l'embuscade du convoi et représenté les criminels. Si je ne me trompe pas, ces soldats sont en réalité des moines armés. Yukinari vient de m'apprendre que des hommes à lui avaient eu maille à partir avec une bande de moines armés de *naginata*. (Akitada fronça les sourcils.) J'ai bien peur que Joto n'ait compris la signification de ce rouleau.

— Il a la vue courte, rétorqua le gouverneur. Et puis, l'image ressemble au dragon tempête tel qu'on le représente habituellement. Vous n'avez pas trouvé la moindre trace des impôts au monastère ?

— Non. Ils sont sûrement entreposés ailleurs. Je soupçonne un négociant de la province d'être de mèche avec Joto, mais notre priorité est la libération de Gennin et de ses compagnons.

Motosuke soupira et considéra son interlocuteur d'un air impuissant.

— Je crains que vous n'ayez pas bien compris le problème, mon cher Akitada. Nous ne pouvons pas assaillir le temple avec la police ou l'armée. La population nous en empêcherait. Elle se soulèverait contre tous ceux qui s'en prendraient à ses bienfaiteurs.

C'était la vérité, hélas ! reconnut le jeune homme. Frustré, il laissa éclater sa colère :

— Dans ce cas, nous devons lui montrer que ce ne sont pas des saints qu'elle protège, mais des monstres.

— Mais comment ? glapit le gouverneur.

Un projet insensé germa soudain dans l'esprit d'Akitada. Il saisit le bras de son hôte.

— Nous devons profiter de la cérémonie à laquelle l'usurpateur vient de nous convier ! Une foule immense sera présente. Quel meilleur prétexte pour faire entrer des soldats ? Et, lorsque nous apporterons la preuve de ce que nous avançons en la personne de Gennin, les gens seront convaincus de la culpabilité de Joto.

Motosuke le fixa comme s'il avait perdu l'esprit.

— Par le Bouddha, vous n'êtes pas sérieux ! Songez aux risques, mon cher ami.

Akitada relâcha le bras du gouverneur et envisagea la situation du point de vue de celui-ci. Si la faction bouddhiste de la cour impériale découvrait, ce qui ne manquerait pas d'arriver, que Motosuke et lui-même avaient interrompu une cérémonie religieuse avec des hommes en armes et causé – ce qui était malheureusement fort probable – un bain de sang, la carrière du gouverneur et l'accession de sa fille à la dignité d'impératrice seraient menacées. Face à une telle issue, le destin de quelques vieux moines enfermés dans une prison souterraine ne pesait pas bien lourd.

La réaction de Motosuke le prit totalement au dépourvu. Celui-ci redressa les épaules et toute sa petite personne grassouillette et déclara d'une voix ferme :

— C'est une idée brillante, grand frère, et nous allons la mettre à exécution. Remettez-vous-en à moi pour les détails. Mais il y a un problème : nous allons avoir besoin de la coopération de Yukinari.

— Nous l'aurons. Comme je vous l'ai dit, sa patrouille a récemment affronté des partisans de Joto, et les tensions entre les deux camps ne sont pas nouvelles.

Motosuke fronça les sourcils.

— Quand l'avez-vous appris ?

— Hier. Par ailleurs, le capitaine venait d'être victime d'un étrange accident quand je l'ai vu. Une lourde cloche en bronze lui est tombée dessus et a failli le tuer. Cela ne m'étonnerait pas que les moines soient mêlés à cette affaire, ils ont peut-être un complice dans la garnison.

— Vous vous inquiétez trop, mon ami. Mais nous ignorons toujours qui a assassiné Tachibana. Vous pensiez qu'on l'avait tué parce qu'il savait quelque chose à propos des impôts disparus. Soupçonnez-vous également Joto de ce crime ?

Akitada hésita. Le supérieur et ses moines-guerriers étaient derrière le détournement des convois, mais cela ne signifiait pas pour autant qu'ils avaient assassiné l'ancien gouverneur. Il lui fallait encore identifier le mystérieux visiteur nocturne. Et puis, il y avait le Rat, qui prétendait avoir vu Jikoku sortir par le portail de derrière la nuit du meurtre. L'inspecteur impérial ne croyait pas aux apparitions. Le mendiant n'avait pas rencontré une incarnation d'un des quatre rois célestes, mais le meurtrier qui l'avait assommé, peut-être avec l'intention de le tuer.

Devant son silence prolongé, Motosuke se racla la gorge.

— Pardonnez-moi, je viens de me souvenir d'autre chose. (Il lui rapporta ce qui était arrivé au Rat et conclut :) Il est possible que dame Tachibana ait un amant.

Le gouverneur haussa les sourcils.

— Cela ne me surprendrait guère. L'union du printemps et de l'hiver, voilà ce qu'était ce mariage. Tachibana lui a donné un foyer à la mort de son père au nom de l'amitié qui le liait à cet homme. C'était encore une enfant, et il était déjà assez âgé pour être son grand-père. Franchement, quand il l'a épousée, j'ai cru qu'il était devenu sénile. De toute façon, on ne pouvait pas attendre grand-chose d'une fille pareille.

— Que voulez-vous dire ?

— Sa mère était courtisane à Heian-kyo. Son père s'est épris d'elle à l'occasion d'un séjour à la capitale. Il l'a rachetée, l'a ramenée chez lui comme concubine, mais il s'en est désintéressé après la naissance de l'enfant. La femme est retournée à son ancienne existence, emmenant avec elle leur fille et une petite fortune en or. À sa mort, la fille a été renvoyée à son géniteur qui, une fois le premier choc passé, s'est mis à la gâter terriblement. Rien n'était trop beau pour elle. On dit qu'elle l'a ruiné, et elle a bien failli ruiner Tachibana avec ses goûts dispendieux. (Motosuke paraissait écœuré.) Je ne l'ai jamais rencontrée. Est-elle aussi belle qu'on le dit ?

— Oh, oui !

Akitada songea à ses sentiments à l'égard de la ravissante créature dans ses atours de soie brodée et se sentit un peu ridicule.

Le gouverneur le jaugea d'un air perspicace.

— Joue-t-elle de ses charmes comme sa mère ?

— C'est possible.

Il en était même certain, à présent qu'il connaissait son histoire. Il l'admettait d'autant plus facilement qu'il avait rencontré Ayako et cessé d'être sensible à la beauté et à la supposée vulnérabilité de cette femme-enfant. Il reconnaissait toutes les scènes dont il avait été le témoin et l'acteur – les soudaines faiblesses, les larmes, la petite main se glissant dans la sienne – pour ce qu'elles étaient : les ruses d'une séductrice.

— Yukinari pourrait-il être son amant ? demanda Motosuke.

— Il l'a été. En fait, je l'ai même soupçonné un temps d'avoir tué le seigneur Tachibana. Son refus d'aller voir la veuve me semblait très curieux. Puis l'une des servantes m'a parlé de leur liaison. C'est cette femme qui croit l'avoir vu passer devant la fenêtre de la cuisine la nuit du meurtre. Mais le capitaine n'était pas en ville cette nuit-là, et il jure avoir mis un terme à leur aventure l'été dernier.

— Au moment où il a fait la connaissance de ma fille, sans doute, indiqua le gouverneur en se renfrognant.

— C'est certain. Il est dans tous ses états, en tout cas.

— L'imbécile ! Et vous pensez que dame Tachibana l'a remplacé ?

— J'en suis convaincu. Peut-être son nouvel amant est-il un autre officier.

Motosuke fit la moue.

— Les femmes sont des créatures vindicatives. Peut-être a-t-elle tué son époux elle-même. Un militaire aurait utilisé son sabre, non ?

— Un homme avec une arme s'en serait probablement servi, en effet. Or, Tachibana a été frappé à la tête avec une grosse tuile ou un objet en terre vernissée. J'ai découvert un tesson vert dans son chignon. À mon avis, l'assassin n'était pas armé et son geste n'était pas prémédité.

— Que comptez-vous faire ?

Akitada soupira.

— J'ai promis à dame Tachibana de l'aider à régler la succession. Je pourrais en profiter pour fureter un peu.

— Parfait ! De mon côté, je vais commencer les préparatifs en vue de la libération des prisonniers de Joto. Je vous préviendrai dès que j'en aurai parlé à Yukinari.

À présent qu'il avait obtenu ce qu'il voulait, l'inspecteur impérial se sentait quelque peu inquiet.

— Faites bien attention. Moins il y aura de personnes dans la confidence, mieux cela vaudra.

Lorsqu'il regagna ses appartements, Tora arpentait impatiemment la pièce sous le regard de Seimei.

— Ah, vous voilà ! lança le jeune serviteur, qui avait du mal à contenir son impatience. On m'a indiqué où Hidesato prend ses repas et je lui ai envoyé un message. Pourrions-nous partir sur-le-champ ? Il se fait tard.

Akitada leva les mains dans un geste apaisant.

— Tout doux, Tora. Je reviens de chez le gouverneur. Des tâches plus urgentes nous attendent.

— Vous feriez mieux de commencer par lire ceci, intervint alors Seimei.

Il lui tendit une branche nue autour de laquelle était enroulée une bande de papier de mûrier nouée par un ruban de soie écarlate.

— Le garçon qui l'a apportée attend une réponse.

Akitada tendit la main puis la retira comme s'il avait été mordu par un serpent. Il en connaissait l'expéditrice. Malheureusement, il ne pouvait s'y soustraire. À contrecœur, il dénoua le message, laissant négligemment tomber la branche et le ruban de soie. Le papier était coûteux et très fortement parfumé. Il lut : « Triste est la branche stérile, la pauvre fleur flétrie, quand l'amitié s'éloigne et que le gel mordant tue l'amour naissant. » Ce malheureux poème manquait de subtilité et de naturel, mais elle avait des raisons de se plaindre. Il n'avait pas tenu sa promesse à cause d'Ayako. Indécis, il resta un moment perdu dans ses pensées.

— Qu'est-ce qu'un fornicateur ? demanda soudain Tora.

Akitada sursauta.

— Quoi ?

Seimei, qui ne perdait jamais une occasion d'instruire son « élève », le lui expliqua. Le jeune serviteur fit un signe de dénégation.

— Tu dois te tromper, grand-père. Il n'y a pas de femmes là-bas. Le vieux moine avait-il perdu la tête, messire ?

Akitada comprit enfin l'objet de la conversation : Tora venait de raconter à Seimei la scène dont ils avaient été témoins au monastère pendant que son esprit errait sur les chemins sinueux de l'amour.

— Non, répondit-il avec une grimace, le vieux moine disait la vérité. Il arrive que certains moines préfèrent l'amour des garçons.

— Les porcs ! (Tora secoua la tête et demanda :) Bon, et maintenant, vous voulez bien m'accompagner pour parler à Hidesato, messire ?

Akitada lâcha le message de dame Tachibana.

— Allons-y. Je te suis.

Située dans le quartier des plaisirs, l'auberge des Huit Immortels était une grande bâtisse délabrée. À l'étage supérieur, huit bannières aux couleurs criardes représentant chacune un sage flottaient tristement dans le vent froid. Tora lança un regard embarrassé à son maître.

— Entrons, le pressa Akitada en désignant l'étroite entrée que recouvraient partiellement des bandes de toile de ramie d'un marron sale.

Ses pairs de la capitale auraient fui cet endroit comme la peste. Que penserait Motosuke de son « grand frère » s'il le voyait en cet instant ?

Dès qu'ils pénétrèrent dans le bâtiment, ils furent pris dans un tourbillon de bruits et d'odeurs. La tête ceinte d'un torchon à carreaux, quatre cuisiniers nus jusqu'à la taille s'affairaient au-dessus de paniers à vapeur en bambou tandis qu'une cinquantaine de clients se restauraient et parlaient avec animation.

Akitada suivit des yeux un plateau d'appétissantes crevettes posé en équilibre précaire sur l'épaule d'un jeune homme. Celui-ci se faufila adroitement parmi les clients jusqu'à un groupe d'hommes qui attendaient d'être servis.

— Le voilà ! s'écria brusquement Tora. Hidesato !

Près des chaudrons fumants, un grand barbu se leva avec l'air de quelqu'un qui aurait préféré être ailleurs. Il adressa un sourire contraint à son ami et s'inclina devant l'inspecteur impérial. Tora l'étreignit et lui donna une grande claque dans le dos.

— Nous t'avons cherché partout, Hito. Pourquoi t'es-tu enfui comme ça, l'autre jour ?

Avec un regard en direction d'Akitada, Hidesato répondit :

— Plus tard, petit frère.

Le visage franc et l'allure martiale du sergent plurent immédiatement au jeune noble. Malheureusement, il constata bien vite que l'homme était loin d'éprouver les mêmes sentiments à son égard : son hostilité ne faisait pas le moindre doute. Le découragement s'empara d'Akitada, qui décida de faire un effort pour Tora.

— J'ai faim, déclara-t-il en s'asseyant. Commandons.

Hidesato se racla la gorge.

— Ils ne servent que de la nourriture ordinaire, ici.

Akitada ignora sa remarque et commanda trois grosses portions de crevettes et un pichet de saké.

— Si tu savais ce que nous avons mangé pendant notre voyage, ce que l'on sert ici tient du véritable festin, répliqua-t-il enfin.

— Ah bon, maugréa le militaire, dont les yeux erraient constamment du côté de l'entrée.

— Tu attends quelqu'un ? s'enquit l'inspecteur impérial.

— Non. Enfin, parfois un ami passe me voir.

Lorsque la nourriture et le saké furent servis, Akitada saisit son bol et se mit à décortiquer ses crevettes d'un geste assuré. Tora l'imita, et au bout d'un instant Hidesato se joignit à eux. Le silence régna jusqu'à ce que les bols soient vides. Puis Tora s'essuya les mains sur sa vieille robe, et Hidesato en fit autant avant d'observer Akitada, qui tirait un papier-mouchoir de sa manche pour s'essuyer les mains.

— C'était excellent, commenta-t-il avec un soupir de satisfaction. Buvons, maintenant.

Il remplit les tasses de saké. Les yeux baissés sur ses poings serrés, son serviteur se mordait la lèvre. Akitada l'interpella :

— Eh bien, Tora, qu'attends-tu pour apprendre la bonne nouvelle à ton ami ?

Le jeune homme releva la tête.

— Oh. Apparemment, tu vas bientôt te retrouver en fonds, Hito. Ils t'ont cherché partout, à la garnison. Ils ont besoin d'un sergent expérimenté comme toi.

Le visage d'Hidesato s'éclaira.

— Vraiment ? J'avais perdu espoir. J'aurais dû y retourner, après avoir perdu mon logement.

Ses yeux se posèrent de nouveau sur l'entrée. Akitada fit alors signe à une servante de rapporter du saké.

— Eh bien, buvons ! Il faut fêter ça ! À propos, je suis ton obligé. Tora m'a enseigné le maniement du bâton, et il m'a appris que c'était de toi qu'il le tenait.

Le militaire le dévisagea longuement avant de fixer Tora, qui s'empressa d'ajouter :

— Il est doué, Hito, et moi, je lui ai appris tout ce que je savais. Tu ferais un meilleur professeur.

Lançant un regard furieux à l'inspecteur, Hidesato aboya :

— Tu n'aurais pas dû faire ça, Tora. Ton maître n'est pas des nôtres. Quel besoin a donc un noble des simples talents des pauvres gens ? Le bâton est pour ceux qui n'ont pas le droit de porter le sabre.

Le lourd silence qui suivit fut rompu par Akitada :

— Il ne faut pas en vouloir à Tora. Tu ne pourrais rêver d'un ami plus loyal. Quant à moi, je ne suis pas plus responsable de ma naissance que tu ne l'es de la tienne et, jusqu'à présent, je n'ai guère eu de raisons de me considérer comme plus fortuné que d'autres. J'ai souhaité apprendre à manier le bâton parce que j'en aurai peut-être besoin un jour, et puis j'estime qu'un homme doit avoir plus d'une corde à son arc.

Le sergent fulminait toujours en silence. Au bout d'un moment, le jeune noble déclara d'une voix accablée :

— Je suis désolé que tu me rejettes ainsi. Tora voulait quitter mon service après avoir découvert ce que tu en pensais, mais j'ai refusé de le laisser partir avant de t'avoir parlé. Il est lié par un accord que nous avons conclu lors de notre rencontre. Si je te confie cela, c'est pour que tu saches bien qu'il mérite ton amitié. Mais il est libre à présent. Je n'ai nulle intention de m'interposer entre vous.

Il tira des pièces de cuivre de sa ceinture et se leva.

— La journée a été longue, et je suis las. Je te laisse ceci pour régler la note, Tora.

— Je suis fatigué, moi aussi, annonça ce dernier en abandonnant les pièces sur la table avant de se lever à son tour. Allons-nous-en. Bonne chance, Hidesato.

Désarçonné, Akitada se figea. Il n'avait pas voulu forcer son serviteur à faire un choix. Avant qu'il ait pu ouvrir la bouche, le militaire intervint :

— Assieds-toi, petit frère. Vous aussi, messire, s'il vous plaît. J'ai du mal à croire que vous soyez satisfait de Tora, mais si vous le dites… (Il saisit le pichet et remplit les tasses de saké.) Maintenant que j'ai de nouveau un emploi, j'ai hâte de vous rendre votre générosité.

Médusés, les deux hommes reprirent leur place. Hidesato sourit et hocha la tête.

— Je ne suis pas très doué pour les discours, dit-il à Akitada, mais je me fie au jugement de Tora. Bien que je réprouve la noblesse en général, je ferai une exception pour vous si la compagnie d'un rude soldat ne vous dérange pas.

Il leva sa tasse à l'inspecteur impérial et l'avala d'un trait. Ce n'était pas grand-chose, mais Akitada lui en fut reconnaissant. Il leva sa tasse à son tour et déclara :

— Je suis heureux et honoré de te connaître.

Dans une atmosphère détendue, Tora et son maître racontèrent leurs exploits au sergent. Après avoir posé quelques questions sur les moines, le lutteur et ses filles, Hidesato proposa de les aider chaque fois que ses obligations militaires le lui permettraient. Cette plaisante discussion fut interrompue par une servante, qui glissa quelques mots à l'oreille du soldat. Il se leva aussitôt, les yeux rivés sur l'entrée.

— Désolé, marmonna-t-il, l'amie dont je vous parlais m'attend dehors.

— Invitez-le donc à se joindre à nous, suggéra Akitada, qui se sentait d'humeur sociable.

Hidesato devint écarlate.

— Elle ne voudra pas.

— Il s'agit d'une dame ? J'insiste. Il y a des femmes attablées, ici.

— Comme il vous plaira, messire, répondit le sergent avec raideur.

Il revint avec une jeune femme enveloppée dans une veste matelassée qui couvrait en partie une robe sale aux couleurs criardes. Elle était fardée à la manière d'une prostituée.

— Voici Jasmine, annonça-t-il, gêné.

Celle-ci leur adressa un signe de tête timide.

— Assieds-toi, lui dit le sergent. Tu dois avoir froid et faim.

Il lui ôta sa veste tandis que Tora commandait à manger et à boire.

Sans l'épais vêtement, Jasmine semblait effroyablement maigre. Sous les couches de blanc pâteux, elle était sans doute d'une beauté un peu vulgaire, mais en cet instant elle avait simplement l'air pitoyable et maladive. Le vent lui avait emmêlé les cheveux, ses mains étaient crasseuses et ses ongles rongés. Hidesato avait cependant pour elle des attentions que seul un fils ou un amant aurait pu témoigner à une telle créature. Akitada et Tora échangèrent un regard.

— Eh ben, la vie d'une femme est mille fois plus dure que celle d'un homme, déclara la fille d'une voix rauque. Te v'là assis avec tes amis bien au chaud, à te remplir la panse pendant que je me gèle les pieds dans ces rues sombres pour gagner ma vie. Avec ce temps, y a presque pas de clients. Y a que les pauvres qui sont de sortie, et ils n'aiment pas payer, eux. (Sans se soucier de leur réaction, elle poursuivit :) Ils ne voulaient pas me laisser entrer avant que tu viennes me chercher. Oh, à manger !

Elle se jeta sur les crevettes que la servante avait déposées devant elle et se mit à les dévorer avec un tel appétit que les crustacés disparaissaient à moitié décortiqués entre ses petites dents. Quand Hidesato, qui la contemplait avec un sourire énamouré, poussa une tasse de saké vers elle, elle le remercia d'un signe de tête. Puis elle se mit à bavarder entre deux bouchées de crevettes et deux gorgées de saké tout en se curant les dents.

— Miam, que c'est bon… Ça ne marche pas bien, ce soir… Un seul client, un vieux pingre… un charpentier des quartiers pauvres… Verse-m'en un autre, Hito chéri, d'accord ? Ce salaud m'a donné dix piécettes… Tu te rends compte ? Et il a fallu faire ça debout dans une ruelle, en plus. Dix piécettes ! Roku m'a pris le reste dans ma cachette, tout à l'heure.

Jasmine parut soudain épuisée. Distraitement, elle se frotta la joue droite de ses doigts poisseux et ôta assez de poudre pour révéler une vilaine ecchymose.

— Ce salaud t'a encore frappée ! s'exclama Hidesato d'une voix rauque. Je t'avais bien dit de me laisser lui flanquer une correction. Écoute, Jasmine, j'ai décroché cet emploi, à la garnison. Je vais être sergent comme avant. Ça paye bien. Tu vas pouvoir abandonner cette existence et quitter cette brute. Viens vivre avec moi. Je prendrai soin de toi.

La fille secoua la tête.

— Je ne peux pas, Hito. Tu sais bien pourquoi. Et tu ne dois pas le toucher. Promis ? Tu es mon ami, pas vrai ?

Elle le considérait d'un air misérable. Le militaire eut un geste d'impuissance avant de lui remplir sa tasse de saké.

— Eh bien, mange et bois, au moins. On dirait que tu es à demi morte de froid. J'ai un peu d'argent et bientôt j'aurai des rentrées régulières, alors ne t'en fais pas, d'accord ?

Il sortit une poignée de pièces de cuivre de sa manche et les plaça dans la paume de sa main.

Voyant Tora de plus en plus exaspéré, Akitada décida qu'il était temps de partir. Hidesato leur adressa un petit sourire distrait avant de reporter son attention sur la jeune femme.

L'inspecteur impérial laissa assez d'argent à la servante pour couvrir l'ensemble des dépenses, puis il rejoignit son serviteur qui l'attendait dans la rue.

— Tu connais la fille ? demanda-t-il.

— Je croyais qu'il était débarrassé d'elle, répondit Tora après une bordée de jurons. Jasmine est de son village, c'est la fille d'un cousin, ou je ne sais quoi. Voilà des années qu'il s'occupe d'elle. Cette idiote ne veut pas entendre parler d'hommes bien comme lui, et regardez où ça l'a menée. Je parie qu'il a perdu son logement après lui avoir donné tout son argent pour qu'elle ne se fasse pas rouer de coups par son nouveau maquereau. Il ne le supporte pas.

Akitada prit douloureusement conscience de la perversité des relations humaines. Les femmes faisaient du mal aux hommes dont elles touchaient le cœur. Le grand gaillard de sergent était amoureux d'une vulgaire prostituée qui discutait avec lui de ses clients et de son amant violent. Yukinari avait succombé à la tentation et était un homme brisé parce qu'il avait eu la malchance de s'éprendre de la fille du gouverneur. Dame Tachibana, comme sa mère avant elle, manipulait les hommes, causant leur ruine ou leur mort. Les beaux papillons étaient fatals. Pourquoi les hommes devenaient-ils prisonniers de leur désir au point de perdre tout sens de la décence et de la mesure ?

14

TESSON VERT, FLEUR BLEUE

Le lendemain en milieu de matinée, Seimei et Akitada se rendirent à la demeure Tachibana. Fatigué et en proie à un sentiment de culpabilité, l'inspecteur impérial était de mauvaise humeur : ses visites aux bains empiétaient non seulement sur son entraînement au bâton avec Tora, mais également sur son travail. C'est à peine s'il adressa la parole à Junjiro, venu leur ouvrir le portail de derrière.

Le jeune garçon, qui trottait à ses côtés en direction du cabinet de travail, semblait attendre quelque chose. Lorsqu'ils arrivèrent au bas des marches, Akitada lui lança d'un ton sec :

— Nous n'avons pas besoin de toi, mais ne mentionne pas notre présence à ta maîtresse.

Il jeta un coup d'œil nerveux en direction de la grande maison, qui se dressait paisiblement dans le jardin désert. La neige avait fondu sauf sous les arbustes et contre le mur exposé au nord. Il n'avait pas le moindre désir de voir le papillon d'hiver.

— Les moines sont partis, l'informa Junjiro.

— Parfait !

Akitada posa le pied sur la première marche.

— Désirez-vous du thé ou un braséro ?

— Merci, mais c'est inutile. Nous ne serons pas longs.

Le garçon fit mine de s'en aller, et le jeune noble s'assit sur la véranda pour se déchausser. Seimei l'imita. Junjiro se tourna soudain vers eux et demanda :

— Vous avez arrêté le capitaine ?

— Le capitaine ? répéta Akitada, surpris.

Il se rappela brusquement pourquoi l'adolescent posait cette question.

— Non. Le capitaine Yukinari n'était pas en ville la nuit où ton maître a été assassiné.

Junjiro écarquilla les yeux.

— Mais qui c'était, alors ?

— Je l'ignore, mais ta mère s'est trompée.

Le garçon s'emporta.

— Ma mère ne se trompe jamais. Je reviens.

Il partit en courant. Akitada poussa un gros soupir et se releva.

— Allez, viens, Seimei. Plus vite nous aurons terminé, mieux cela vaudra.

Ils lisaient et triaient des documents quand Junjiro revint. L'air buté, il annonça :

— Ma mère dit que c'est bien le casque du capitaine qu'elle a vu. Il le portait parfois quand il venait. C'est un casque avec des cordons rouges et de grandes bandes d'argent tout autour. Elle en est sûre parce qu'elle se souvient que le rouge ressortait sur la robe bleue.

Stupéfait, Akitada posa des papiers concernant la production de la soie dans la province et répéta :

— Une robe bleue ? Pourquoi le capitaine aurait-il mis son casque avec une robe bleue plutôt que son armure ?

Il se massa la nuque, qui le faisait terriblement souffrir, et tenta de fixer son regard trouble sur Junjiro. Bouche bée, ce dernier le dévisagea.

— C'est vrai, reconnut-il. (Il eut un grand sourire.) Je suis content que ça ne soit pas lui.

Sur ce, il tourna les talons et fila.

L'inspecteur secoua la tête, tressaillit de douleur et reprit sa lecture. Ils finirent suffisamment tôt pour aller prendre leur déjeuner au tribunal. Akitada n'avait pas faim et se contenta de picorer. Tora se joignit à eux et, quand ils eurent terminé leur repas, son maître déclara :

— Nous n'avons rien trouvé dans les documents de Tachibana. Soit il était trop prudent pour coucher ses soupçons sur le papier, soit le meurtrier s'est emparé des documents compromettants.

Tora acquiesça et se tourna vers Seimei pour lui parler des exercices de calligraphie qu'il effectuait sous sa direction. Akitada les apostropha avec irritation :

— Un peu d'attention, enfin !

Cette remarque s'adressait autant à lui-même qu'à ses compagnons, il en était conscient. Il avait les idées confuses, et le peu qu'il avait avalé l'avait écœuré. Peut-être était-ce dû à l'excès de crevettes et de saké de la veille.

— Réfléchissons au meurtre, ordonna-t-il, et à l'enchaînement des événements. Tout a commencé lorsque le seigneur Tachibana m'a discrètement invité à lui rendre visite. Il avait probablement un dangereux secret à me confier et il ne se fiait à aucune des autres personnes présentes. Comme nous avons éliminé Motosuke et Yukinari de la liste des suspects, il ne nous reste plus que Joto et Ikeda.

— Je pense qu'ils sont tous les deux dans le coup, affirma Tora. (Allongé sur le dos, il s'étira avant de replier les bras sous sa tête.) Le crâne rasé couche avec des garçons et enterre les vieux moines vivants, et le préfet est un fonctionnaire corrompu. Que vous faut-il de plus ?

— Ça n'a pas de sens, objecta Seimei en servant le thé à Akitada. Comment pourraient-ils être coupables du même crime ?

— Il reste du saké ? demanda Tora en s'appuyant sur un coude.

— Tu bois trop, le tança le vieux serviteur. Le saké te fait dire des absurdités. Et assieds-toi correctement en présence de ton maître.

Le jeune homme modifia un peu sa posture avant de répliquer :

— En quoi est-ce absurde d'imaginer que le préfet et le supérieur sont tous deux dans le coup ?

Akitada se massait les tempes : une migraine était venue s'ajouter à ses maux de ventre. Il ignorait si les courbatures dont il souffrait également étaient dues à l'expédition nocturne au monastère ou à ses joutes amoureuses avec Ayako. Écartant ces pensées, il déclara :

— Tora n'a pas tort. Ils feraient d'excellents alliés. Joto aurait pu fournir les hommes, et Ikeda les informations concernant le convoi.

— Tu vois, grand-père ? triompha Tora.

— Même la tortue aveugle tombe sur du bois flotté de temps en temps, rétorqua Seimei d'un air revêche.

— Ça ne résout pas le meurtre du seigneur Tachibana, et nous n'avons aucune preuve pour les arrêter.

— Peut-être quelqu'un s'est-il servi du casque du capitaine comme d'un déguisement. Rien de tel pour dissimuler le crâne chauve d'un moine, suggéra Seimei.

Songeant au rouleau d'Otomi, Akitada acquiesça.

— Si ça se trouve, le seigneur Tachibana a surpris son épouse en compagnie d'un autre homme. Mais j'ai du mal à imaginer Joto dans le rôle de l'amant secret.

Il farfouilla dans son nécessaire à écriture à la recherche du tesson vert, et ses doigts rencontrèrent

un autre objet : la petite fleur bleue qu'il avait ache-
tée au colporteur.

Étrange comme cette histoire lui semblait appartenir à un passé lointain, à présent. Pourquoi donc
avait-il conservé ce morceau de cloisonné ? À cet instant, le sentiment que cette fleur était importante
l'envahit de nouveau, accompagné de la même sensation de malaise que la première fois. Il s'en empara :
elle ressemblait à une belle-de-jour, elle était sans
doute d'origine étrangère et faite d'or pur et d'émail
bleu, mais il ignorait sa fonction exacte. Il avait supposé qu'elle provenait d'une statue religieuse ; si
c'était le cas, était-elle liée à Joto d'une façon ou
d'une autre ?

— Te souviens-tu de ce fragment, Seimei ?

Le vieil homme le fixa.

— Vous avez donné trop d'argent à ce vaurien
pour sa camelote.

Akitada rangea la fleur dans son coffret.

— Je veux que tu te rendes sur le marché avec
Tora. Tu as fait forte impression sur la servante de
l'auberge, surtout après que je lui ai donné les babioles du colporteur de ta part. Il doit traîner souvent par
là-bas. Demande-lui si elle sait où il habite, puis va le
trouver et essaye de découvrir comment il a obtenu la
fleur.

Le visage de Seimei s'allongea.

— Je n'y tiens pas, messire, protesta-t-il, horrifié.
Tora ne peut-il y aller sans moi ?

— Désolé, vieil ami. Tu es le seul à pouvoir le
reconnaître. Tora était occupé à poursuivre Otomi et
les moines. (Devant le désarroi de son serviteur, Akitada s'adoucit.) Je ne te le demanderais pas si ce
n'était pas important.

Il ramassa alors le petit tesson vert, le glissa dans
sa ceinture et se leva.

— Il se fait tard. Je vais rendre visite à la veuve et, cette fois-ci, je suis déterminé à découvrir l'arme du crime. Tachibana a eu le crâne fracassé quelque part dans cette maison. C'est probablement arrivé dans les appartements de son épouse. J'ai l'impression que tout nous ramène à elle.

Il n'ajouta pas qu'il la soupçonnait ni qu'il redoutait leur entrevue.

Akitada traversait la cour du tribunal lorsqu'il songea au préfet et s'arrêta net. Il fallait qu'il soit vraiment distrait pour avoir oublié qu'Ikeda, suspect dans les détournements d'impôts, devait ignorer son enquête sur le meurtre de Tachibana. Il ne pourrait donc pas faire appel à la police préfectorale en cas de nécessité. Un instant, il fut tenté de repousser sa visite, mais il décida finalement d'y aller. Avant de partir cependant, il dirigea ses pas vers la résidence du gouverneur pour s'entretenir de son problème avec Akinobu.

La demeure Tachibana semblait paisible sous le pâle soleil d'hiver. Les curieux étaient partis, et Junjiro lui ouvrit le portail sur-le-champ. À côté de lui, sur le gravier de la cour, étaient posés une malle et un panier très remplis. Courbées sous de gros ballots de vêtements, la mère du garçon et une autre femme saluèrent l'inspecteur impérial en s'éloignant.

— Que se passe-t-il ? demanda-t-il à Junjiro.

— Nous partons. La nièce de Sato est déjà venue le chercher à la demande de la maîtresse. C'est le vieux dragon qui commande à présent, et elle nous a dit de filer.

— Je suis désolé, dit Akitada avec sincérité, sachant qu'il n'était hélas pas en mesure de les aider. Ne t'en fais pas. N'importe quel maître sera ravi d'avoir des domestiques aussi capables que ta mère et toi.

Junjiro se redressa fièrement.

— Nous nous en sortirons, messire. Je suis débrouillard. Pourrions-nous vous servir ?

Soudain épuisé, l'inspecteur avait hâte d'en finir avec cette pénible visite.

— Je crains que ce ne soit pas possible. Mais tu peux me conduire auprès de ta maîtresse.

On le fit patienter un moment à la porte des appartements de dame Tachibana. Lorsqu'il entra enfin, la nourrice l'attendait, seule. Elle lui témoigna davantage de déférence que lors de leur précédente rencontre et l'invita à s'asseoir sur un coussin en soie placé près du rideau qui avait partiellement dissimulé la veuve au cours de leur entrevue.

— Nous n'attendions pas votre visite, répéta-t-elle en s'inclinant pour la troisième ou quatrième fois. Ma maîtresse ne va pas tarder.

Elle sortit par une autre porte, sans doute pour aider dame Tachibana à enfiler une tenue de circonstance.

Dès qu'elle fut partie, Akitada se mit à fouiller la pièce à la recherche d'un indice. L'endroit paraissait inchangé. L'épais tapis à motifs était toujours là, ainsi que le rouleau représentant les grues, suspendu entre les deux tables sculptées. Sur l'une était posé le grand vase chinois qu'il avait déjà remarqué, et sur l'autre un arbre artificiel avec des feuilles de jade et des fleurs en or. À bien y réfléchir, c'était la première fois qu'il voyait cet arbre. Il l'examina de plus près et eut la certitude qu'il n'était pas là le jour des funérailles. L'absence de symétrie l'avait gêné, il s'en souvenait : deux tables identiques exigeaient deux vases identiques.

Et soudain, la lumière se fit dans son esprit. Tirant le tesson de sa ceinture, Akitada le compara au vase vert et eut la confirmation de ce qu'il soupçonnait : le vase qui manquait avait servi à tuer le seigneur

Tachibana. Il souleva l'autre par son col étroit : lourd, il faisait une parfaite massue.

Junjiro s'était plaint qu'on rendait les domestiques responsables de dommages qu'ils n'avaient pas commis. Il n'avait pas dû être bien difficile d'accuser l'un d'eux d'avoir brisé le vase le matin du meurtre. Il reposa celui qui restait et se mit à quatre pattes pour inspecter le tapis. Il eut tôt fait de repérer la tache. Près du bord, une zone rêche et feutrée était vaguement humide. Akitada écarta les fils épais et découvrit des traces tirant sur le brun. Il appuya son doigt dessus puis le renifla : c'était bien du sang. Les blessures à la têtc saignaient abondamment, or il n'y avait eu qu'une petite marque dans le cabinet de travail. Le seigneur Tachibana était mort ici même, il en avait la preuve.

Entendant un bruit dans la pièce voisine, Akitada parvint à regagner le coussin et à s'asseoir juste avant que la veuve ne fasse son apparition

Dame Tachibana entra d'un pas léger. Elle portait une robe de deuil en soie gris sombre, comme le voulait la coutume, mais avait passé par-dessus une splendide veste chinoise rose brodée de papillons. Le motif lui rappela la première fois qu'il l'avait vue, et l'image du pauvre papillon prisonnier d'un jardin glacial qu'il avait eue alors. Malgré lui, il ne put s'empêcher d'avoir un élan de sympathie pour la charmante femme-enfant tandis qu'elle approchait, cils baissés, sa magnifique chevelure déployée dans son dos. Vivre avec un époux âgé qui se consacrait entièrement à son jardin et à ses études n'avait pas dû être aisé pour une enfant gâtée qui n'avait jamais connu les plaisirs de l'amour.

Akitada s'inclina.

Beaucoup de choses avaient changé dans sa propre vie depuis leur dernière rencontre. Ayako lui avait révélé que les femmes pouvaient désirer un homme et se montrer passionnées. Il n'était pas étonnant que le pauvre papillon ait succombé à la tentation. Sa beauté était l'expression même de la jeunesse et de la fragilité si souvent célébrées chez les femmes ; elle exerçait une véritable fascination sur les hommes. Yukinari avait été attiré, tout comme lui-même. À son grand soulagement, il était devenu insensible aux charmes de la créature parfumée qui se tenait derrière le rideau.

La nourrice servit du saké à Akitada puis les laissa seuls. Bien qu'il sût que cela aggraverait sa migraine, il but avidement. Sa gorge était douloureuse, et la boisson l'apaisa un peu. Pour la première fois, il se demanda s'il n'était pas en train de tomber malade ; le moment n'aurait pu être plus mal choisi.

— Je suis touchée par votre bonté, déclara une voix douce. Vous devez me pardonner mon message. Il a été rédigé dans un accès de solitude et de chagrin.

— Ne vous excusez pas, il était charmant. Je regrette que des affaires importantes m'aient empêché de tenir ma promesse plus tôt.

— Je n'avais d'autre souhait que celui de me retirer du monde pour pleurer mon époux, mais j'ai découvert que cela m'était impossible. Il semblerait en effet que certaines personnes s'interrogent sur la façon dont il est mort.

Des rumeurs lui étaient donc parvenues, sans doute relayées par les domestiques. Cela expliquait leur brusque renvoi. Il s'endurcit de nouveau contre elle. Avec ce qu'il savait à présent, il ne devait pas se laisser berner par cette fausse affliction. Soudain la pièce lui parut surchauffée, et il sentit la sueur perler sur son visage. Regrettant de ne pas avoir apporté de papier-mouchoir, il décida d'en venir au fait.

— Votre époux a été assassiné, ma dame, annonça-t-il sans ménagement.

Sa propre voix résonna de façon étrangement étouffée à ses oreilles ; des gouttes de sueur ruisselaient le long de ses tempes.

Un gémissement s'éleva derrière le rideau, puis un second, suivi d'un cri étranglé.

— Oh, c'est bien ce que je craignais. Et je suis toute seule dans ce monde hostile !

Tout d'un coup, elle écarta légèrement le rideau et considéra Akitada de ses grands yeux pleins de larmes. Dans un geste implorant, elle tendit les bras vers lui.

— Vous êtes mon seul espoir, mon seigneur, sanglota-t-elle. J'ai peur. Il n'y a plus personne pour me protéger. Les domestiques de mon mari sont partis, et nous ne sommes plus que deux faibles femmes dans cette demeure. Et si jamais l'assassin revenait ? Je vous en prie, emmenez-moi loin d'ici.

Irrité par son art consommé de la mise en scène, Akitada la dévisagea longuement. Sa lèvre inférieure mordue par deux petites dents s'était mise à trembler. Elle lui faisait penser à une souris. En temps normal, il ne lui eût peut-être pas déplu de jouer au chat, mais sa tête le faisait horriblement souffrir et il avait envie d'une autre tasse de saké.

— Je vous serais certainement plus utile si je savais qui vous effraye ainsi.

— Mais je vous l'ai dit ! Le monstre qui a tué mon époux bien-aimé, se lamenta-t-elle.

Sa petite main blanche suppliante toucha la sienne. Comme Akitada croisait les bras, elle la laissa retomber sur son genou.

— Pourquoi êtes-vous si... distant ? Vous avez été bon avec moi, insista-t-elle d'une voix suppliante. (Voyant qu'il ne répondait rien, elle reprit :) Cette grande maison est bien vide, et vous n'êtes certainement pas très bien installé au tribunal. Si vous veniez séjourner ici, je me sentirais en sécurité. (Elle lui serra légèrement le genou.) Je vous servirais de tout mon cœur. Dès que je vous ai vu, j'ai su…

Si Akitada ne s'était pas senti aussi mal, il eût peut-être ri, mais dans son état il la considéra avec une répugnance croissante et mit son genou hors de sa portée.

— Pourquoi cette froideur ? Je vous déplais donc tant que cela ? On m'a dit que j'étais agréable à regarder, pourtant. (Elle se tut, puis murmura :) Je sais comment contenter un homme. Mon défunt seigneur ne s'intéressait pas à ces choses-là, mais vous êtes jeune. Dès que je vous ai vu, j'ai su que mon destin était de vous servir ou de mourir.

Elle rampa vers Akitada et lui étreignit les genoux, enfouissant son visage entre ses cuisses. La puissance érotique de son comportement était telle qu'il se leva brusquement et s'écarta. Elle se leva à son tour et, les yeux plongés dans les siens, dénoua sa ceinture, et fit glisser ses vêtements de ses épaules afin de dévoiler sa nudité.

— Ne m'abandonnez pas, mon amour, chuchota-t-elle.

— Couvrez-vous, ordonna-t-il en se détournant.

Avec sa poitrine menue et sa toison rasée, elle avait le corps d'une enfant de douze ans. Cela, ajouté à ses manières de séductrice, donna la nausée à Akitada. Il se demanda quelle sorte d'homme était son amant et dit d'un ton sévère :

— C'est la mémoire de votre défunt mari et vous-même que vous couvrez de honte. Quant à votre peur du meurtrier… Votre époux a été assassiné dans cette pièce par votre amant, et le crime s'est déroulé sous vos yeux.

Il sut, à peine ces paroles prononcées, qu'il avait commis une erreur, cependant il était déterminé à aller jusqu'au bout.

— Vous avez perdu l'esprit ! s'exclama-t-elle, saisissant sa robe pour se couvrir.

Akitada tira le tesson de sa ceinture.

— Ceci se trouvait dans le chignon de votre mari. Il est semblable au vase qui est posé sur cette table. Votre amant s'est servi d'un vase identique pour tuer le seigneur Tachibana. Il s'est brisé en assommant votre mari, et plus tard vous avez accusé un domestique de l'avoir cassé par négligence. Avec votre amant, vous avez porté le corps jusqu'au cabinet de travail pour déguiser le meurtre en chute accidentelle. Mais j'ai constaté que la blessure du seigneur Tachibana n'avait pu être occasionnée par une chute. En outre, ses socques étaient secs et intacts malgré la récente chute de neige. Pourtant, quelqu'un a bel et bien marché pour se rendre au cabinet. J'en conclus que l'assassin ou son complice a balayé le chemin pour faire disparaître toutes les traces.

— Non ! (À présent, elle sanglotait.) Non, ce n'est pas vrai. Je jure par Amida que je suis innocente. J'ai été fidèle à mon mari. Pourquoi me persécutez-vous ainsi ?

Pris de vertiges, Akitada se tamponna le visage avec sa manche. Il allait devoir lui arracher des aveux par la peur.

— Les domestiques savaient que vous aviez des amants. Ils diront la vérité au tribunal. La peine pour adultère et meurtre de son époux est la mort par flagellation. Je vous invite vivement à avouer avant le procès, sinon on vous fouettera en public jusqu'à ce que vous parliez.

Il s'attendait à des cris ou à un évanouissement, mais elle se contenta d'appuyer une manche contre sa bouche. Ses yeux luisaient d'un éclat étrange. Soudain, elle se prosterna devant lui.

— Cette créature contre nature avoue. J'ai trahi mon mari, mais je ne l'ai pas tué. Je sais que je dois payer le prix de mon infidélité, mais je suis jeune et je ne savais pas ce que je faisais. Ayez pitié de moi, je vous en prie !

Elle avança les mains vers les pieds d'Akitada, mais il recula. Baissant les yeux sur elle, il lui ordonna :

— Racontez-moi ce qui s'est passé.

D'une voix étouffée, elle gémit :

— J'ai été séduite par des mots d'amour. Ensuite, quand j'ai compris ce que j'avais fait, j'ai voulu mettre un terme à notre liaison, mais il m'a forcée à coucher avec lui en menaçant de tout révéler à mon époux. Comme mon seigneur ne venait jamais me voir après la tombée de la nuit, mon amant pouvait aller et venir à sa guise. Il m'obligeait à déverrouiller le portail du jardin une fois que tout le monde était endormi.

La nuque et le dos d'Akitada étaient trempés de sueur, et ses vêtements du dessous lui collaient désagréablement à la peau.

— Venez-en à la nuit du meurtre ! cria-t-il d'une voix râpeuse.

— Mon mari est rentré tard de la réception du gouverneur, et je ne sais pourquoi il est venu me trouver dans mes appartements. Il nous a découverts et a menacé de révéler notre liaison. Mon amant s'est emparé du vase et l'a tué. (Elle se couvrit le visage.) C'était affreux. J'ai dû l'aider à dissimuler le crime.

— Alors vous êtes aussi coupable que lui.

— Non, non ! implora-t-elle. C'est lui qui l'a frappé.

Ses pleurs se transformèrent en torrent de larmes tandis qu'elle frappait le sol de ses poings.

— Arrêtez ! rugit Akitada, dont le cri fut interrompu par une vive douleur à la gorge.

À sa grande stupéfaction, elle se redressa, renoua sa ceinture et sécha ses larmes avec sa manche.

— Mon seigneur, dit-elle d'une voix calme, dans votre sagesse et votre générosité, vous devez bien voir qu'une fille naïve de la campagne est une proie facile pour les mots doux d'un beau militaire. Mon époux a encouragé notre amitié. Il est vrai que je me suis éprise d'un monstre cruel, mais je ne connaissais pas sa véritable nature alors. Mon seigneur, vous ne voulez tout de même pas qu'à cause de sa sottise une fille soit punie pour un meurtre qu'elle n'a pas commis ?

— Si vous accusez le capitaine Yukinari, répliqua sèchement Akitada, vos calomnies prouvent votre culpabilité. Vous protégez le véritable assassin. Avouez ! Vos mensonges ne vous serviront à rien. Votre seul espoir que la justice se montre clémente à votre égard est de donner des preuves contre votre amant. Tout est fini.

Son joli minois se tordit de rage. D'un bond, elle se releva et se jeta sur lui, cherchant à lui labourer le visage de ses ongles. Il la repoussa, puis la vit avec incrédulité arracher ses vêtements et se lacérer le cou et les seins jusqu'au sang.

Enfin, elle appela à l'aide.

La porte s'ouvrit d'un coup sur la nourrice. Après un coup d'œil à sa maîtresse, elle joignit ses hurlements aux siens. Le bruit se répercuta dans le crâne douloureux d'Akitada. Impuissant, il s'assit et se boucha les oreilles.

La veuve cessa de crier le temps de lancer :

— Espèce d'imbécile ! Il n'y a personne à part nous, ici ! Vite, cours à la préfecture quérir la police. Cet homme m'a violentée. Dépêche-toi !

La femme partit en courant, et le silence retomba enfin dans la pièce. Akitada écarta ses mains, songeant seulement alors que la nourrice était sans doute complice. Et elle était partie chercher Ikeda ! Il était trop tard pour modifier ses plans. Les événements devaient suivre leur cours.

— Vous le regretterez ! siffla la jeune femme. Nous allons bien voir qui de nous deux ils vont croire. Vous êtes un étranger dans cette ville, un de ces nobles dépravés de la capitale dont on entend tellement parler, alors que moi, je suis la veuve d'un ancien gouverneur. Oh oui ! Vous allez regretter de vous être mêlé de mes affaires.

Akitada tendit l'oreille et ne tarda pas à entendre un lourd martèlement de bottes sur le plancher de la galerie couverte. Dame Tachibana se réfugia aussitôt dans un coin et laissa tomber ses vêtements en désordre afin de dévoiler ses seins ensanglantés. Enfin, elle se recroquevilla, l'air terrifié. Lorsque le panneau coulissa, elle sanglotait à fendre l'âme.

Des soldats portant l'uniforme de la garde du gouverneur se pressèrent dans la pièce et la regardèrent, médusés.

— Arrêtez cet homme ! dit-elle d'une voix chevrotante. Il m'a violentée. Il est venu ici en prétendant m'offrir sa sympathie et m'a sauvagement agressée lorsqu'il a vu que je n'avais plus personne pour me protéger. Oh, grâce au ciel il y a une justice pour les pauvres veuves.

— Lieutenant Kenko, je présume ? s'enquit Akitada en lui adressant un signe de tête.

L'officier responsable s'arracha à la contemplation de la poitrine de la jeune femme et se mit au garde-à-vous.

— Le secrétaire Akinobu vous a expliqué l'affaire, je suppose. Vous avez été très prompts. Je veux que dame Tachibana soit arrêtée pour le meurtre de son époux.

— Comment ça ? s'écria la veuve. Vous n'avez aucune autorité ici. Ces hommes ne viennent pas de la préfecture, et vous les avez achetés ! Je refuse de partir avant l'arrivée de la police.

Le lieutenant lança un regard embarrassé à Akitada. La porte s'ouvrit de nouveau, et la nourrice se précipita à l'intérieur, Ikeda et ses *hobens* en manteau rouge sur ses talons.

— Le voilà ! s'exclama la nourrice en désignant l'inspecteur impérial.

Le préfet s'était déplacé en personne. La situation n'aurait pu être pire. Akitada n'avait plus qu'à jouer finement la partie en comptant sur une erreur de son adversaire. Hélas ! ce n'était pas facile, sa tête menaçait d'éclater et ses plans lui glissaient entre les doigts comme autant de petits têtards indociles.

Ikeda considéra les soldats et aperçut enfin le jeune noble.

— Votre Excellence ? dit-il, feignant la confusion. Que s'est-il donc passé ? J'allais partir enquêter sur un meurtre dans le quartier des plaisirs quand cette sotte est arrivée en criant que sa maîtresse avait été violée. Il doit y avoir une erreur.

— Vous arrivez à point nommé, préfet, affirma Akitada, espérant ne pas trahir sa nervosité. Ici aussi, un crime a été commis. J'accuse dame Tachibana et sa nourrice du meurtre du défunt seigneur Tachibana.

— Votre Honneur ! s'écria la nourrice, qui essaya de se frayer un chemin jusqu'à Ikeda.

Deux solides gaillards la prirent par la taille et la soulevèrent. Un large sourire aux lèvres, ils la retinrent tandis qu'elle jurait et tentait de leur donner des coups de pied. Tenant sa robe d'une main, dame Tachibana traversa la pièce et la gifla bruyamment.

— Tais-toi ! siffla-t-elle.

Aussitôt, la femme ferma la bouche et cessa de lutter. La veuve se tourna alors vers le lieutenant et déclara d'une voix tremblante de rage :

— Le seigneur Sugawara a menti pour échapper à l'accusation de viol d'une veuve sans défense. Ma nourrice est témoin de sa dépravation. Relâchez-la immédiatement !

Akitada sentit que le contrôle de la situation commençait à lui échapper. Au martèlement sourd qui résonnait dans sa tête et à la douleur qui lui étreignait la gorge s'était ajoutée une nausée persistante. Avec un effort, il se tourna vers le préfet.

— J'ai bien peur que la preuve du meurtre ne soit irréfutable. L'arme du crime était un vase identique à celui-là. Le seigneur Tachibana est tombé à cet endroit et a saigné sur le tapis. La tache est encore visible, d'ailleurs. Dame Tachibana, sa nourrice et un homme ont transporté le corps jusqu'au cabinet de travail et l'ont disposé de façon à faire croire à une chute accidentelle. Puis l'un d'eux a balayé le chemin pour effacer les traces de pas dans la neige. Une servante et un autre témoin ont vu l'homme s'échapper par une ruelle derrière la maison.

Déglutissant nerveusement, Ikeda regarda autour de lui. Le silence se prolongea tandis qu'il passait en revue ses différentes possibilités d'action.

— Qui est le complice ? demanda-t-il enfin.

— Dame Tachibana a refusé de le nommer. Elle a brièvement tenté d'accuser le capitaine Yukinari, mais je sais qu'il n'était pas en ville la nuit du meurtre.

Le préfet le fixa intensément et se racla la gorge.

— C'est affreux. Un meurtre… Qui aurait pensé… Comment ai-je pu passer à côté…

Pris d'une nouvelle nausée, Akitada ne songeait qu'à une chose : sortir respirer un peu d'air frais. Il foudroya Ikeda du regard.

— Qu'attendez-vous donc ? Ce crime est odieux. Il porte atteinte aux fondements les plus sacrés de notre pays. (Il avait conscience de ses accents pompeux mais n'en avait cure.) Respect de l'époux, soumission au maître, tout cela a été dénaturé par ces femmes. Vous n'en convenez pas ?

— Oh, si, absolument ! s'écria le préfet d'une voix étranglée.

Il jeta un coup d'œil nerveux du côté des deux accusées, et dame Tachibana le regarda droit dans les yeux. Il se racla de nouveau la gorge.

— Qu'une femme lève la main contre son mari ou qu'une domestique aide à tuer son maître est en effet épouvantable. La peine la plus sévère prévue par la loi doit être infligée. Arrêtez-les ! dit-il en faisant signe à ses hommes.

La nourrice se mit à jacasser comme une folle.

— Bâillonnez-la ! ordonna Ikeda.

Avec l'aide des soldats de Kenko, les *hobens* vinrent à bout de la servante. Dame Tachibana pleurait doucement, mais n'opposa aucune résistance.

C'était terminé.

Akitada se releva en chancelant et parvint à saluer le lieutenant et Ikeda avant de sortir. L'air glacé gifla son visage couvert de sueur comme un jet d'eau froide. Pendant un moment, il resta debout sur ses jambes vacillantes, aspirant de grandes goulées d'air. Puis la nausée revint et il gagna le jardin d'un pas mal assuré pour y vomir.

Il ne sut comment il avait réussi à regagner ses appartements, mais il les trouva sombres et déserts. Se rappelant vaguement que Seimei et Tora étaient sortis s'acquitter d'une mission importante, il s'étendit sur le sol et ferma les yeux.

Plus tard, il se réveilla brûlant de fièvre. Il arracha ses vêtements, ne gardant que la fine chemise de soie qui lui collait à la peau, et se traîna jusqu'à son bureau pour boire un reste de thé froid. Puis il sombra derechef dans un sommeil agité.

Lorsque Akitada se réveilla pour la deuxième fois, il grelottait de froid. Il voulut appeler Seimei, mais il n'avait plus de voix et ses dents s'entrechoquaient tellement qu'il renonça. La chambre était plongée dans l'obscurité. Il se leva et essaya de gagner son lit, mais il ne parvint pas à maîtriser le tremblement de ses membres. Les vertiges le poussèrent à s'asseoir brusquement, et il vomit tout le thé qu'il avait absorbé. Si des martèlements de tambour lui résonnaient encore dans le crâne et si la sensation d'avoir avalé des charbons ardents persistait, au moins la nausée avait-elle disparu. Il se couvrit de ses vêtements et se rallongea.

D'étranges rêves et cauchemars envahirent son sommeil. Dame Tachibana planait au-dessus de lui et lui déchirait la gorge avec des serres d'aigle tandis que ses ailes de papillon éventaient doucement son front brûlant. Ayako apparaissait et disparaissait au milieu de nuages de vapeur ; elle lui faisait signe et il tentait en vain de la toucher. À un moment, le tesson vert qu'il tenait se transforma en feuille et s'éloigna en voletant pour rejoindre une fleur bleue : *asagao*, songea-t-il, belle-de-jour. Elle se balança sous la lune, et les perles de rosée qui ornaient ses pétales se transformèrent en gouttes de sang.

15

LE RIDEAU ROUGE SANG

La robuste servante reconnut Seimei sur-le-champ et son visage grêlé se fendit d'un large sourire, dévoilant des dents jaunes mal plantées.

— Maître Seimei ! s'écria-t-elle avant de poser un pichet de saké si brutalement sur la table que presque tout le contenu se répandit entre ses deux clients. Maître Seimei !

Elle fondit sur lui dans un grand battement de manches. Le vieux serviteur se réfugia derrière le large dos de Tora avec un petit cri étranglé.

— Partons, lui glissa-t-il.

Dans la salle, quelqu'un éclata de rire.

— Entrez, entrez, dit la femme en attrapant Seimei par le bras. Il fait froid dehors, et j'ai une bonne place pour vous près du feu. Que voulez-vous manger ? Du bon poisson kisu mijoté au saké et à la sauce de soja ? Des champignons salés avec des aubergines au vinaigre ? Nous avons des patates douces bouillies, je pourrais vous préparer une purée avec un peu de miel, si vous aimez les douceurs.

— Non, non, s'étrangla Seimei en tentant de se dégager. Nous sommes très pressés, n'est-ce pas, Tora ? Très pressés. Nous voulions juste te poser une question.

Une fois de plus, elle sourit de toutes ses dents.

— Inutile de demander.

Sans lui lâcher le bras, elle enfonça malicieusement son index boudiné dans la poitrine osseuse du vieil homme.

— Je suis libre après mon travail.

Devant l'air interdit de son interlocuteur, elle parut déçue et pinça les lèvres sur ses dents en avant.

— Eh bien, venez au moins vous asseoir pour vous reposer les jambes. Vous n'êtes plus tout jeune. (Se tournant vers Tora, qui avait un sourire jusqu'aux oreilles, elle ajouta :) Tu devrais mieux t'occuper de ton oncle. C'est difficile, pour un homme de son âge qui n'a pas de femme pour prendre soin de lui.

— Je ne suis pas du tout fatigué, rétorqua Seimei, vexé. Et c'est grossier de dire aux gens qu'ils sont vieux.

Avec un petit gloussement, elle lui tapota la joue.

— Oh, vous êtes encore plein de vigueur, et je vous trouve tout à fait à mon goût.

Seimei battit de nouveau en retraite derrière son compagnon au milieu de l'hilarité générale.

— Parle-lui, toi, glapit-il.

Tora cessa de sourire et prit une expression féroce.

— Écoute-moi bien, femme ! gronda-t-il. Nous sommes ici en mission officielle.

Elle pencha la tête pour le regarder.

— Je t'écoute.

— Le jour où tu nous as servis, un colporteur est passé pour vendre ses babioles aux clients. Il a été un peu rudoyé, et toutes ses affaires sont tombées par terre. Tu te souviens ?

Les yeux soudain humides, elle jeta un œil par-dessus l'épaule de Tora.

— Si je me souviens ! C'était tellement gentil à vous, maître Seimei, de m'offrir les articles du colporteur. Vous voyez, là ? (Elle se tapota les cheveux.)

C'est le joli peigne que vous m'avez donné. Je le porte tous les jours en pensant à vous.

Quelqu'un applaudit et lança une réflexion égrillarde. Seimei manqua s'étrangler et s'agrippa à son compagnon.

— Nous ne sommes pas venus pour ça, dit ce dernier. Nous cherchons le colporteur. Où pouvons-nous le trouver ?

— Je te le dirai si maître Seimei revient me voir, répondit-elle d'un air entendu.

Tora donna un coup de coude à Seimei, qui grogna :

— Oui, bien sûr. Dès que nous le pourrons.

— Jisai n'a pas remis les pieds ici depuis que votre maître lui a acheté sa marchandise, mais vous pouvez interroger son ami.

L'ami en question se révéla être le Rat, qui prenait ses aises devant une tasse de saké.

— Tu bois déjà ? lança Tora en guise de salut.

— Je me réchauffe, rétorqua le mendiant de sa voix asthmatique. (Il dévisagea Seimei.) C'est qui, le vieux gaillard ?

— Je vais attendre dehors, aboya Seimei en faisant mine de partir.

Tora le retint par la manche.

— Nous allons tous prendre congé. Le Rat va nous conduire chez Jisai.

— Jisai ? répéta le gueux avec intérêt. Qu'est-ce qu'il a fait ?

— Nous avons quelques questions à lui poser, c'est tout. Alors, tu viens ou pas ?

— Ça vaut combien, pour vous ?

— Nous paierons ta note si tu te dépêches.

Le Rat se leva d'un bond, empoigna sa béquille et sautilla en direction de la sortie. Radieuse, la servante annonça :

— Il a bu trois pichets de notre meilleur saké et mangé une assiette de prunes au vinaigre.

Tora lui murmura à l'oreille :

— C'est ton bon ami qui a les sous. Mais tu vas devoir te montrer gentille avec lui, parce qu'il a horreur de s'en séparer. (À voix haute, il dit :) Paye-la, Seimei. Une promesse est une promesse, et le maître est pressé.

Le vieux serviteur considéra la femme avec méfiance et sortit de quoi régler.

— Cet homme illustre parfaitement comment la boisson mène tout droit à la pauvreté, affirma-t-il. Combien est-ce qu'il doit ?

— Quarante-cinq pièces de cuivre.

— Quarante-cinq…

Il blêmit et serra la monnaie contre sa poitrine. Se penchant vers lui, la servante lui pinça la joue d'un air taquin.

— Mais pour vous, mon cher, chuchota-t-elle en battant des paupières sans vergogne, je ferai un prix spécial.

Tel un homme qui se noie, fasciné par les mâchoires d'un requin, Seimei ne pouvait détacher les yeux de ses dents.

— Allez, donnez-m'en dix, chéri, roucoula-t-elle, et nous dépenserons le reste ensemble.

Des applaudissements et des cris d'encouragement s'élevèrent autour d'eux. Les mains tremblantes, le serviteur compta dix pièces et s'enfuit.

— N'oubliez pas votre promesse ! lança-t-elle.

— Seulement dix piécettes pour tout ce saké ! s'exclama Tora quand ils furent dehors. (Il envoya une claque dans le dos du vieil homme.) Il faudra que tu me confies ton secret avec les femmes, grand-père.

Seimei lui jeta un regard noir et passa son courroux sur le Rat, qui sifflotait joyeusement.

— Avance, toi ! N'oublie pas que même les chiens qui remuent la queue peuvent recevoir des coups.

Le mendiant partit à cloche-pied sur sa béquille et, sans cesser de se plaindre du froid, du chemin trop long et de sa santé médiocre, leur fit traverser des ruelles sales, un cimetière à l'abandon, et les cours de plusieurs logements collectifs où était suspendu du linge gelé et où des femmes vidaient leurs eaux sales. Finalement, il abandonna sa fausse infirmité et laissa sa béquille dans un arbre creux. Pendant tout le trajet, Seimei conserva un silence désapprobateur.

Transis et las, ils arrivèrent enfin sur un terrain vague situé près de la palissade sud de la ville. Parmi quelques arbres nus se dressaient des tentes de fortune et des huttes de miséreux. La fumée noire de leurs feux s'élevait dans le ciel crépusculaire. Tout autour, des femmes et des enfants en haillons préparaient le repas familial tandis que les hommes buvaient et jouaient aux dés.

Le Rat salua gaiement la compagnie, se baissa pour passer sous un alignement de guenilles gelées suspendues entre deux arbres, donna un coup de pied à un chien hargneux et s'arrêta devant une masure particulièrement sinistre.

Une natte déchirée masquait l'entrée, et des ustensiles de cuisine cassés jonchaient le sol juste devant. Écartant la natte sans façon, le mendiant entra, Tora sur ses talons. Seimei fronça le nez devant la puanteur qui s'échappait du taudis et resta prudemment dehors. Un échange animé s'éleva bientôt à l'intérieur tandis qu'un groupe d'enfants crasseux entourait le vieux serviteur.

— Donne-nous une pièce, gémissaient-ils d'un ton pitoyable.

— Une pièce pour un bol de soupe, maître.

Ils se pressaient contre lui, tripotant le tissu de sa robe, désignant son chapeau noir, palpant ses manches et plongeant des doigts inquisiteurs dans sa ceinture. Seimei distribua des tapes sur les mains et cria :

— Dépêche-toi, Tora !

Sans un mot, ce dernier passa un bras sous la natte et attira son compagnon dans la pièce. Seimei crut suffoquer : il n'y voyait goutte dans cette atmosphère enfumée et avait l'impression d'avoir été avalé par quelque grosse créature nauséabonde. Enfin, il distingua une forme humaine recroquevillée sous un tas de couvertures déchirées. En perdant leurs couleurs, celles-ci étaient devenues grises de saleté, et la frêle créature qui gisait dessous avait pris la même teinte : peau grise, rares cheveux pareils à un amas de toiles d'araignée poussiéreuses et couches de vêtements grisâtres. Des yeux noirs très enfoncés fixèrent le vieux serviteur avec une morne curiosité.

Convaincu qu'ils s'étaient trompés d'endroit, Seimei s'apprêtait à sortir à reculons lorsque Tora s'écarta. Il constata alors que la personne allongée était une vieille femme et que Jisai, le colporteur, était installé en tailleur à côté d'elle. Il portait les mêmes haillons que la fois précédente ; la crasse qui les raidissait était sans doute la même, elle aussi. Entre eux, un brasero fêlé dégageait davantage de fumée âcre que de chaleur.

Seimei se couvrit le nez et la bouche de sa manche et dit à son jeune compagnon :

— C'est lui. Questionne-le, et partons.

— Tout doux, l'ancien ! Où sont passées tes manières ? ricana le Rat, qui avait pris place près du colporteur sur le sol en terre battue. Nous venons d'arriver. Assieds-toi et bavarde un peu avec tes hôtes.

Seimei jeta un regard suppliant à Tora qui l'ignora et s'assit à son tour. Au bout d'un moment, le serviteur remonta avec précaution l'arrière de sa robe bleue jusqu'aux hanches et l'imita.

Au grand dam du délicat Seimei, une interminable discussion s'ensuivit à propos du temps et des conditions de vie des miséreux. Puis on passa en revue tous les symptômes de l'épouse malade de Jisai. Quand il fut consulté sur les remèdes à administrer, Seimei se dérida un peu. On le pressa de prendre le pouls de la vieille femme et de lui examiner les yeux. Ensuite, on compara les mérites des thés, des onguents et des cataplasmes, et l'on échangea nombre d'anecdotes sur les remèdes locaux, parmi lesquels figuraient la peau de grenouille, la viande de taupe carbonisée et les cafards en poudre.

Entre les faibles chevrotements de la malade, les lamentations stridentes du colporteur, la voix grave de Tora et les commentaires asthmatiques du Rat, la conversation se poursuivit amicalement sans qu'il soit fait la moindre allusion au motif de leur visite.

Lorsque la réserve de conseils de Seimei fut aussi épuisée que la litanie des plaintes de la vieille femme, la discussion commença à languir. Tora s'étira et déclara :

— Ah, c'est bien agréable de revoir de vieux amis, Jisai. Notre maître nous a envoyés nous assurer que ces bâtards qui t'ont fait tomber n'ont pas causé de dommages irréparables.

Que n'avait-il dit là ! Le colporteur et sa femme se lancèrent aussitôt dans une énumération de tous les problèmes de Jisai qu'ils attribuaient à l'incident. Son dos le faisait souffrir, il avait une hanche démise, un genou inexplicablement raide, et par-dessus le marché il était affligé de terribles maux de tête suivis d'accès de vertige. En bref, totalement infirme, il ne pouvait plus travailler, dormait très mal et souffrait en permanence. Entre les deux malades, les frais de médecin s'accumulaient, et ils n'avaient pas mangé depuis des jours.

Seimei poussa un grognement et souleva le couvercle d'une marmite.

— De la soupe de haricots ? demanda-t-il en fronçant le nez.

— C'est une voisine qui a eu la bonté de nous l'apporter, répondit le colporteur. Quel gâchis ! Ma femme est trop malade pour la manger froide, et je n'ai pas la force de faire du feu pour la réchauffer. (Avec un soupir, il ajouta :) Encore faudrait-il que j'aie du bois.

Seimei grogna de nouveau.

— Peut-être pouvons-nous vous venir en aide, proposa Tora en tendant la main vers son compagnon. Notre maître est un homme très charitable. Il souhaiterait sûrement que nous vous laissions quelque chose.

Le vieux serviteur, maugréant, sortit les pièces une par une. Quand Tora jugea la somme suffisante, il déposa un petit tas de monnaie devant la vieille femme, qui lui adressa un sourire édenté.

— C'est un grand homme, votre maître. Vous êtes bénis de travailler pour un tel saint.

— Et vous êtes une femme avisée, tantine, affirma Tora en se levant. Bien, nous ferions mieux d'y aller.

Seimei ouvrait la bouche pour protester énergiquement quand son compagnon ajouta d'un air désinvolte :

— Au fait, il y avait une petite fleur bleue parmi les affaires que tu as vendues au maître. Tu t'en souviens ?

Le colporteur acquiesça.

— Un beau bijou, cette fleur, croassa-t-il. En or pur. Elle valait beaucoup de pièces, pour sûr.

Tora ignora cette dernière remarque.

— Tu te souviens où tu l'as eue ?

L'homme plissa les yeux.

— Pas vraiment. Je l'ai récupérée quelque part, voilà tout. Qu'a-t-elle donc de si particulier ?

— Rien. Mon maître voulait s'en débarrasser, alors je l'ai donnée à ma bonne amie, et à présent elle veut d'autres choses du même genre.

— Et tu serais prêt à y mettre le prix ? Disons un lingot d'argent ?

— Tu es sérieux ? Tant que ça ? Dommage. C'est mon amie qui sera déçue.

Tora se baissa et se mit tranquillement à ramasser les pièces qu'il avait déposées devant l'épouse de Jisai.

— Eh bien, au revoir, la compagnie. Mon maître sera heureux de savoir que tu t'es remis et que les affaires marchent bien.

— Attends, attends ! s'écria le colporteur, qui bondit sur ses pieds avec une agilité stupéfiante. Ça me revient maintenant. C'est une prostituée qui me l'a vendue. Elle avait besoin d'argent pour acheter du saké à son homme. Mais c'est tout ce que je sais. Je ne pose jamais de questions, moi.

Tora fit tinter les pièces dans sa main.

— Qui est-ce, et où habite-t-elle ?

— Elle s'appelle Jasmine. Elle habite près du marché, je crois.

À la surprise générale, le Rat grommela soudain :

— C'est la putain du Balafré. Je la connais.

Tora le dévisagea avant de lancer les pièces à Jisai.

— Tiens, vieille canaille. Tu ferais mieux d'utiliser ça pour te remettre au travail, sinon, ta femme et toi, vous n'aurez bientôt plus que la peau sur les os.

Dehors, le jeune homme saisit brutalement le mendiant par l'épaule.

— Qu'est-ce que c'est que cette histoire avec Jasmine et ce salaud de Balafré ?

Le Rat tenta de se dégager et gémit :

— C'est comme ça que tu me remercies ? Je t'aide à obtenir ce que tu cherches et tu me malmènes en échange ?

— Désolé, fit Tora en le relâchant.

— J'ai froid. (Le mendiant frissonna.) Et soif.

— Plus de saké, le prévint Seimei.

Tora prit ce dernier par le bras et fit quelques pas avec lui.

— Écoute, cet homme a besoin de saké pour vivre. Toi, tu as ta place, ton bel habit, ton beau chapeau, tes remèdes, et en plus de tout ça tu as le maître et moi à asticoter. Lui, il n'a rien. Il ne vit que pour boire. Tout le monde n'est pas aussi chanceux que nous.

Seimei battit des paupières.

— Mais c'est la boisson qui l'a détruit ! Et c'est elle qui le tuera. Regarde comme il est misérable. Quand je pense que c'est moi qu'il traite d'ancien !

Tora soupira.

— Il est facile de mourir. C'est vivre qui est dur. Le saké l'aide à oublier un peu sa condition.

Seimei se tourna alors vers le Rat.

— Quel âge as-tu ?

— Cinquante-deux ans, répondit le mendiant en penchant la tête. Et toi ?

Le serviteur se redressa et le considéra avec une certaine compassion.

— Je vais sur mes soixante ans, annonça-t-il fièrement. Tu m'as l'air harassé, mon pauvre ami. Allons donc nous asseoir quelque part, que tu puisses te reposer un peu.

Le Rat connaissait toutes les tavernes ; il les conduisit dans un endroit où ils pouvaient se réchauffer le dos près des fours en buvant du saké tiède.

— Très bien, dit Tora lorsqu'ils furent installés. Maintenant, parle.

Le mendiant but à longs traits avant de déclarer :

— Pour ce que j'en sais, ce Balafré est arrivé il y a environ deux semaines, et il a commencé à exploiter les filles. Ensuite, il s'est mis à extorquer de l'argent aux marchands. Apparemment, il gagne beaucoup, mais il joue. Et Jasmine, cette idiote, s'est amourachée de lui. (Le Rat secoua la tête et prit une nouvelle gorgée.) Il est pourtant assez laid pour faire peur aux fantômes, sans compter qu'il la bat.

— J'ai rencontré l'individu, dit Tora. Il est flanqué de deux voyous. Un gros imbécile baveux, et un petit gars qui ressemble à une fouine.

— Yushi et Jubei. Fais bien attention à toi. Ils sont armés de poignards et ne demandent qu'à s'en servir.

Le tour que prenait la conversation était loin de plaire à Seimei.

— Qui est cette Jasmine ? demanda-t-il nerveusement.

— L'amie d'un ami, répondit Tora. Nous ferions bien d'aller l'interroger sur cette fleur. Allons-y, Rat. Tu as assez bu pour aujourd'hui.

Dehors, la nuit était tombée. Un vent glacial mugissait dans les rues étroites, entraînant feuilles mortes et détritus dans sa course. En traversant le quartier, ils tombèrent sur des ivrognes et des vagabonds recroquevillés dans des coins et sur des rats qui détalaient sur leur passage. Peu à peu, un halo de lumière s'éleva au-dessus des toits.

— Le marché, nota Tora.

Seimei frissonna, de peur plus que de froid car il portait une robe matelassée sous sa tunique bleue. Jamais il n'avait vu autant de crasse et de misère en si peu de temps, et par-dessus tout il redoutait de rencontrer le Balafré et ses complices.

On eût dit que le marché était au cœur de tous leurs problèmes : c'était là qu'ils avaient commencé leur infortuné séjour et tout les y ramenait sans cesse. Et, chaque fois, il s'ensuivait un incident encore plus pénible. Seimei avait l'impression d'être prisonnier d'un labyrinthe sans issue.

À cet instant, des bruits de course le firent sursauter ; il se retourna en poussant un petit cri et découvrit quelques garçons qui les apostrophèrent en les dépassant.

Tora fronça les sourcils.

— Il s'est passé quelque chose. On a envoyé chercher le préfet.

— Ce doit être un meurtre ! s'exclama le Rat en sautillant d'excitation. On n'aurait pas fait mander le préfet, sinon. Allons voir.

Il tourna au coin de la rue suivante, Tora sur ses talons. Seimei les suivit avec beaucoup de réticence. Sa journée avait déjà été suffisamment mauvaise comme ça. Quand il s'engagea à son tour dans la rue, il aperçut une foule qui se pressait à l'autre bout. Des lanternes oscillaient, créant des ombres mouvantes autour d'elles. Les gens s'étaient regroupés devant un étroit passage entre deux vieilles maisons aux murs fissurés et aveugles ; dans la lueur surnaturelle du marché, leur toit en chaume pourri semblait marbré.

Seimei vit Tora et le mendiant se frayer un chemin dans la foule animée et disparaître dans le passage.

La panique s'empara de lui. Ils l'avaient abandonné au milieu des filles de joie, des voleurs et des assassins, dans un endroit où l'on n'appelait la police que lorsqu'il était déjà trop tard. Il y avait un meurtrier en liberté, peut-être tout proche, et Seimei ne savait absolument pas quel chemin emprunter pour regagner le tribunal.

Tendu, il s'approcha de l'attroupement. Un enfant braillard sur la hanche, une jeune souillon discutait avec une vieille femme.

— C'est bien fait pour la fille, déclara-t-elle avec une satisfaction mauvaise. Un de ses clients, je parie.

Sales putains ! Des femmes comme ça, ça court après n'importe qui, même les pervers.

— Il lui a tranché la gorge d'une oreille à l'autre, à ce qu'il paraît, précisa la vieille.

Seimei frémit. Un crime de bas étage ! Il n'avait pas le choix, il devait retrouver Tora. Il se racla nerveusement la gorge. La jeune l'entendit et se retourna. Devant son habit bleu et son chapeau noir, elle s'écria :

— Voilà le préfet ! Laissez-le passer !

La foule s'écarta, et Seimei, affectant un air décidé, s'avança à grandes enjambées. Puis il se faufila dans le passage et déboucha dans une cour éclairée par des torches.

L'endroit était plus calme. Il y avait des lanternes un peu partout, et de la lumière aux étages. Appuyés à des balustrades ou assis sur les escaliers branlants, les gens dévisagèrent d'abord Seimei avec curiosité, puis s'en désintéressèrent. La cour était jonchée de détritus, et des vêtements en lambeaux séchaient sur les rampes. L'air enfumé sentait le graillon.

Au milieu de la cour, un petit groupe avait les yeux fixés sur une entrée du premier étage. La lumière de la lanterne suspendue juste à côté se reflétait sur le rideau rouge.

Tora n'était pas en vue, mais le Rat était appuyé contre un poteau. Seimei le rejoignit.

— Que s'est-il passé ? lui demanda-t-il. Où est Tora ?

Contrairement à son habitude, le mendiant semblait abattu.

— Il est allé jeter un œil, expliqua-t-il en désignant le rideau. On dirait bien que quelqu'un a tué la pauvre fille, en fin de compte.

Assise sur les marches, une grosse femme en robe de soie noire et sale suffoquait et gémissait, soutenue de chaque côté par deux amies qui l'éventaient et se relayaient pour la réconforter.

— Elle aussi a été agressée ? s'enquit Seimei.

— Non, c'est la propriétaire. Quand cette fouine est rentrée chez elle, elle a vu que le rideau avait changé de couleur, alors elle est montée voir. Ha ! Elle a eu une sacrée surprise, la mégère !

— Elle a trouvé le corps ?

— Oui, et elle a aussi compris comment son rideau était devenu rouge.

Seimei leva les yeux et déglutit avec peine en constatant que la toile qui claquait au vent avait projeté des traces sanglantes sur le mur.

Tora redescendit l'escalier à ce moment-là. Le bruit de ses bottes résonna à travers la cour tandis qu'il se dirigeait vers la corpulente propriétaire.

Seimei jugea que la coupe était pleine : il en avait assez de cette mission cauchemardesque, et il n'était pas question qu'il laisse Tora se mêler de cette affaire. Il traversa la cour à son tour et alla secouer le bras de son compagnon.

— Viens, Tora. Nous n'avons pas de temps à perdre avec des crimes sordides qui ne nous regardent pas. Partons !

Le jeune homme posa sur lui un regard dénué d'expression.

— Un instant. (Il se tourna vers la grosse femme.) Dans la grande rue non loin d'ici, c'est bien ça ?

— Tora ! (Seimei tapa du pied et haussa le ton.) Tu oublies ta place. Nous n'avons rien à faire avec ces gens ! Un tel crime est sans nul doute courant, par ici. La puanteur attire les mouches, comme on dit. Regagnons le tribunal, notre maître nous attend. Toutes ces déambulations au milieu des taudis m'ont épuisé.

Tora se retourna brusquement et souleva Seimei par les épaules. Ce dernier écarquilla les yeux devant la fureur qui déformait le visage du jeune homme.

— Espèce de vieil imbécile ! siffla ce dernier. Espèce de bon à rien serviteur de bons à rien ! Je me moque que tu sois fatigué ou que tu sois trop bien pour fréquenter le bas peuple ! La femme qui est là-haut était l'amie d'Hidesato, Jasmine. La police arrêtera mon ami dès qu'ils auront parlé à la propriétaire. Il faut que j'aille le prévenir. Tu comprends, maintenant ?

Seimei hocha la tête à plusieurs reprises, et Tora le laissa tomber.

— Regagne donc ton cher tribunal. Ça m'est égal, lança-t-il en s'éloignant.

Surprenant les regards hostiles posés sur lui, le vieux serviteur se mit à courir.

— Attends-moi, je viens avec toi !

Le Rat ne fit pas mine de les suivre : il avait décidé de rester.

Quand il eut rattrapé Tora, Seimei dut trottiner à ses côtés pour ne pas se laisser distancer. Au bout de quelques instants, il demanda timidement :

— Qu'est-il arrivé à la fille ?

Sans ralentir, Tora répondit d'une voix rauque :

— Égorgée ! On lui a tranché la gorge tout du long. Quant au reste… (Il jeta un coup d'œil sur son compagnon.)… elle a été lardée de coups de couteau. Le salaud l'a ligotée et lui a fourré sa chemise dans la bouche pour l'empêcher de crier pendant qu'il s'amusait. Il y a du sang partout sur les murs, par terre, et tout le rideau en est imbibé. Il l'a saignée à mort avant de lui trancher la gorge.

— C'est affreux ! s'exclama Seimei. Mais pourquoi accusent-ils ton ami ?

— Parce que la propriétaire l'a vu se disputer avec Jasmine. La dernière chose qu'elle a entendue en partant tout à l'heure, c'est Hidesato qui criait : « Alors il vaudrait mieux que tu sois morte ! »

— Mais les gens disent parfois ce genre de choses sans réfléchir.

— Va donc raconter ça au préfet et à la police, grommela le jeune homme. Les fonctionnaires n'ont pas de temps à perdre avec les prostituées et les soldats.

Ils étaient arrivés dans une rue paisible. Tora s'arrêta soudain devant un logement collectif.

— Ce doit être ici. La propriétaire m'a dit qu'Hidesato avait réglé le loyer de Jasmine parce qu'elle allait emménager avec lui.

Le sergent était en train de balayer le sol d'une pièce vide. Il y avait des nattes roulées appuyées près de l'entrée, une paillasse neuve dans un coin. Son coffre à vêtements, sur lequel étaient posés son armure et son sabre, était poussé contre un mur.

— Tora !

Hidesato lâcha son balai pour étreindre son ami et salua Seimei avec un sourire.

— Entrez, entrez. Comment m'as-tu trouvé si vite ? (Il déroula prestement les nattes et les invita à s'asseoir.) Désolé, mais je n'ai rien à vous offrir. J'étais en train de tout préparer pour l'arrivée de Jasmine. (Il eut un sourire heureux.) Devine quoi, Tora. Maintenant que j'ai une paye de sergent, elle a enfin cédé. Je vais bientôt me marier, figure-toi.

Tora examina la pièce nue et se mordit la lèvre.

— Sa propriétaire dit que tu t'es disputé avec elle. Est-ce que tu lui as dit qu'il vaudrait mieux qu'elle soit morte ?

— Ah, cette vieille bique nous épiait encore ! Oh, tu sais bien comment sont les femmes ! J'ai eu du mal à convaincre Jasmine, et je me suis un peu échauffé. Mais elle a fini par se rendre à mes arguments, vois-tu.

Tora baissa les yeux.

— Jasmine ne viendra pas, Hidesato.

Le sourire du soldat s'évanouit.

— Tu plaisantes, ce n'est pas drôle. C'est bien une plaisanterie, pas vrai ?

Son ami secoua la tête sans le regarder. Les yeux d'Hidesato se posèrent sur Seimei, qui se rapprocha discrètement de la porte.

— Que s'est-il passé ?

— Je suis désolé, Hito. J'aurais préféré ne pas avoir à te l'apprendre.

Le sergent blêmit.

— Ce salaud l'a encore battue.

— Elle est morte, Hito.

— Morte ? Jasmine est morte ? C'est impossible, je l'ai vue pas plus tard que tout à l'heure.

— Quelqu'un s'en est pris à elle. Il l'a lardée de coups de couteau et s'est enfui. La propriétaire croit que c'est toi.

Hidesato se redressa d'un bond.

— Comment ça ? Il faut que j'y aille ! Peut-être qu'elle est juste blessée.

— Non, je l'ai vue.

Tora lui serra le bras. Avec un regard fou, le soldat se dégagea et se précipita vers la porte. Son ami le saisit à bras-le-corps et ils tombèrent ensemble.

— Elle est morte, Hidesato ! rugit Tora. Tu ne peux pas retourner là-bas. Ils ont appelé le préfet et ils vont t'arrêter !

L'envie de lutter quitta brusquement le militaire. Il roula sur le ventre et se mit à sangloter en martelant le sol de ses poings.

Seimei et Tora le regardèrent en silence. Enfin, ce dernier posa une main sur l'épaule de son ancien compagnon d'armes.

— Tu ne peux pas rester ici. La vieille bique a l'adresse. Je vais t'emmener chez Higekuro. C'est le lutteur infirme dont je t'ai parlé, tu te souviens ? Tu passeras quelques jours chez lui jusqu'à ce qu'on ait éclairci l'affaire.

Hidesato se redressa. Le visage mouillé de larmes, il semblait hébété.

— Prends quelques affaires, le pressa Tora.

— À quoi bon ? Qu'ils m'arrêtent ! Je porte malheur à tous ceux qui croisent ma route, de toute façon. Tu ne réussiras qu'à vous attirer des ennuis, à toi et à ton ami.

— Tais-toi et dépêche-toi de faire ce que je te dis !

Hidesato se redressa avec peine et jeta un regard vide autour de lui. Avec un juron, Tora ouvrit le coffre, en tira un grand foulard et se mit à entasser des vêtements dedans. Lorsqu'il jugea le ballot assez conséquent, il le noua et le tendit au sergent.

— Va jeter un œil dehors, Seimei, et appelle si la voie est libre.

Le serviteur obéit promptement. Il faisait assez sombre à présent, et la rue était déserte. Peu après, il donna le signal, et ils se mirent en route sur-le-champ. Tora s'arrêta quelques mètres plus loin pour acheter deux lanternes à un marchand ambulant avant de prendre au nord, en direction de l'école d'arts martiaux. Entre les murs aveugles des maisons et des logements collectifs, des petites rues s'ouvraient comme des tunnels noirs sur l'inconnu. Les trois hommes demeurèrent silencieux pendant tout le trajet.

Une fois devant l'école, Hidesato s'exclama :

— Je tuerai ce salaud, même si c'est la dernière chose que je fais !

— Non, grand frère ! Ce n'est pas la solution ! dit vivement Tora. Mon maître et moi, nous découvrirons le coupable. Pourquoi payer sa vie de la tienne ?

Au bout d'un moment, son ami finit par acquiescer et se laissa conduire à l'intérieur.

Au grand soulagement de Seimei, Tora et lui repartirent immédiatement après les présentations et les explications. Sur le chemin du retour, il songea que jamais il n'avait rencontré famille plus étonnante. Cet endroit était l'abri idéal pour un fugitif comme Hidesato. Quant à lui, il ne désirait rien tant que regagner leurs appartements, aussi fut-il effaré lorsque Tora longea le tribunal sans s'arrêter.

— Où vas-tu ? Nous sommes arrivés.

— Trouver ce préfet.

— Le préfet ? Pas maintenant, Tora. Je me fais du souci pour le maître. Si tu tiens vraiment à y aller, pourquoi ne pas t'y rendre sans moi ?

Le jeune homme se montra inflexible.

— Non, tu vas m'accompagner. Ta tenue nous permettra d'arriver jusqu'à lui.

— Mais il n'est sûrement pas encore rentré, objecta Seimei.

Comme Tora ne répondait pas, il céda en maugréant :

— Tu vois bien à quel point l'habit est important.

Pourtant, les clercs et les officiers de police de la préfecture étaient trop occupés pour être impressionnés par l'apparence de Seimei. Ils couraient en tous sens, envoyant les deux hommes d'un interlocuteur à l'autre. Finalement, un jeune homme maigre aux traits tirés s'exclama :

— Quelle nuit ! Entre le tueur de prostituée en liberté et l'affaire Tachibana, je crains que le préfet ne soit pas de retour avant un bon moment. En quoi puis-je vous aider ?

Tora lui rapporta dans les moindres détails sa rencontre avec le Balafré et ses complices, puis il évoqua la relation entre le chef de bande et Jasmine. Le jeune clerc l'écouta attentivement et, lorsqu'il eut terminé, il déclara :

— Ce sont des informations très importantes, en effet. Vous avez eu raison de venir ici tout de suite.

Si vous voulez bien vous asseoir là-bas, je ferai en sorte que Son Honneur soit prévenu dès son retour.

Seimei et Tora attendirent tellement... qu'ils finirent par s'assoupir. Longtemps après, le jeune clerc vint secouer Seimei par l'épaule pour le réveiller.

— Le préfet s'est retiré pour la nuit, annonça-t-il avec un air d'excuse. Il va vouloir vous rencontrer tous les deux, mais j'ai pensé que vous souhaiteriez peut-être rentrer chez vous prendre quelques heures de repos. Revenez demain matin.

Tora se releva en titubant.

— Par tous les démons..., commença-t-il d'un ton furieux.

L'employé recula, et deux *hobens* à moitié endormis se réveillèrent tout à fait et tendirent la main vers leurs chaînes.

— Non, Tora ! intervint Seimei. Rappelle-toi ce que tu as dit à Hidesato. Le maître va s'en occuper.

Sans cesser d'injurier entre ses dents tous ces fonctionnaires malhonnêtes et paresseux, le jeune homme se rendit à la raison.

À leur retour, ils trouvèrent le pavillon plongé dans le noir. Seimei se déchaussa et ouvrit discrètement la porte, voilant sa lanterne pour ne pas déranger Akitada. Tora n'avait pas fini d'ôter ses bottes lorsqu'il entendit le vieux serviteur s'écrier :

— Viens vite, Tora ! Le maître ! Il est arrivé quelque chose au maître !

16

RÉVEIL

Akitada fut malade trois jours, trois jours pendant lesquels Seimei, Tora et Motosuke le veillèrent dans l'angoisse au milieu des allées et venues des domestiques et des médecins. D'abord désespéré, le pronostic devint peu à peu encourageant. Les deux serviteurs et le gouverneur continuèrent néanmoins à se relayer au chevet du jeune Sugawara, ne s'absentant que pour prendre leurs repas ou régler des affaires urgentes.

Quand Akitada se réveilla enfin en pleine possession de ses sens et de sa raison, il était seul. Le soleil qui passait à travers les claires-voies en bois tombait en larges rectangles sur sa poitrine et sur sa couche ; un vague parfum d'encens persistait dans l'air, et des grains de poussière dansaient dans la lumière.

La première sensation qu'il éprouva fut une impression de légèreté, de flottement. Conscient de l'agréable chaleur du lit et du soleil sur son torse, il soupira d'aise. Il sortait d'un rêve, un rêve parmi beaucoup d'autres sans doute, dans lequel il marchait dans un pré de montagne ainsi que dans l'enceinte d'un temple en compagnie d'Ayako. Leurs mains s'étaient touchées, et elle lui avait souri.

Une pensée le frappa soudain : si le soleil brillait ainsi, l'heure du cheval devait approcher, et il avait manqué leur rendez-vous quotidien.

Akitada se redressa trop rapidement, et un voile noir lui obscurcit la vue. Se laissant retomber dans un gémissement, il se souvint que la veille il avait été très malade ; à l'évidence, il n'était pas encore en état d'aller voir son amante. Il allait confier un message à Tora pour qu'il le lui apporte dans la journée.

Allongé sur le dos, le jeune noble se demanda où étaient ses deux serviteurs. Quand il se souleva un peu pour regarder autour de lui, il constata que la chambre avait été nettoyée : il se rappelait avoir vomi avant de sombrer dans le sommeil. Peut-être Tora avait-il déjà informé Higekuro et ses filles de sa maladie. Ayako allait se faire du souci pour lui. Cette pensée lui fit plaisir, et il sourit. Était-ce donc de l'amour qu'il ressentait ? Leurs étreintes étaient devenues plus passionnées à chacune de leurs rencontres, et ils avaient l'un pour l'autre des attentions pleines de tendresse. L'idée de leur séparation prochaine le terrifiait.

L'espace d'un instant, Akitada caressa le rêve insensé de fonder une famille avec la jeune femme et de s'installer dans cette province comme magistrat. Hélas, ses obligations envers sa mère et ses sœurs l'empêchaient de choisir ce bienheureux exil ; c'eût été un exil, en effet, car ni Ayako ni leurs enfants ne pourraient se rendre à la capitale.

Fermant les yeux, il se remémora leur dernier rendez-vous. Nus, ils avaient encore la peau humide de la chaleur du bain et de leurs étreintes. Ayako était penchée sur lui, les yeux rêveurs, à demi clos. Elle avait baissé la tête jusqu'à toucher son visage, puis semé des baisers doux et légers comme des pétales sur ses paupières, son nez et sa bouche. Du bout de la langue, elle avait suivi la ligne de ses sourcils, celle de son front à la naissance des cheveux, était redescendue jusqu'à ses oreilles, et lorsqu'elle avait atteint ses lèvres elle les avait un peu agacées avant de lui enfoncer profondément la langue dans la bouche en une imitation passionnée de l'acte amoureux. Aucune femme ne l'avait jamais aimé de la sorte.

La porte s'ouvrit dans un doux chuintement, et Seimei entra sur la pointe des pieds, une bouilloire à la main. Faible et rauque, la voix de son maître s'éleva dans la pièce :

— Où est Tora ?

Seimei faillit lâcher la bouilloire. Son visage ridé se fendit d'un large sourire.

— Vous êtes réveillé, se réjouit-il. Nous étions si inquiets ! Vous devez être mort de faim. Laissez-moi mettre l'eau à bouillir pour le thé et je filerai à la cuisine vous préparer un bon gruau. Le gouverneur va être ravi. Tora aussi, d'ailleurs. Depuis votre maladie et les problèmes d'Hidesato, il n'est plus lui-même. Quant au gouverneur, il était au désespoir. Il a très bon cœur, en dépit de ce que vous pensiez de lui…

— Seimei, calme-toi, je t'en prie !

Le vieux serviteur posa la bouilloire sur le brasero. Sur le bureau, juste à côté, un curieux encensoir, sans doute à l'origine du parfum qui régnait dans la pièce, attira l'attention d'Akitada. C'était un globe en bronze ajouré de motifs de feuilles, de pétales et d'anneaux entrelacés.

— D'où vient cet objet ?

Seimei suivit le regard de son maître.

— L'encensoir ? Le gouverneur l'a apporté de sa propre bibliothèque quand il a vu que vous n'en aviez pas. L'air était vraiment vicié à cause de votre maladie, voyez-vous.

— C'est fort aimable à lui. Au fait, quelle est cette histoire avec Tora et Hidesato ?

Le serviteur se redressa.

— Ah ! Le pire jour de ma vie, affirma-t-il avec conviction. Pour commencer, la servante de l'auberge m'a embarrassé au plus haut point avec ses démonstrations d'affection, ensuite, nous avons retrouvé votre vilain colporteur et sa femme dans une hutte crasseuse, après cela, il y a eu cet horrible meurtre, et il a fallu se précipiter pour cacher le sergent chez Higekuro. Et, comme si cela ne suffisait pas, nous avons dû attendre pendant des heures à la préfecture. Puis, pour finir, quand nous sommes enfin rentrés, nous vous avons trouvé gisant à terre, au seuil de la mort.

— Doucement, Seimei, une chose à la fois. Il y a eu un meurtre, dis-tu ?

Stupéfait et attristé, Akitada écouta le récit haut en couleur du meurtre de Jasmine et des autres événements qui s'étaient produits en ce jour funeste.

— Je ne comprends pas, dit-il en fronçant les sourcils. Tout cela est arrivé hier ?

— Hier ? Oh non, pas hier ! Il y a quatre jours. Vous avez été très malade.

— Quatre jours ? répéta le jeune homme en se frottant la tête.

Consterné, il pensa à Ayako. Elle avait dû s'inquiéter ! Il fut saisi d'un accès de tendresse et de gratitude à son égard.

— Je suis content qu'Hidesato soit là-bas. Il les protégera de ces moines. (Il hésita, puis sourit.) Espérons que ça ne fera pas d'histoires avec Tora. Otomi est une très jolie fille.

— Oh, Hidesato se moque bien d'Otomi ! rétorqua Seimei.

Il referma brusquement la bouche et s'absorba dans la préparation du thé.

Après s'être assis avec précaution, Akitada accepta une tasse de thé fumant et le sirota en songeant à la malheureuse fille de joie.

— Pour Jasmine…, demanda-t-il au bout d'un moment, il y avait vraiment tant de sang que ça ?

— J'ai vu le rideau de mes propres yeux. Tora croit que l'assassin s'en est servi pour éponger une partie du sang et qu'ensuite il l'a raccroché. Vous vous rendez compte ?

— C'est très étrange, en effet. Où est passé Tora, à propos ?

— Il est allé prendre des nouvelles d'Hidesato, mais il ne devrait pas tarder. Désirez-vous que j'aille vous chercher un bol de gruau ?

Akitada acquiesça, et Seimei partit comme une flèche. Un peu étourdi, le jeune homme se rallongea et fixa le plafond. Si la mort de Jasmine était liée au fragment de cloisonné, ce qui était envisageable, il n'arrivait pas à imaginer ce qui rattachait une prostituée de bas étage à un bijou aussi raffiné.

Tourmenté par la soif, il se leva et fit quelques pas chancelants pour remplir sa tasse. Un vertige soudain l'obligea à s'arrêter un instant près du bureau, et ses yeux se posèrent par hasard sur l'encensoir ; celui-ci n'avait pas de socle. Quand Akitada le toucha, il se mit à rouler, mais le porte-encens à l'intérieur resta parfaitement horizontal grâce à un ingénieux système de fixation. Tout en buvant son thé à petites gorgées, il s'amusa avec le globe, dont le motif lui parut étrangement familier. Il s'assit et fit tourner l'objet entre ses mains. La conception en était astucieuse : les parties ajourées permettaient à l'encens de se diffuser dans l'air. Tandis que l'inspecteur impérial considérait pensivement les ouvertures, un autre motif lui apparut, celui d'un poisson sautant après une balle. Son cœur s'emballa : il avait vu ce même dessin dans l'entrepôt du temple !

— Juste ciel ! Que faites-vous debout ? s'écria Motosuke en entrant. Vite, vite ! Allez vous rallonger avant que Seimei ne vous surprenne.

Akitada eut un petit rire. Il reposa le globe et alla s'asseoir sous ses courtepointes.

— Je suis heureux de vous voir.

Le gouverneur retroussa sa robe et s'agenouilla près de lui, son visage rond plissé de sympathie.

— Grâce au ciel, vous allez mieux. Vous ne pouvez pas savoir à quel point nous étions inquiets.

Il prit spontanément le jeune homme dans ses bras, et celui-ci lui rendit son étreinte avec chaleur.

— Merci beaucoup, mon frère. J'espère que vos préparatifs pour les cérémonies du monastère avancent comme vous le désirez.

Motosuke se frotta les mains.

— Oui, ils avancent bien. Et vous pourrez y assister, en fin de compte. (D'un air anxieux, il étudia le visage d'Akitada.) Vous pensez être suffisamment remis d'ici après-demain ?

— Après-demain ?

— Vous aviez oublié la date ? Ces trois derniers jours, pendant que vous étiez alité, Akinobu, Yukinari et moi-même avons travaillé d'arrache-pied pour tout organiser. (Il eut un sourire satisfait.) Si je puis me permettre, je suis un brillant stratège. J'ai hâte de tout vous exposer en détail.

— Je suis vraiment désolé. Tout cela m'était sorti de l'esprit.

— Pas étonnant ! Vous n'avez cessé d'être la proie d'hallucinations. Nous nous sommes succédé à votre chevet, vous savez.

— Je vous en suis très reconnaissant.

Le visage du gouverneur devint grave.

— Seimei vous a-t-il dit que la veuve de Tachibana et sa nourrice étaient mortes ?

— Quoi ?

— Elles se sont suicidées en prison.

— C'est impossible ! s'écria Akitada. Le préfet les a sûrement tuées… et c'est ma faute.

— Non. Ikeda a disparu et, d'après nos renseignements, il s'est enfui avant leur mort.

La tête du jeune noble se remit à lui tourner. Il avait commis une terrible erreur en laissant le préfet emmener les deux femmes. Même s'il était déjà malade à ce moment-là, sa négligence était impardonnable. La vision du papillon égaré dans la neige lui traversa de nouveau l'esprit. Elle avait été prémonitoire.

— Savez-vous exactement ce qui s'est passé ?

— Je connais les moindres détails, parce que j'ai envoyé Akinobu sur place. C'est arrivé il y a deux nuits de cela. Ikeda était parti la veille apparemment, peu de temps après l'arrestation des deux femmes. Il a laissé un message sur son bureau dans lequel il prétend avoir été appelé pour enquêter sur une nouvelle affaire. Il n'est toujours pas revenu, et j'ai pris des dispositions pour qu'Akinobu le remplace temporairement dans ses fonctions. Dame Tachibana, qui avait demandé plusieurs fois à s'entretenir avec lui, s'est affolée quand elle a su qu'il avait quitté la ville, et elle a exigé de voir Joto.

— Évidemment, gronda Akitada en serrant les poings. Quel imbécile j'ai été !

Motosuke lui lança un regard interrogateur. Comme le jeune homme gardait le silence, il reprit :

— L'adjoint d'Ikeda a cru qu'elle désirait un réconfort spirituel et il a autorisé la visite. Joto ne s'est pas déplacé, mais il a envoyé Kukai, son bras droit, ainsi que deux autres moines le soir même. Selon les gardes, ils ont prié avec dame Tachibana et sont repartis. La veuve se serait alors installée pour la nuit, mais au matin on l'a retrouvée pendue à une poutre, une robe de soie en guise de corde autour du cou. Lorsqu'ils sont allés voir la nourrice dans la cellule voisine, ils ont découvert qu'elle en avait fait autant avec sa large ceinture.

— Les moines les ont tuées, affirma Akitada. Elles en savaient trop.

— Je ne pense pas qu'ils les aient assassinées, objecta Motosuke. Quoi qu'il en soit, cela nous épargne beaucoup de désagrément.

De tels propos lui parurent sans cœur, même si le jeune noble savait pertinemment que les femmes coupables d'adultère et de meurtre ne pouvaient espérer aucune clémence. Elles étaient soumises à d'affreuses tortures publiques, tout comme les domestiques qui levaient la main sur leur maître. La morale l'exigeait. Or, du point de vue du gouverneur, traduire dame Tachibana devant un tribunal aurait été délicat ; même la foule la plus insensible et la plus avide de spectacle aurait été choquée de voir cette belle enfant dénudée et brutalement flagellée aux fins de confession. Mortes, les deux femmes satisfaisaient aux exigences de la justice sans provoquer le scandale, et selon toute probabilité elles avaient choisi une fin plus douce que celle qui les attendait. Pour autant, Akitada ne partageait pas le soulagement de Motosuke.

— C'est ma faute, répéta-t-il. Lorsqu'elle a insisté pour qu'on aille le quérir, j'aurais dû me douter qu'Ikeda était son amant.

— Ikeda ? Vous en êtes sûr ?

Le gouverneur semblait abasourdi.

— Oui, et cela explique bien des choses. Quand je l'ai inculpée pour l'assassinat de son époux, le préfet a pris mon parti alors qu'elle m'accusait de viol. Il a ordonné son arrestation et celle de la nourrice, et elle n'a pas opposé de résistance parce qu'elle était convaincue qu'Ikeda allait trouver un moyen de la faire libérer. Et maintenant, tout indique qu'ils étaient complices de Joto. Voilà pourquoi elle a envoyé chercher le supérieur quand le préfet a pris la fuite. Ah, si seulement j'avais écouté Tora !

Comme s'il l'avait entendu, ce dernier entra à cet instant précis. Nullement impressionné par la présence du gouverneur, il alla s'asseoir puis, se rappelant un peu tard les usages, s'inclina devant Motosuke en disant :

— J'espère vous trouver en bonne santé, messire. (Se tournant alors vers son maître, il s'exclama :) Grâce aux dieux, vous allez mieux ! Seimei vous a appris la nouvelle, pour Jasmine ?

— Oui, mais il n'y a pas lieu de s'inquiéter pour Hidesato. Je sais qui a tué son amie.

— Moi aussi, c'est ce salaud de Balafré ! Il n'arrêtait pas de la battre, et là il a décidé de l'égorger.

Akitada fit non de la tête. Devant l'expression étonnée de son serviteur, il lui lança :

— Allons, Tora, je suis sûr que tu peux élucider cc crime. Songe à tout ce sang. C'est toi qui nous as parlé du crétin sanguinaire au couteau.

— Yushi ! souffla le serviteur en écarquillant les yeux.

— Oui, Yushi. Bien que le Balafré ne soit sans doute pas étranger à l'affaire. (Akitada expliqua au gouverneur :) Il semblerait que les trois membres d'une bande, un homme couvert de cicatrices surnommé le Balafré, un géant répondant au nom de Yushi, et un troisième…

— Jubei, précisa Tora.

— …un certain Jubei, aient rançonné les modestes commerçants du marché ct les prostituées. Tora les avait fait arrêter, mais Ikeda les a relâchés. Il va falloir prévenir votre secrétaire, je suppose. Peut-être que cette fois-ci nous pourrons les enfermer pour de bon.

Motosuke se leva en secouant la tête.

— Je suis navré par toutes ces nouvelles ! Vous me raconterez tout cela en détail une prochaine fois. Je ferais bien d'aller trouver Akinobu pour discuter de ce meurtre. Il faut vous reposer cncore un peu, grand frère. Je reviendrai plus tard vous entretenir de nos plans pour les cérémonies du monastère.

Après le départ du gouverneur, Akitada se tourna sur le côté et sourit à Tora.

— Mes compliments. Apparemment, tu ne te trompais pas sur la complicité entre Ikeda et Joto.

Le serviteur tenta de prendre l'air modeste, sans succès. Son maître reprit :

— Hidesato s'entend bien avec Higekuro et ses filles ?

Tora s'assombrit et détourna les yeux.

— Bien, oui.

— Tu leur as fait part de ma maladie ?

— Oui. Ils vous envoient tous leurs vœux de prompt rétablissement.

Décontenancé par une telle indifférence, Akitada fit une nouvelle tentative.

— Et Ayako, qu'a-t-elle dit ?

Tora poussa l'encensoir en bronze du doigt et le fit rouler sur le bureau.

— La même chose, répondit-il en se renfrognant. Ils sont tous très occupés, avec un hôte et tout ça.

Le jeune noble crut deviner la cause de sa mauvaise humeur.

— Otomi est une très jolie fille. Il est bien normal qu'Hidesato soit de cet avis, lui aussi.

Tora tourna vivement la tête vers lui.

— Otomi ? Il ne la regarde même pas. C'est Ayako qui l'intéresse, maudit soit-il !

— Ayako ? (Akitada battit des paupières et se mit à rire.) C'est vrai, j'avais oublié. Ce sont tous deux des maîtres dans le maniement du bâton. Ils ont sûrement plein de choses à se dire. Calme-toi, Tora. Je suis content qu'Hidesato soit chez eux. Otomi court un véritable danger depuis que Joto a vu son dragon tempête. Je suis convaincu qu'il a envoyé ses hommes assassiner dame Tachibana et sa nourrice, et je ne vois pas ce qui pourrait l'empêcher d'en faire autant pour Otomi. Avec ton ami, au moins, ils y réfléchiront à deux fois avant de s'en prendre à elle.

Le serviteur se leva d'un bond.

— Hidesato n'y est pas, pour le moment. Ayako et lui sont allés aux bains ce matin. (À peine eut-il prononcé ces paroles qu'il rougit comme une pivoine.) Enfin, Hidesato s'est rendu aux bains. Je ne sais pas où est allée Ayako. (Il prit une profonde inspiration.) Si vous n'avez pas besoin de moi, je vais passer chez Higekuro.

Et il sortit en courant.

Soudain, la pièce s'obscurcit comme si un gros nuage avait voilé le soleil. Akitada s'assit et courba l'échine avant de se tordre longuement les mains. Qu'avait donc dit Seimei lorsqu'il l'avait prévenu contre dame Tachibana ? « Plus dangereuse que le tigre est la soie écarlate de la sous-robe d'une femme. » Ayako n'était pas femme à porter un tel vêtement de dessous, elle n'avait rien de la séductrice trop soignée et parfumée : c'était une femme pure et aussi naturelle que la vie même. Pourtant, elle l'avait trahi.

En le frappant, la douleur le transperça comme un sabre qu'on lui aurait enfoncé dans le corps. Il poussa un cri et se plia en deux. S'entourant de ses bras, il commença à se balancer d'avant en arrière.

— Messire, messire, que se passe-t-il ?

La voix affolée de Seimei pénétra le brouillard de chagrin et de souffrance. Akitada ouvrit les yeux et s'obligea à détendre ses muscles crispés.

— Rien, croassa-t-il. C'était juste une crampe. Mon ventre vide s'est rebellé.

Le soulagement se lut aussitôt sur le visage anxieux du vieux serviteur.

— Vraiment ? Je vous ai préparé le gruau. Je l'ai fait bouillir avec des herbes. C'est pour cela que j'ai été si long.

Il plaça le bol entre les mains de son maître et le regarda absorber le gruau délayé. Le jeune homme lui trouva un goût de bile.

— Vous n'avez pas l'air bien, observa Seimei.

Akitada fit un effort et parvint à avaler la bouillie. Il fut étonné de se sentir un peu mieux. Il s'allongea et ferma les yeux.

— Je suis fatigué, Seimei, souffla-t-il d'une voix indolente.

— Oui, oui, c'est normal. Dormez un peu. Je vous apporterai à manger tout à l'heure, peut-être un bouillon de poisson bien nourrissant avec des nouilles.

Le serviteur rassembla vivement bol, tasse et plateau et quitta discrètement la pièce.

La douleur revint, non plus aiguë, mais sourde. Elle remonta progressivement de son ventre pour gagner sa tête, telle une épaisse encre noire absorbée par une éponge. Il se sentait anéanti, comme si ce flot noir l'avait totalement englouti.

Les événements avaient fait de lui un autre homme. Il n'était plus celui qui avait accueilli cette maudite mission avec joie, dans l'espoir de bien servir son empereur et de répondre enfin aux attentes de sa mère. Cet Akitada-là avait été un incorrigible rêveur et il lui semblait qu'il s'était trompé sur tout, y compris sur lui-même.

Cette pensée le mit en colère, mais sa colère n'était pas dirigée contre Ayako ou contre le sergent dépenaillé, croyait-il. N'importe quel homme sain d'esprit n'aurait-il pas accepté un tel cadeau ? Pourquoi la jeune femme, quelles que fussent ses motivations – pitié, curiosité ou affinité –, ne se serait-elle pas offerte à Hidesato aussi librement et naturellement qu'elle s'était donnée à lui ? Nul doute qu'Akitada lui-même eût suscité chez elle de la pitié ou de la curiosité. À l'instar de Tora au début de leur amitié, elle l'avait probablement considéré comme un faible. Ou peut-être l'avait-elle emmenée aux bains uniquement pour découvrir comment les nobles de la capitale faisaient l'amour.

Ayako avait toujours vécu selon ses propres règles, sans jamais rien lui promettre. C'était lui et lui seul qui, dans son arrogance, lui avait prêté les mêmes sentiments que ceux qu'il avait éprouvés et éprouvait encore pour elle. Ayako n'appartenait à personne, pas même à Hidesato.

Cette idée le réconforta un peu jusqu'à ce qu'il songe que cet arrangement convenait peut-être fort bien au sergent. Que se passerait-il si le rude soldat prenait son plaisir avec Ayako avec la même désinvolture que la jeune femme ? Lorsqu'il les imagina ensemble sur le tatami, une rage désespérée s'empara de lui.

Soudain, quelqu'un gratta à la porte.

— Êtes-vous réveillé, mon cher Akitada ? demanda Motosuke en passant la tête dans l'entrebâillement.

Le jeune homme s'assit et se frotta les yeux.

— Oui. Entrez, je vous en prie.

— Je suis venu avec Akinobu et Yukinari. Cela ne vous dérange pas, j'espère ?

— Non, pas du tout. Entrez et asseyez-vous.

Le capitaine et le secrétaire du gouverneur pénétrèrent avec précaution dans la pièce, l'un à la suite de l'autre ; ils s'inclinèrent devant lui et lui lancèrent des regards interrogateurs. Yukinari ne portait plus de bandage mais une grosse croûte s'était formée près de la naissance des cheveux et un hématome violacé couvrait largement son front.

— Je crois qu'il reste du thé, déclara Akitada. Mais peut-être préférez-vous du saké ?

Tous refusèrent poliment et s'installèrent. Le capitaine et Akinobu s'enquirent respectueusement de sa santé puis se turent.

— Le gouverneur m'a appris que vous remplaciez Ikeda, dit Akitada au secrétaire, s'efforçant de chasser de son esprit l'image des amants. Il ne sera pas facile de mener vos deux fonctions de front, d'autant plus que l'affaire des vols d'impôts est particulièrement complexe.

Akinobu s'inclina.

— J'ai eu la chance de trouver à la préfecture bon nombre de personnes de confiance et très capables, répondit-il de sa voix flegmatique. Une fois l'ordre rétabli, le cours des choses a repris normalement. Je compte laisser les questions d'ordre préfectoral entre les mains de mon adjoint chaque fois que j'aurai d'autres obligations. Je viens de lui donner mes instructions concernant les criminels dénoncés par Votre Excellence. Une équipe d'officiers de police qui connaît bien les milieux interlopes s'est aussitôt lancée à la recherche des trois hommes, et j'espère vous apprendre leur arrestation dès ce soir.

— Merci. Celle de Joto et de ses partisans sera plus difficile, je le crains. Les environs du monastère fourmilleront de gens de la ville et de pèlerins, et nous devons à tout prix éviter un bain de sang. Notre homme nous a, hélas, prouvé à plusieurs reprises qu'il était capable d'agir vite et avec détermination, et que la vie humaine n'avait aucune valeur à ses yeux. Ses moines sont des combattants entraînés qui disposent d'une réserve de hallebardes. Je suis certain que d'autres armes sont dissimulées sur place. Seul l'élément de surprise pourra jouer en notre faveur.

Yukinari prit la parole :

— Quelles armes détiennent-ils, et combien ?

— Je n'ai vu que les *naginata*, mais à la capitale des rumeurs couraient concernant des envois d'armes vers l'est. Or, il se trouve qu'au cours de mon voyage j'ai eu l'occasion de consulter les registres de la barrière de Hakone. Ils montraient un nombre inhabituel d'objets religieux en circulation sur le Tokaido. En réalité, il s'agissait probablement des armes destinées au temple des Quatre Nobles Vérités. Un homme comme Joto aurait peu de scrupule à provoquer un massacre dans l'enceinte du monastère ou à plonger la province dans la guerre civile s'il fallait se préserver.

Akitada dévisagea tour à tour les trois hommes et se demanda comment chacun se comporterait dans les moments difficiles qui les attendaient. Poings serrés, Yukinari marmonna quelque chose entre ses dents. Le jeune capitaine possédait un courage supérieur à la moyenne. En outre, sa conscience le pousserait à donner sa vie, si nécessaire, pour racheter sa liaison avec dame Tachibana.

Motosuke, d'ordinaire plein d'entrain, avait le visage grave et les traits tirés. Akitada était sûr de son amitié et de son engagement dans leur entreprise. Dussent-ils échouer, le gouverneur aurait beaucoup à perdre, cependant il acquerrait un immense prestige s'il étouffait cette révolte dans l'œuf.

— Je m'en veux que ce complot ait pris de telles proportions à mon insu, déclara-t-il soudain.

— Vous ne pouviez pas deviner, répliqua vivement Akinobu. Le clergé bouddhiste est révéré et échappe aux vérifications et aux fouilles que nous conduisons partout ailleurs. Et en plus, Ikeda semble avoir couvert tous les agissements des moines de Joto.

La loyauté du secrétaire à l'égard de Motosuke était aussi impressionnante que son sens de l'honneur. Il avait été prêt à sacrifier tous ses biens pour réparer des vols dont il n'était pas responsable.

— Je le savais ! maugréa Yukinari. Ikeda est impliqué depuis le début. Voilà pourquoi il a ignoré toutes mes réclamations.

— Oui, soupira Akitada. J'espère que nous le retrouverons vivant.

Akinobu s'éclaircit la gorge :

— Je suis sans nul doute très obtus, mais puis-je demander à Votre Excellence comment elle a démasqué Joto et Ikeda ?

C'était une question fondée de la part d'un homme habitué à rendre des comptes minutieux dans le cadre de son travail, mais le nouvel Akitada n'avait plus aucune patience pour ce genre de choses. Il s'efforça de détacher son esprit de ses problèmes personnels pour répondre :

— J'ai commencé mon enquête en me posant les questions habituelles. Lorsque quelqu'un s'enrichit du jour au lendemain à la suite d'un vol considérable, il y a forcément des retombées dans l'économie locale, sauf si le voleur quitte les lieux du crime. Or, ces derniers temps, l'économie de la province est devenue incroyablement florissante. Les négociants, un en particulier, ont prospéré au-delà de toute attente. On s'est mis à construire un peu partout, et de façon plus frappante dans trois endroits, le temple des Quatre Nobles Vérités, la résidence du gouverneur et la garnison.

— J'ai utilisé des fonds personnels et discrétionnaires pour renforcer la garnison et agrandir ma résidence, se défendit Motosuke, et je croyais que les prédications de Joto suscitaient d'importantes donations.

Akitada sourit.

— J'ai examiné vos comptes, gouverneur. Mais le temple prospérait trop rapidement. Sa réputation n'avait pas encore atteint la capitale, et les coffres des notables de la province ne pouvaient suffire à financer une telle expansion. Seimei et moi-même avons étudié les anciens registres, tant dans vos archives que chez le seigneur Tachibana. Joto a commencé ses travaux d'agrandissement peu après la disparition du premier convoi.

— J'aurais dû faire le lien, intervint Yukinari, mais à mon arrivée il y avait un tel enthousiasme vis-à-vis du monastère que l'idée ne m'a même pas effleuré.

— Exactement. Pourquoi s'interroger sur la bonne fortune ? Je crains que les gens n'apprécient guère ce que nous nous apprêtons à faire. Mais cette bonne fortune a également apporté le crime, la violence et la corruption dans la cité. Quel que fût l'endroit où nous allions, Tora et moi, nous rencontrions un sentiment de mécontentement à l'égard de l'administration locale. On nous a assuré qu'il était inutile d'appeler la police parce que les fonctionnaires en poste étaient corrompus. Cela a attiré mon attention sur Ikeda. D'après ce que j'avais vu de lui, ce n'était ni l'incompétence ni la négligence qui avait provoqué la rupture de confiance entre le préfet et les citoyens. Il ne restait plus que la cupidité, et là je me suis mis à le soupçonner. C'est mon serviteur Tora qui a fait le lien entre Joto et lui. Les deux hommes lui ont déplu dès le premier instant. En tout état de cause, ce sont des alliés parfaits. Le supérieur disposait des hommes et des moyens nécessaires aux embuscades, et le préfet était en mesure de fournir tous les détails à propos des convois.

Le gouverneur et son secrétaire échangèrent des regards embarrassés.

— C'est impossible, affirma Motosuke. Ikeda n'était pas impliqué dans la préparation des convois. Il ne pouvait pas être au courant.

— En êtes-vous sûr ? demanda Akitada, stupéfait.

Le gouverneur acquiesça.

— Akinobu et moi-même nous retrouvions toujours dans la bibliothèque avec le commandant de la garnison. Nous étions les seuls à connaître l'ensemble des informations concernant les convois. Nous étions également les seuls à recenser les biens dans l'entrepôt du tribunal et à compter les lingots d'or et d'argent avant de les placer dans des coffres et de sceller ceux-ci.

— Vous n'auriez pas rempli ces coffres à côté de votre élégant encensoir, par hasard ?

Akinobu poussa une petite exclamation de surprise.

— Si. Comment le savez-vous, Excellence ? Nous avons eu un petit accident, la dernière fois. L'encensoir a roulé et brûlé le cuir d'un des coffres.

Akitada sourit.

— Nous avons découvert un coffre en cuir avec une étrange marque de brûlure dans l'entrepôt du monastère.

— Vous avez trouvé ce coffre au monastère ? s'écria Motosuke. Cela prouve que les moines ont fait main basse sur l'or. Peut-être retrouverons-nous les autres marchandises sur place.

— À mon avis, une grande partie du riz aura déjà servi de monnaie d'échange, répondit l'inspecteur impérial, mais je pense qu'une partie de la soie est entreposée en ville, chez un certain négociant. Cet homme est devenu riche du jour au lendemain, il a fait élever un mur d'enceinte autour de sa demeure, et des moines du temple des Quatre Nobles Vérités viennent régulièrement le voir. (Il se tourna vers Akinobu.) Le jour des cérémonies, vous feriez bien d'envoyer vos meilleurs hommes fouiller les lieux.

Le secrétaire s'inclina.

Petit à petit, le soleil s'était déplacé. Il tombait à présent sur le brasero et le bec de la bouilloire, où une goutte scintillait des couleurs de l'arc-en-ciel. Le chagrin reprit possession d'Akitada. C'était ainsi que l'eau avait lui sur la peau dorée d'Ayako dans la chaleur du bain, que les gouttes avaient étincelé comme autant de pierres précieuses sur sa joue.

— Mais comment Joto a-t-il découvert nos plans ? s'interrogea Motosuke.

L'inspecteur impérial s'obligea à se concentrer sur la question.

— Si le préfet ne possédait aucune information sur les convois d'impôts, dit-il lentement, nous sommes peut-être passés à côté d'un autre complice. L'un d'entre vous a-t-il discuté des dispositions prises avec une autre personne ?

Yukinari et Akinobu firent non de la tête.

— Quand le convoi dont j'avais la charge est parti, j'ai confié des instructions scellées à mon lieutenant, à n'ouvrir qu'après le passage de la frontière, expliqua le capitaine.

Akitada se tourna vers Motosuke, qui rougit.

— J'ai consulté Tachibana avant le premier convoi. Il a manifesté un grand intérêt pour celui-ci, particulièrement après sa disparition. Mais je n'arrive pas à croire qu'il se serait abaissé à une chose pareille.

— Lui non, mais dame Tachibana, oui.

Le meurtre de l'ancien gouverneur fut soudain éclairé d'un jour nouveau. Que Tachibana soit mort parce qu'il était un mari jaloux avait toujours paru peu vraisemblable à l'inspecteur impérial.

— Je crois que ce savoir lui a coûté la vie. La nuit où il a été tué, il était allé trouver sa femme dans ses appartements pour lui annoncer sa décision de me confier ses soupçons. Il pensait qu'elle avait pu transmettre les informations sur les convois. Il l'a surprise en compagnie d'Ikeda. Vous imaginez la scène. Je ne doute pas que le préfet l'ait assassiné.

— Voilà donc le rôle qu'a joué Ikeda dans cette affaire ! s'exclama Yukinari.

— Oui, fit Akitada avec lassitude.

Pendant l'heure qui suivit, ils passèrent leur stratégie en revue dans les moindres détails. Seimei les interrompit une seule fois. Après avoir jeté un regard inquiet sur son maître, il prépara du thé, le servit et se retira.

Ils avaient presque terminé lorsque Motosuke déclara :

— Cela suffit pour aujourd'hui. Vous avez une mine épouvantable, grand frère. Nous n'aurions pas dû vous déranger alors que vous êtes encore si faible.

— Ce n'est rien, mentit Akitada.

Sa santé et leur plan élaboré pour capturer Joto l'indifféraient au plus haut point.

Le gouverneur se leva, imité par les autres. Ils considéraient l'inspecteur impérial avec sollicitude quand la porte s'ouvrit brusquement sur Tora.

Celui-ci regarda autour de lui d'un air hagard ; ses mains et ses habits étaient tachés de sang.

— Ils ont assassiné Higekuro, annonça-t-il à bout de souffle. Et maintenant, ils en ont après ses filles. Il faut aller chercher les soldats. Dépêchez-vous, ou elles sont perdues !

— Qui sont ces « ils » ? demanda son maître en repoussant ses couvertures.

— Ces maudits moines ! Les voisins les ont vus, et une espèce d'idiote les a lancés sur les traces d'Otomi et d'Ayako. (Tora saisit Yukinari par la manche.) Allez chercher vos hommes, vite ! Il faut qu'ils fouillent la ville de fond en comble.

— Non, Tora, intervint Akitada en se levant. Ni armée ni police. Nous irons nous-mêmes. Passe-moi mon habit et mes bottes.

17

LE TEMPLE DE LA DÉESSE
DE LA MISÉRICORDE

Lorsqu'ils sautèrent de cheval devant l'école d'Hige-kuro, le soleil s'était déjà couché. En face, un petit attroupement de voisines à l'air effrayé s'était formé. Akitada traversa la rue et interpella rudement le groupe :

— Laquelle d'entre vous a vu les filles d'Higekuro pour la dernière fois ?

Une femme âgée de petite taille s'avança timidement. C'était elle qu'il avait trouvée en pleine discussion avec Ayako lors de sa dernière visite. Il y avait des traces de larmes sur ses joues rondes.

— Dis-moi ce que tu sais, et vite, fit-il après l'avoir saluée d'un hochement de tête. Elles sont en danger de mort.

— C'était il y a un bon moment déjà, les moines venaient de sonner l'heure du coq[1]. J'étais dehors à chercher mon fils parce qu'il était en retard pour le dîner, et j'ai vu Otomi et Ayako marcher dans cette direction. (Elle désigna le bout de la rue.) Au coin, elles ont pris au sud.

— Sais-tu où elles sont allées ?

— Non, mais Otomi avait son matériel de peinture.

1. De 17 à 19 heures. (*N.d.T.*)

— Y a-t-il des temples de ce côté-là ?

— Seul le temple du Lotus est encore ouvert. Depuis l'arrivée de maître Joto, tout le monde se rend au temple de la montagne. Les autres ont fermé, même le grand, celui qui est consacré à la déesse Kannon.

— On m'a dit que les filles étaient suivies. As-tu vu par qui ?

La vieille secoua vigoureusement la tête.

— Non. Jamais je n'aurais envoyé qui que ce soit après Otomi. C'est cette idiote, là. (Elle tira par le bras une jeune femme tremblante qui s'était réfugiée derrière les autres.) Allez, raconte à Son Honneur ce que tu as fait.

La jeune inconnue fondit en larmes.

— Combien étaient-ils ? aboya Akitada.

— Je ne m'en souviens plus, répondit-elle d'une voix chevrotante.

— Je croyais qu'ils étaient dix, imbécile, fit sa voisine en la secouant.

— Oui, quand ils sont arrivés, mais quand ils sont venus m'interroger ils n'étaient que cinq. Je regrette tellement, gémit-elle. Ils venaient de l'école et je n'ai pas pensé à mal. J'ai cru que c'étaient des élèves de maître Higekuro.

Le jeune noble la toisa avec mépris et retraversa la rue à grandes enjambées.

— Viens, lança-t-il à Tora, qui attendait près des chevaux. Peut-être trouverons-nous à l'intérieur quelque chose nous indiquant où elles sont allées.

La lourde porte s'ouvrit sur l'obscurité, et une odeur chaude, douceâtre et métallique saisit Akitada à la gorge. Il tendit l'oreille et perçut un bruit de gouttes tombant sur le sol. Il commençait à faire sombre, mais pas au point de l'empêcher de distinguer plusieurs silhouettes inanimées dans la salle d'exercice.

Du sang : c'était l'odeur du sang frais qu'il avait sentie, et à en juger par sa puissance, il y en avait beaucoup. Son serviteur sur les talons, il entra. Songeant soudain aux femmes rassemblées dehors, il lui ordonna :

— Ferme la porte, Tora, et bats le briquet !

Il se demanda s'il devait son haut-le-cœur à l'odeur du sang ou à sa maladie. Le serviteur s'exécuta et chercha à tâtons une lampe en signalant :

— Higekuro est près du pilier.

La frayeur envahit Akitada. Combien y avait-il de corps, exactement ? Et si jamais les femmes s'étaient trompées ? Peut-être Ayako était-elle morte sur place en tentant de défendre son père et sa sœur. Il fit un pas dans le noir, glissa et tomba lourdement sur le côté.

— Messire ? appela Tora.

Il frotta la pierre et fit jaillir l'étincelle, qui vacilla et s'éteignit. Sa voix anxieuse s'éleva sur la droite :

— Tout va bien, messire ? Il y a beaucoup de sang par terre.

— Ça va, répondit son maître en se mettant à genoux. (La tête lui tournait, et il tremblait de froid et de fatigue.) Pour l'amour du ciel, donne-nous de la lumière.

Il s'essuya les mains sur son pantalon et se leva. De son côté, Tora tâtonnait bruyamment dans le noir. Il jura une ou deux fois, fit tomber quelques objets et parvint enfin à allumer une lampe à huile, puis deux.

Akitada se tourna lentement et regarda avec horreur la scène qui s'offrait à ses yeux. Sa première impression fut celle d'un champ de bataille où avait eu lieu un horrible carnage. Rouge foncé, le sang était partout : il avait formé des flaques sur le sol nu, détrempé les tatamis et s'égouttait au rythme d'un lent battement de cœur. Le jeune homme dénombra six cadavres, tous masculins, dont celui d'Higekuro.

L'infirme gisait contre le pilier central, une main refermée sur un petit sabre couvert de sang, l'autre sur son grand arc. Son regard vitreux était tourné vers le haut comme s'il fixait le plafond ou l'arme qui l'avait tué. Celle-ci s'était abattue sur sa tête et lui avait causé deux entailles effroyables, dont une qui descendait presque jusqu'à l'arête du nez. Le second coup avait été porté en biais au niveau de la tempe gauche et lui avait fracassé le crâne, exposant la cervelle. Le sang continuait à suinter de ces terribles blessures, il avait imbibé la superbe barbe noire et s'était accumulé sur une épaule ; c'était de là qu'il s'écoulait, goutte après goutte, dans le carquois vide.

Akitada parvint à maîtriser un nouveau haut-le-cœur et posa une main sur la joue blême d'Higekuro. Elle était froide. Puis il toucha le sang, qu'il trouva épais et collant.

— Ils ont dû l'attaquer peu avant ton arrivée, déclara-t-il.

— Higekuro était encore tiède, confirma Tora. J'ai cherché les deux filles partout, et j'ai couru jusqu'au tribunal pour vous prévenir. (Il jeta un coup d'œil autour de lui.) Il a emmené cinq de ces salauds avec lui.

— Oui. La femme en a vu dix pénétrer ici, il en a tué la moitié, et les cinq autres se sont lancés à la poursuite d'Ayako et d'Otomi.

Il se déplaça parmi les assassins ; il n'en connaissait aucun. Tous étaient jeunes, robustes, proprement vêtus de robes de coton sombre, la tête couverte d'un foulard comme des artisans ou certains marchands. Akitada découvrit leur crâne rasé.

— Des moines, constata-t-il sans surprise.

Ils avaient payé un lourd tribut. Tous avaient le corps transpercé de plusieurs flèches, et le plus proche d'Higekuro avait reçu un coup de sabre mortel dans le ventre. Cela avait sans doute été la dernière action du formidable lutteur contre son meurtrier.

Lorsqu'ils se rendirent dans ses appartements privés, ils trouvèrent boîtes et coffres ouverts, leur contenu éparpillé sur le sol, les rideaux tailladés, et les stores des fenêtres arrachés. Dehors, dans le petit potager, un feu avait été allumé dans un tonneau vide. En remuant les cendres fumantes, Tora retira une cheville en bois carbonisée à laquelle étaient accrochés des lambeaux de papier et de soie.

— Ils ont brûlé les peintures d'Otomi, déclara Akitada. Viens. Nous ne trouverons plus rien d'utile ici. Nous perdons du temps.

Avant de partir, Tora attrapa un lourd bâton dans la salle d'exercice. Dehors, les voisines s'étaient dispersées, mais quelqu'un remontait la rue en sifflant. Le serviteur jura entre ses dents.

Rongé d'inquiétude à l'idée qu'Ayako risquait de se retrouver sans arme face à cinq criminels déterminés, Akitada venait de remonter vivement en selle lorsqu'il aperçut le siffleur.

Hidesato.

En un instant, il remit pied à terre. Il ne lui fallut guère plus de temps pour se précipiter sur le soldat et le projeter contre l'enceinte du riche voisin. L'empoignant par le col, il lui cogna la tête contre le mur, ponctuant chaque coup d'une accusation ou d'une insulte :

— Espèce de chien galeux ! Où es-tu quand on a besoin de toi ? Est-ce ainsi que tu témoignes ta reconnaissance à ceux qui ont été bons envers toi ? (Il s'étrangla à l'idée que cette bonté avait inclus l'usage du corps d'Ayako.) Quelle espèce d'animal es-tu donc, pour lui faire ça ? gémit-il, soudain pris de vertige suite à son explosion de rage.

Tora le tira en arrière et il s'adossa contre le mur, à bout de souffle, les membres tremblants.

— Qu'est-ce qu'il a ? Il est devenu fou ou quoi ? s'indigna le sergent en se tenant la tête.

Amer, Tora expliqua :

— Pendant que tu prenais tes aises aux bains, ces maudits moines sont revenus. Ils ont tué Higekuro et se sont lancés aux trousses de ses filles. Par ta faute, elles sont peut-être mortes à l'heure qu'il est.

Hidesato laissa retomber ses mains. Son regard passa de Tora à Akitada, et quand il vit le sang sur les vêtements de ce dernier il courut jusqu'à l'école, ouvrit la porte à toute volée et disparut à l'intérieur.

Le jeune noble s'écarta du mur et avança d'un pas chancelant vers son cheval. Il se hissa tant bien que mal en selle, talonna les flancs de l'animal et s'éloigna au galop. Son serviteur le suivit, ignorant les appels de son ami derrière lui.

Ils trouvèrent sans peine le premier temple. Un écriteau abîmé annonçait son nom – temple du Lotus – en caractères qui avaient dû être d'un rouge brillant à l'origine mais tiraient à présent sur le marron pâle. Un vieux moine balayait les feuilles mortes sur les marches.

— Hé, toi ! l'apostropha Akitada depuis son cheval. As-tu vu deux jeunes femmes ?

Le vieil homme leva vers lui un regard myope et s'inclina.

— Bienvenue, dit-il d'une voix cassée avant de poser son balai. Votre Honneur désire-t-elle acheter de l'encens à brûler devant le Bouddha ?

Voyant son âge, l'inspecteur impérial rapprocha son cheval et répéta sa question. Un sourire ravi traversa le visage du moine.

— Vous voulez dire Otomi et sa sœur ? Oui, oui, elles sont passées tout à l'heure. Après leur départ, des hommes m'ont demandé si j'avais vu la jeune peintre. (Il eut un nouveau sourire.) C'est une très jolie fille.

— Que leur as-tu dit ?

— J'ai dit aux jeunes demoiselles que nous allions bien, et je les ai remerciées de leur sollicitude.

Akitada serra les dents, qui se remirent à claquer. Il se tourna vers Tora, qui brailla :

— Qu'as-tu dit aux hommes ?

— Ah, aux hommes ? Pourquoi ne l'avez-vous pas précisé plus tôt ? Je leur ai dit où les filles étaient allées, bien sûr.

L'inspecteur impérial poussa un gémissement.

— Où ? cria-t-il, tordant les rênes entre ses poings serrés.

— Vous ne vous sentez pas bien, messire ? s'enquit le vieux en le dévisageant d'un air inquiet. Veuillez honorer notre pauvre temple de votre présence en prenant un peu de repos. Si vous le désirez, Kashin, notre apothicaire, vous préparera une de ses tisanes.

Réprimant son désespoir, Akitada prit une profonde inspiration et parvint à articuler plus calmement :

— Merci, une autre fois. Nous sommes pressés. Ces hommes que tu as envoyés sur les traces d'Otomi et de sa sœur leur veulent du mal. Où sont-elles allées ?

Consterné, le moine répéta :

— Du mal ? Oh, j'espère que vous vous trompez, messire. Comme Otomi m'a dit qu'elle voulait peindre Kannon, j'ai envoyé les hommes au vieux temple qui se trouve au sud-est de la ville. Dans la grande salle de prières, il y a une magnifique peinture de la déesse de la Miséricorde trônant sur une grosse fleur de lotus. Le temple est fermé, mais derrière, il y a une porte qui…

Akitada et son serviteur galopaient déjà dans la rue étroite. Ils traversèrent des quartiers tranquilles où quelques habitants intrigués les regardèrent passer depuis le seuil de leur maison, alertés par le martèlement précipité des sabots. Le jour tombait rapidement ;

tels des rideaux noirs, les nuages envahissaient le ciel opalescent.

— Il va bientôt faire nuit ! cria Tora à son maître, et nous n'avons pas pris de lanterne.

— Silence !

Akitada ramena son cheval au pas. Devant eux se dressaient la masse sombre des arbres et les toits retroussés des différents bâtiments du temple. Une pagode les dominait telle une sombre sentinelle à côté du rectangle noir de la grande salle de prières. Un mur d'enceinte surmonté de tuiles entourait les bâtiments ainsi qu'un immense enchevêtrement d'arbres et d'arbustes.

L'inspecteur impérial mit pied à terre et attacha son cheval à un saule nu qui s'élevait au coin de la rue. Frissonnant dans le vent froid, il guetta attentivement le moindre bruit jusqu'à l'arrivée de Tora.

— Vous avez vu quelqu'un ? murmura celui-ci.

— Chut !

Le vent faisait bruisser les feuilles mortes et les branches se frottaient les unes contre les autres. Quelque part au loin, une chouette hulula.

Akitada s'avança.

— J'ai cru entendre des voix, chuchota-t-il. Viens. Il va falloir trouver un moyen d'entrer. La porte principale a été condamnée. Surtout, ne fais pas de bruit.

Le serviteur serra son bâton d'un air encore plus farouche.

— J'ai hâte de mettre la main sur ces bouchers !

Ils traversèrent la rue et longèrent le mur à la recherche d'un pan cassé. Lorsqu'un curieux sifflement s'éleva de l'autre côté, ils se figèrent. Le silence retomba, et ils s'apprêtaient à reprendre leur progression quand ils distinguèrent des bruits de branches cassées et un juron étouffé. Au loin, une voix d'homme cria un ordre, et les bruissements s'éloignèrent.

— Ils sont là, affirma Tora.

— Oui. Et on dirait qu'ils les cherchent. Nous sommes peut-être arrivés à temps.

Ils continuèrent à examiner le mur, qui n'offrait malheureusement pas la moindre brèche ou le moindre appui. Akitada n'avait aucune intention de proposer à son serviteur de tenter l'escalade en montant sur ses épaules. Dans son état, il ne se sentait pas même capable de porter un petit enfant !

— Essayons la porte principale, dit-il enfin.

À cet instant, un cri de femme déchira le silence.

— Ils les ont attrapées ! s'exclama Tora avec désespoir, les yeux fixés sur le sommet du mur.

— C'était Ayako !

Akitada courait déjà en direction de l'entrée. Les deux battants du portail sculpté étaient grands ouverts. Ils se précipitèrent à l'intérieur.

La cour était déserte, silencieuse et quelque peu menaçante. À leur droite, les toits de la pagode déployaient leurs ailes sombres, et devant eux se dressait l'imposante silhouette du bâtiment principal qu'ils avaient aperçu depuis la route. Telle la gueule béante de la mort, ses portes s'ouvraient sur une obscurité absolue.

— Le cri venait de l'autre côté, affirma le jeune homme. Le plus rapide, c'est de couper en traversant le bâtiment.

Ils grimpèrent les marches en courant. Les sceaux officiels placés sur les portes avaient été brisés. Vaguement éclairé depuis l'extérieur, le vestibule était vide. À sa droite se trouvait le bureau du gardien du temple, un moine qui recevait les dons des fidèles et distribuait les bâtons d'encens. Ils s'arrêtèrent un instant pour écouter. Tout était silencieux.

— Viens, dit Akitada. Ils sont dans le jardin.

— On n'y verra rien sans lanterne, maugréa Tora. Je parie qu'il y en a dans ce bureau.

— Non. Nous n'avons pas le temps, et il ne faut pas qu'ils nous repèrent.

Ils s'avancèrent dans le noir complet, glissant un pied devant l'autre, mains tendues en avant. L'inspecteur impérial tenta de se remémorer l'architecture des temples, espérant pouvoir gagner le mur du fond sans encombre. Soudain, quelque chose tomba avec fracas et des bruits de tâtonnement lui parvinrent.

— Que s'est-il passé, Tora ?

— Mon pied s'est pris quelque part et j'ai lâché mon bâton.

— Eh bien, tant pis, laisse-le où il est.

Le serviteur abandonna sa recherche et le rejoignit. Quand Akitada toucha enfin le mur du fond, il entendit jurer son compagnon. Son exclamation fut suivie d'un bruit sourd, puis du silence.

— Qu'y a-t-il, encore ?

Pas de réponse. En revanche, quelque chose ou quelqu'un venait vers lui en rampant. Avant que son bon sens ne l'arrête, le jeune noble se déplaça dans cette direction. Brusquement, une poigne d'acier lui enserra les genoux, le fauchant en arrière. Au dernier moment, il eut le réflexe de tourner la tête pour l'empêcher de heurter le sol, mais la chute lui coupa le souffle.

Son assaillant se jeta sur lui, cherchant sa gorge à tâtons tout en essayant de lui immobiliser le bras. Akitada reconnut une prise courante. Jamais il n'avait été aussi mal en point pour repousser un criminel, mais son expérience de lutteur lui vint en aide : il réagit instinctivement et contra l'attaque. Quoique peu corpulent, son adversaire avait sur lui l'avantage de la rapidité et de la détermination. Ensemble, ils roulèrent sur le plancher brut, se battant en silence pour leur vie.

Par chance, son agresseur était aussi handicapé que lui par l'obscurité : il ne parvenait jamais à l'immobiliser du premier coup, ce qui permettait au jeune noble de lui échapper. Finalement, Akitada décocha en avant un rude coup de pied qui, à sa grande surprise, rencontra le corps de son adversaire. Ce dernier glissa sur le sol avant de heurter une colonne dans un bruit sourd. Le silence envahit de nouveau les lieux. L'inspecteur impérial se mit à genoux et appela Tora. Toujours pas de réponse. Il hésita à aller vérifier l'état de son assaillant avant de se lancer en aveugle à la recherche de son serviteur. Celui-ci respirait encore. D'une bonne secousse, Akitada le ramena à lui. Tora gémit, se redressa et envoya aussitôt un grand coup de poing à son maître, qui se cogna dans un pilier.

— Aïe ! C'est moi.

— Que… ? Oh, désolé. Quelqu'un m'a attrapé le pied tout à l'heure et j'ai cru qu'il revenait à la charge. (La fureur s'empara de lui.) Où sont ces salauds ? Je vais leur arracher la tête et les rosser dans cette bouche de l'enfer !

Frottant son épaule endolorie, Akitada eut envie de rire malgré le danger.

— Calme-toi. Il n'y en avait qu'un. Il a refait le même coup avec moi, mais j'ai réussi à l'assommer. Il n'en reste donc plus que quatre dehors. Il va falloir attacher et bâillonner celui-là. Donne-moi ta ceinture.

Cependant, lorsqu'ils regagnèrent à l'aveuglette l'endroit où le jeune noble avait laissé son agresseur, il n'y avait plus personne. Ils le cherchèrent encore quelques instants avant d'abandonner. Soudain, Akitada posa une main sur le bras de Tora. Ils écoutèrent attentivement : quelqu'un s'éloignait en direction de l'entrée principale. Grâce à la très faible lumière qui venait du dehors, l'inspecteur impérial distingua une ombre. Il bondit, noua les deux bras autour de l'inconnu, le déséquilibra et atterrit lourdement sur le dos.

Quand l'autre poussa un cri de douleur, Akitada reconnut une voix de femme, et ses mains sur le corps ferme le lui confirmèrent : c'était Ayako !

Tremblant de soulagement de l'avoir retrouvée saine et sauve, il roula sur le côté. Il s'apprêtait à prononcer son nom et à la reprendre dans ses bras lorsqu'un objet lourd le frappa à la tête. Un éclair de lumière l'éblouit et les ténèbres l'engloutirent.

Tora avait entendu le cri d'Ayako et la chute de son maître. Il se précipita en direction du bruit et entra en collision avec un corps massif. Lâchant un juron, il s'apprêtait à envoyer le poing dans son nouvel adversaire quand la voix d'Hidesato s'éleva :

— Tora, c'est bien toi ?

— Hidesato ? Que fais-tu ici ? s'exclama-t-il en baissant le bras.

— Je vous ai suivis à pied. J'ai bien fait, d'ailleurs. Je crois qu'un de ces bâtards a mis la main sur Ayako. Ayako, où es-tu ? Maudite obscurité ! On ne voit rien là-dedans.

Tora battit le briquet. À la lueur de l'étincelle, il aperçut le sergent armé d'un long bâton en bambou et Ayako accroupie au-dessus du corps inerte d'Akitada.

— Espèce d'imbécile ! proféra la jeune femme avec amertume. C'est Akitada que tu as frappé, et tu l'as sans doute tué !

Tora les laissa et regagna l'entrée à tâtons. Il revint un instant plus tard avec une vieille lanterne dont la flamme vacillait.

— Comment va-t-il ? demanda-t-il à Ayako.

— Il respire encore.

— Où est Otomi ?

Ayako leva une main couverte de sang.

— Je lui ai dit de se cacher. Il perd beaucoup de sang, Tora !

À genoux, celui-ci déchira des bandes de tissu dans sa chemise pour confectionner un bandage. La tête de son maître inconscient reposait sur les genoux de la jeune femme.

— Il n'aurait pas dû venir, marmonna-t-il en considérant le visage blême d'Akitada.

— Je ne savais pas que c'était lui, dit Hidesato d'un ton malheureux.

— Tu es un abruti et un bon à rien ! lui lança Ayako avec mépris.

Avachi sur le sol, le sergent se prit la tête à deux mains. Les deux autres l'ignorèrent. Devant eux, l'immense peinture de la déesse de la Miséricorde paraissait flotter dans l'espace. Les rouges, les roses et les bruns de ses vêtements semblaient trembler et changer à la lueur vacillante de la lanterne, tandis que l'or de ses bijoux et de son auréole jetait des éclairs de feu dans les ténèbres.

Quand ils eurent fini de bander la tête d'Akitada, Tora dit à Ayako :

— Si tu veux bien rester auprès de mon maître jusqu'à ce qu'il revienne à lui, je vais m'occuper de ces salauds avec Hidesato avant qu'ils ne retrouvent Otomi.

Il s'attendait à un refus et fut surpris de la voir hocher la tête en signe d'assentiment.

Hidesato se redressa et se frotta les yeux.

— Je suis vraiment désolé, Ayako, fit-il d'une voix rauque. Je ne l'ai pas fait exprès. On n'y voyait rien, là-dedans. Je sais bien que je suis un moins-que-rien. Tout à l'heure, Akitada a failli me tuer parce qu'il me reprochait ce qui est arrivé. Je jure de te venger, même si c'est la dernière chose que je fais dans cette vie.

Après avoir prononcé ces paroles, il se détourna. Tora ramassa son bâton et sortit à son tour. Déconcertée,

Ayako les suivit un instant des yeux avant de reporter son attention sur Akitada.

Dehors, il faisait un peu moins sombre. À l'autre bout du jardin, un craquement retentit, suivi d'un juron.

— Bénis soient les dieux ! Ils ne l'ont pas encore trouvée, se réjouit Tora avant d'appuyer son bâton contre la rambarde. On ne pourra jamais se servir des bâtons avec tous ces arbres. On va devoir combattre à mains nues.

Hidesato posa également son arme.

Ceux qu'ils pourchassaient faisaient tellement de bruit parmi les buissons et les arbustes qu'ils n'eurent guère besoin de se montrer prudents. Les moines s'étaient séparés pour couvrir le plus de terrain possible, ce qui permit aux anciens compagnons d'armes d'en surprendre deux sans difficulté. Tora assomma le sien avec un morceau de tuile cassée ; quant à Hidesato, il tira une longue chaîne de sous sa veste et la lança autour de l'homme avant de la tirer si brusquement que sa nuque se brisa dans un craquement sonore. Le moine s'effondra sans un cri.

— Ton maître ne pourra pas interroger celui-ci, annonça le sergent. Et le tien ?

— Le mien non plus, répondit Tora. Je l'ai frappé trop fort.

Leurs victimes avaient le crâne rasé et portaient de petits sabres que s'approprièrent aussitôt les deux amis.

Ils repérèrent leur troisième victime qui se répandait en injures en tentant de se dégager d'un buisson de ronces. Quand Tora apparut devant lui, sabre en main, il s'arrêta net. La surprise lui fit sortir les yeux de la tête.

Soudain, une voix s'éleva non loin de là.

— Qu'y a-t-il, Daishi ? Tu l'as trouvée ?

Tora appuya le sabre sur la gorge du moine et cria en réponse :

— Non ! Je me suis tordu la cheville. Qui est avec toi ?

— Hotan. Où sont les autres ?

— On arrive.

Tora sourit et assomma son prisonnier.

— Il en reste deux, c'est ça ? lui demanda Hidesato en le rejoignant

— Oui. Je leur ai dit qu'on arrivait.

Ils coururent le long du chemin et tombèrent sur deux hommes robustes vêtus des mêmes vêtements sombres et coiffés des mêmes foulards que les autres. Ces deux-là, cependant, tirèrent leur sabre et chargèrent.

Tora ne s'était jamais servi d'une telle arme, et il ne dut sa survie qu'à ses bonds de singe et à ses coups de lame désordonnés. Hidesato, lui, connaissait un peu son maniement, mais il se heurta à plus forte partie et l'abandonna rapidement au profit de la chaîne, qu'il parvint à enrouler autour du sabre et du bras de son adversaire. D'une brusque secousse, il le désarma et le déséquilibra. Finalement, son ami ne l'emporta qu'en lançant son pied dans l'entrejambe de l'autre moine. Quand ce dernier hurla et lâcha son sabre pour porter les mains à l'endroit douloureux, Tora lui sauta dessus.

Ils ligotèrent les deux hommes, mais ne retrouvèrent pas celui qu'ils avaient laissé inconscient dans les ronces. Leurs recherches précipitées les conduisirent à un portail ouvert sur la route ; celle-ci était déserte.

— Par tous les démons ! Ce salaud est allé prévenir Joto, s'exclama Tora d'un air penaud.

Ils récupérèrent leurs prisonniers et les traînèrent jusqu'au bâtiment principal.

— Hé, Ayako ! Tout va bien ! cria Tora.

La jeune femme sortit sur la véranda et fouilla les arbustes des yeux.

— Où est Otomi ? lui demanda le jeune homme. Elle ne peut pas nous entendre.

Ayako ne répondit pas. Les yeux fixés sur Hidesato, elle descendit les marches.

— Tu es blessé.

Le sergent baissa les yeux. Une grande tache sombre s'élargissait sur sa poitrine.

— Ce n'est rien.

— Assieds-toi et laisse-moi examiner ça, Hidesato, lui ordonna-t-elle.

Un grand bruit de froissement s'éleva soudain sous les marches de la véranda. Tora posait déjà une main sur son sabre quand Otomi sortit en rampant, ses yeux immenses dans son visage sale, ses vêtements couverts de feuilles mortes, de toiles d'araignée et de brindilles. La bouche de Tora s'élargit en un sourire. Il lâcha son arme et courut la prendre dans ses bras.

Après avoir constaté que le sergent n'était que légèrement blessé à l'épaule, Ayako dénoua sa ceinture pour la lui bander.

— Pardonne-moi, Ayako, je t'en supplie.

Le visage de la jeune femme se radoucit.

— Il n'y a rien à pardonner. Je suis désolée de t'avoir accablé de reproches. Tu n'as rien vu dans le noir, et j'ai commis la même erreur que toi.

Il la dévisagea avec intensité.

— Pour rien au monde, je ne voudrais que tu aies une mauvaise opinion de moi, affirma-t-il avec maladresse. Je n'ai jamais connu personne qui te ressemble, et je préférerais mourir que…

Ayako sourit et lui prit la main.

— Je sais, dit-elle avec douceur.

Akitada arriva sur la véranda en chancelant juste à temps pour être témoin de cette scène. Son visage se durcit aussitôt.

— Tora ! aboya-t-il.

Tous se tournèrent vers le jeune noble : agrippé à la balustrade, il avait le visage aussi blanc que le bandage qui ceignait ses cheveux noirs.

— Je vois que vous vous êtes débrouillés sans moi, reprit-il. Avez-vous informé les jeunes femmes de… ce qui est arrivé ?

— Les jeunes femmes ? répéta Ayako.

Elle fit quelques pas en direction d'Akitada. Leurs regards se croisèrent, mais il s'empressa de détourner les yeux.

— De quoi parlez-vous ? Que s'est-il passé ?

Tora et Hidesato se regardèrent avec consternation. Cramponné à la rampe, le jeune noble descendit les marches avec une extrême lenteur. D'un ton parfaitement impersonnel, il annonça :

— Je crains qu'il ne m'appartienne de vous apprendre que votre père est mort cet après-midi.

Ayako se figea. Les yeux rivés sur les lèvres d'Akitada, elle attendit la suite.

— Il a été assassiné par les hommes qui s'en sont pris à vous et à votre sœur, poursuivit-il sur le même ton, mais il s'est battu courageusement et a tué cinq de ces criminels avant de succomber à des coups de sabre. Je regrette profondément d'être le porteur de nouvelles aussi tragiques.

Ayako se redressa de toute sa hauteur.

— Je suis votre obligée, Excellence, répondit-elle. Ma sœur et moi vous serons toujours redevables de vous être porté à notre secours.

Elle s'inclina profondément devant lui avant de retourner vers Hidesato.

Le cœur d'Akitada se serra, et il sentit des larmes lui monter aux yeux. Par la seule force de sa volonté, il s'obligea à remonter les marches et regagna l'intérieur du bâtiment.

La lampe brûlait toujours devant l'image de la déesse ; le matériel de peinture d'Otomi gisait juste à côté. Le jeune noble s'arrêta, étreignit un pilier comme un homme qui se noie et leva les yeux vers le visage impénétrable. Les traits de la déesse de la Miséricorde se brouillèrent jusqu'à se confondre dans son esprit avec ceux d'Ayako. Il lui sembla que les yeux brillants le considéraient avec indifférence et que la bouche lui souriait avec mépris.

Il se détourna. D'un pas mal assuré, il traversa la grande salle de prières et s'éloigna dans la nuit.

18

FESTIVITÉS

Le palanquin du gouverneur était confortable et élégant, mais il s'inclinait de plus en plus dangereusement sur la rude pente. Se déplacer de la sorte était une expérience nouvelle pour Akitada ; il songea qu'il préférait de loin monter à cheval. Soulevant le store en bambou, il jeta un œil au-dehors.

Ils traversaient les grandes forêts de pins qui recouvraient le flanc de la montagne. La vive lumière du soleil qui éclaboussait la route et les sous-bois contrastait singulièrement avec son humeur sombre. Il regarda un cavalier dépasser le palanquin ; la garde personnelle du gouverneur les escortait dans un déploiement de faste impressionnant : armures étincelantes, bannières rouges claquant au vent, et fiers chevaux aux allures relevées sous de somptueux caparaçons ruisselant de pampilles de soie rouge. Gêné, Akitada tira sur son vieil habit de cour, espérant qu'il ne faisait pas trop piètre figure à côté de Motosuke. Installé face à lui, le gouverneur portait une nouvelle robe de brocart vert sur un ample pantalon de soie rouge foncé.

Il regarda dehors à son tour.

— Nous y sommes presque, constata-t-il. Je vois le sommet de la pagode. Par le Bouddha, avez-vous déjà vu autant de monde ?

Plus ils approchaient de leur destination, plus les spectateurs massés le long de la route étaient nombreux. Dès que le cortège du gouverneur était passé, ils se remettaient en marche pour se joindre à ceux qui attendaient le début des cérémonies au monastère. À la vue de cette foule, Akitada échangea des regards inquiets avec Motosuke. Quelle responsabilité était la leur ! Et si jamais quelque chose tournait mal, en dépit de leur plan savamment élaboré ?

Le jeune homme ne pouvait s'empêcher de craindre le pire. Jusqu'à présent, chacun de ses faits et gestes avait eu des conséquences dramatiques. La mort l'avait accompagné partout où il avait porté ses pas. L'effrayant spectacle du corps d'Higekuro le hantait jour et nuit ; le sang du lutteur infirme entachait ses moindres souvenirs, à l'exception de celui d'Ayako. Or, il avait fermement banni la jeune femme de son esprit.

Comme s'il lisait dans ses pensées, Motosuke déclara soudain :

— Je n'oublierai jamais la vue de tout ce sang dans l'école d'arts martiaux. Cet Higekuro devait être un homme exceptionnel.

Akitada approuva de la tête.

— C'est une bénédiction que les jeunes femmes soient en vie. La sourde-muette est une grande artiste, ajouta le gouverneur.

L'inspecteur impérial acquiesça de nouveau. Ayako serait-elle en sécurité avec un homme comme Hidesato ? Celui-ci remplacerait-il son père dans l'école… tout comme il avait remplacé Akitada entre ses bras ? À voix haute, il reprit :

— Par chance, je gisais sans connaissance à l'intérieur du temple quand Tora et Hidesato ont combattu les hommes de Joto. Le moine qui s'est échappé aurait pu ruiner nos plans s'il m'avait reconnu.

324

Motosuke frotta ses mains grassouillettes l'une contre l'autre et sourit.

— Oui. C'est un bon présage. La déesse de la Miséricorde est avec nous.

Elle portait bien mal son nom, pensa Akitada avec amertume, se rappelant le sourire méprisant de Kannon.

— Pourquoi cette triste mine, grand frère ? s'enquit le gouverneur. Votre tête vous fait-elle toujours souffrir ?

— Non.

C'était la vérité. Il s'était parfaitement rétabli de sa maladie, et le coup brutal que lui avait porté le sergent n'avait pas eu de conséquence. Néanmoins, son humeur était des plus sombres.

— J'envie votre entrain, dit-il avec aigreur. Dès que nous serons dans l'enceinte du monastère, nous serons des proies faciles, vous savez.

— Ne vous inquiétez pas. Tout se passera bien. Nous sommes protégés par mes hommes et par ceux du capitaine Yukinari. Les soldats qui seront postés dans la cour et dans le nouveau bâtiment sont d'une loyauté à toute épreuve.

Akitada se tut, honteux d'avoir pu passer pour un lâche.

— Pensez seulement qu'en cet instant, poursuivit Motosuke, Akinobu et ses hommes fouillent la propriété et les entrepôts du négociant en soie. À la fin de la journée, nous aurons les prisonniers, les preuves et le butin. (Il se frotta une nouvelle fois les mains et gloussa.) Vous ne croyez pas qu'ils seront surpris, à la capitale, de recevoir trois convois d'impôts qu'ils considéraient comme perdus ?

— Ils ne récupéreront pas tout, grommela son compagnon.

Une cloche du temple se mit à lancer son appel retentissant. Une secousse ébranla le palanquin, qui

vira soudain sur la droite. Devant la fenêtre de Motosuke apparut la grande porte du temple des Quatre
Nobles Vérités, dont les tuiles bleues étincelaient au
soleil. De chaque côté des marches se tenaient des
moines en robe couleur safran.

— Je me demande si Ikeda est ici, dit le gouverneur.

— Et moi, je me demande s'il est encore vivant. Il
constitue une vraie menace pour Joto.

Akitada décrocha un petit miroir en argent suspendu à un crochet et vérifia son chapeau de cour,
une toque de soie noire amidonnée garnie d'un nœud
à l'arrière. Il jeta un regard mauvais sur sa triste
figure aux sourcils épais et tendit le miroir à Motosuke. Le palanquin s'arrêta enfin et fut posé sur la
terre ferme.

— Nous sommes censés descendre ici ? s'étonna le
jeune noble.

— Non, répondit le gouverneur en écartant davantage le store en bambou. Juste quelques formalités
d'usage. Ah, nous repartons.

Le palanquin fut soulevé un peu brusquement,
obligeant les deux hommes à retenir leur couvre-chef.

— Yukinari a posté des hommes devant la porte
principale, à ce que je vois, nota Motosuke. Intelligent, ce garçon. Cette histoire avec dame Tachibana
l'a terriblement affecté.

— J'ai bien failli le faire arrêter, vous savez. La
domestique et le mendiant qui ont vu passer l'assassin m'ont tous deux affirmé qu'il portait un casque.

— À ce propos, ce jeune sot m'a confié – ça
m'était complètement sorti de l'esprit – que le jour
où il avait rompu avec la dame, elle était devenue si
violente qu'il s'était enfui en abandonnant son casque
derrière lui.

Soudain, le palanquin bascula vers l'arrière tandis
que les porteurs montaient les marches qui menaient

à la porte principale. Akitada s'accrocha à une lanière en soie pour ne pas tomber.

— Ça explique tout ! Ikeda s'en est sûrement servi pour se déguiser. C'est ce que j'ai pensé quand on m'a appris que l'assassin portait un habit bleu. Aucun militaire ne mettrait son casque sans son armure.

Le palanquin se mit à pencher vers l'avant, les porteurs descendaient l'escalier de l'autre côté du portail. Dès qu'ils se retrouvèrent sur terrain plat, l'inspecteur impérial lâcha la lanière et reprit :

— J'aurais dû deviner plus tôt qu'il s'agissait du préfet. Il portait un habit bleu à votre réception.

Tout à coup, ils prirent conscience d'un bruit qui ressemblait au bourdonnement d'une gigantesque ruche. Akitada souleva son store. Ils traversaient une immense cour pleine de monde. De chaque côté du palanquin, des moines en robe jaune balançaient des encensoirs en chantant à mi-voix. Derrière eux se pressait la foule qui bavardait et tentait d'apercevoir un peu de l'apparat accompagnant l'arrivée des dignitaires.

Sachant tous les regards fixés sur eux, leurs porteurs avancèrent d'un bon pas jusqu'au pied du grand bâtiment consacré au Bouddha, où ils déposèrent le palanquin avec des gestes pleins d'emphase qui firent s'entrechoquer les dents des deux hommes à l'intérieur.

Descendre du palanquin était une entreprise pleine de difficulté. Motosuke et Akitada sortirent l'un à la suite de l'autre en plaquant leur volumineuse tenue – longues robes à traîne et pantalons en soie amidonnés – contre leur corps, la tête inclinée pour ne pas accrocher leur couvre-chef au passage.

Le problème suivant consista à monter les larges marches jusqu'à la véranda sans se prendre les pieds dans leur interminable pantalon. Par chance, le dandinement adopté par la noblesse en tenue de cour était considéré comme élégant. Akitada transpirait abondamment lorsqu'il arriva sur la haute véranda. Son rang modeste à la capitale ne l'avait pas habitué à de telles cérémonies. Le gouverneur, nota-t-il, s'en tirait avec une aisance remarquable en dépit de son âge et de son embonpoint.

Un bonze d'une quarantaine d'années au visage pâle et aux yeux enfoncés les accueillit. Quand Motosuke prononça son nom, Kukai, l'inspecteur impérial reconnut en lui l'homme qui avait été envoyé pour apporter un réconfort spirituel à dame Tachibana dans sa cellule. Saisi d'une aversion presque physique à son égard, Akitada se détourna pour contempler la cour en contrebas.

Elle fourmillait de visiteurs, de moines et de soldats. Des estrades avaient été dressées devant le bâtiment principal, et des paravents dissimulaient à la curiosité du public les femmes de l'aristocratie ainsi que leurs servantes.

Rassuré de voir les soldats de Yukinari postés un peu partout, le jeune homme rejoignit Motosuke pour la visite du nouveau hall.

Il était immense et d'une belle architecture, pourtant Akitada écouta les commentaires de Kukai d'une oreille distraite. Ils s'arrêtèrent un moment pour effectuer les prosternations rituelles devant une gigantesque statue en bronze doré du Bouddha, et un groupe de vieux moines qui chantaient à mi-voix rappela à l'inspecteur les prisonniers du cachot souterrain. Ensuite, de jeunes et beaux garçons âgés tout au plus d'une dizaine d'années défilèrent devant eux. Vêtus de magnifiques robes en soie de toutes les couleurs, ils portaient des carillons dorés et, chaque fois que les sons clairs retentissaient, les plus jeunes souriaient ou laissaient échapper de petits rires. Leur innocence parut incongrue et irréelle à Akitada tandis qu'ils disparaissaient dans le brouillard d'encens argenté qui enveloppait le grand Bouddha. Il les suivit du regard, ahuri. Kukai le tira brutalement de sa rêverie.

— Ce sont nos plus jeunes novices, expliqua-t-il. Leurs familles nous les ont confiés.

L'aristocrate se souvint des accusations du vieux moine contre Joto et éprouva un vif dégoût. La vie monastique imposait la chasteté aux moines. Ceux-ci avaient parfois des relations entre eux, mais qu'ils en aient avec des enfants le choquait profondément. Il songea alors à son ami Tasuku, qui avait toujours aimé les femmes. Comment était-il parvenu à y renoncer définitivement ?

Ils quittèrent enfin la grande salle de prières, et Kukai les conduisit jusqu'à la haute estrade réservée aux dignitaires. Celle-ci était recouverte d'épaisses nattes tendues de brocart et protégée de la lumière agressive du soleil d'hiver par un auvent recouvert du même tissu somptueux. Akitada s'installa à la place d'honneur, encadré de Motosuke et de Yukinari. À la gauche du gouverneur, le coussin en soie destiné à Ikeda resta libre. Dès qu'ils furent assis, les autres membres de la délégation officielle prirent place derrière eux.

L'inspecteur impérial salua d'un signe de tête le jeune capitaine. Celui-ci avait belle allure. Les responsabilités qui lui avaient été confiées lui avaient rendu toute son assurance et avaient redonné des couleurs à son visage.

À leurs pieds, un orchestre de tambours, de flûtes et de cithares se mit à jouer, et des danseurs en costume montèrent sur l'estrade située au centre pour exécuter les mouvements mesurés des danses sacrées. Akitada ne cessait de lancer des coups d'œil à la tribune vide réservée au supérieur du monastère.

Puis les danseurs et la musique s'arrêtèrent. Un silence plein d'attente se fit. Alors s'éleva le tintement argenté des clochettes, attirant l'attention de tous sur le nouveau bâtiment devant lequel les enfants étaient rassemblés. Les portes s'ouvrirent lentement, et quand Joto apparut la foule se mit à applaudir à tout rompre.

Il demeura immobile pendant de longues minutes sous les acclamations avant de s'avancer jusqu'aux marches. Là, il s'arrêta de nouveau, attendit que le silence se fît, et porta ses mains jointes à ses lèvres et à son front pour accueillir et bénir l'assistance avant d'entamer sa descente. Teinte dans deux nuances de pourpre, sa robe en soie chatoyait à chacun de ses mouvements, et son étole brodée d'or et de perles étincelait au soleil.

Deux longues files de moines sortirent du hall à leur tour. Chacun tenait une perche ornée de banderoles de soie. Rejoint par Kukai et d'autres membres importants du monastère, Joto prit la tête de la procession, suivi par l'ensemble des moines, novices et acolytes – tous revêtus de leur plus belle robe, une étole colorée sur les épaules –, qui formaient les rangs derrière lui. Tout en scandant « Amida ! Amida ! », le magnifique cortège défila dans la cour avant de franchir la grande porte pour effectuer la déambulation rituelle autour du temple.

Motosuke se pencha vers Akitada.

— Avez-vous jamais vu un tel faste ? J'ai l'impression que trois convois d'or et de soie viennent de sortir par cette porte.

— Oh, il en reste encore, affirma l'inspecteur impérial d'un air sombre. Un homme de la trempe de Joto a des projets plus ambitieux qu'une simple cérémonie de consécration. (Il se tourna vers Yukinari et lui glissa à voix basse :) Le moment est venu de libérer les prisonniers. Où est Tora ?

— Il a emmené quelques-uns de mes meilleurs hommes aux entrepôts. S'ils trouvent l'accès à la prison souterraine, ils auront largement le temps d'agir avant le retour des moines. Tora nous fera signe quand ils auront réussi.

Jusque-là, leur plan se déroulait comme prévu. Derrière l'enceinte du monastère s'élevaient les chants et le carillon des cloches. Bien que les moines fussent encore loin d'avoir achevé leur tour, Akitada ne pouvait s'empêcher d'être tendu.

Pour que la foule ne s'impatiente pas durant cette attente, les musiciens et les danseurs recommencèrent leur spectacle tandis que quelques jeunes novices apportaient des jus de fruits à la délégation officielle. Le bel enfant qui servit l'inspecteur n'avait pas plus de six ou sept ans. Après être parvenu à remplir sa coupe sans renverser une seule goutte, il eut un petit rire de ravissement et adressa au jeune noble un sourire radieux qui révélait quelques vides, à l'emplacement des dents manquantes.

Au bout d'un moment, la tête de la procession reparut. Le long cortège serpenta jusqu'à la tribune à laquelle accédèrent Joto et les dignitaires du temple. Dès qu'ils furent installés, Kukai commença la lecture du sutra. Dispersés dans la cour, les autres moines lui répondaient en chœur.

Les discours de Motosuke et Akitada devaient suivre. Magnifiquement emballés, les cadeaux officiels qu'ils avaient apportés – rouleaux de soie, robes, coffrets à sûtra et chapelets – étaient disposés au pied de leur estrade.

En tant qu'émissaire impérial, Akitada devait être le premier à féliciter Joto ; ses intentions étaient bien différentes. Toutefois, la suite des événements dépendait de Tora, car la libération des prisonniers était cruciale au bon déroulement de leur entreprise. Or il n'était toujours pas revenu donner le signal convenu. Sentant l'angoisse l'envahir, le jeune noble se tourna vers Seimei et lui adressa un signe de tête. Le vieux serviteur se leva alors sans bruit et partit en direction des cuisines.

Seimei marchait d'un air décidé, comme un homme qui se rend aux latrines. À son grand soulagement, il ne croisa pas grand monde près des cuisines, et il n'y avait pas un seul moine en vue. S'efforçant de se rappeler le plan général du monastère, il se dirigea vers le portail qui s'ouvrait dans le mur du nord.

La cour suivante était déserte. Seimei supposa que le grand bâtiment devant lui était l'entrepôt qui contenait les hallebardes. C'était à cet endroit qu'il aurait dû trouver Tora et les soldats venus libérer les moines prisonniers, mais il n'y avait personne. Comme il approchait de l'entrepôt principal, un bruit à l'intérieur attira son attention. Tora, se dit-il avec un soupir de soulagement. Il ouvrit la porte et vit bouger une ombre.

— Qui est là ? chuchota-t-il nerveusement, soudain pris d'un doute quant à l'identité de la personne qu'il avait cru apercevoir.

Seimei n'obtint pas de réponse, mais il lui vint brusquement à l'esprit que sa mission n'était pas sans danger. Un ou plusieurs moines s'étaient peut-être dissimulés derrière ces tonneaux, prêts à se jeter sur lui pour le tuer. L'espace d'un instant, il envisagea d'enfermer celui ou ceux qui se cachaient, mais il se rappela ses instructions : il devait découvrir ce qui s'était passé et avertir son maître.

Le vieux serviteur pénétra prudemment dans l'entrepôt et scruta la longue rangée de barriques et de paniers. Des ballots de *naginata* avaient été déroulés, et certaines gisaient sur le sol. Les jambes tremblantes, il s'avança sur la pointe des pieds et regarda par-dessus les tonneaux. Un homme vêtu d'un habit bleu identique au sien était accroupi derrière le plus éloigné. Tora portait lui aussi une telle robe, mais ce ne pouvait être lui. Il n'avait aucune raison de se cacher, à moins qu'il n'ait décidé de lui jouer un tour.

Seimei se rapprocha un peu puis, rassemblant tout son courage, bondit en avant et saisit l'homme par le col.

— Qu'est-ce que tu fabriques ? Tu ne m'as pas entendu… (Stupéfait, il s'interrompit et lâcha prise.) Je vous demande pardon, messire.

Le préfet se leva. Malgré sa pâleur, il jaugea calmement la mince silhouette voûtée du vieux serviteur.

— Ah, c'est toi. J'allais partir, fit-il en progressant discrètement vers la porte. Il semble que Joto ait stocké des marchandises de contrebande ici. Tora et des soldats sont passés tout à l'heure. Je m'assurais juste qu'ils n'avaient rien négligé d'important.

Seimei lui barra la route.

— Je ne vous crois pas. Vous vous cachez ici parce que vous êtes recherché pour le meurtre du seigneur Tachibana.

Ikeda s'arrêta et sourit.

— Oh, ça ! Cette affaire a été tirée au clair. Je n'ai rien à voir là-dedans.

— C'est faux ! s'écria le serviteur. Inutile de me prendre pour un imbécile. Je sais très bien que vous êtes un fugitif.

En prononçant ces mots, il comprit la mort dans l'âme qu'il allait être obligé de donner l'alerte pour faire appréhender Ikeda. Or un tel incident était la dernière chose que souhaitait son maître dans les circonstances présentes. Seimei se redressa donc d'un air important et, le regard mauvais, annonça au préfet :

— Vous êtes en état d'arrestation.

Étrangement, Ikeda ne répondit rien. Il souriait, immobile, comme s'il attendait la suite. Désemparé, le serviteur jeta un œil autour de lui et finit par marmonner :

— Je ferais bien de chercher de quoi vous ligoter.

Il repéra un rouleau de corde près d'un tonneau, mais lorsqu'il se pencha pour le ramasser le préfet se précipita vers la porte. Par chance, il avait mal calculé son coup et heurta de plein fouet Seimei, qui s'était jeté en travers de son chemin. Tous deux tombèrent en arrière, essoufflés. Le serviteur se palpa l'épaule gauche pour vérifier qu'elle n'avait rien.

— Ah non ! Ne croyez pas que vous allez vous enfuir comme ça ! lâcha-t-il d'une voix sifflante.

— Écarte-toi, grand-père ! ordonna Ikeda avec hargne, en se frottant le bras.

Seimei était désespéré. Si jamais le préfet s'échappait, il préviendrait Joto. Qu'adviendrait-il alors de Tora et des soldats ? Il décida de gagner du temps.

— Mais je croyais que vous souhaitiez avoir l'occasion de vous expliquer, messire.

— Quel idiot tu fais ! J'ai été obligé de tuer Tachibana. Il allait ruiner nos plans. (Il toisa le serviteur de la tête aux pieds et ajouta avec un sourire déplaisant :) Vieillesse n'est pas toujours synonyme de sagesse. Il va falloir que je te tue, toi aussi.

Se réfugiant derrière un tonneau, il y plongea le bras, et une pluie de haricots se répandit sur le sol.

Que cherchait-il donc là-dedans ? s'interrogea Seimei, qui fit quelques pas en direction de l'entrée sans le quitter des yeux. Avec un grognement de satisfaction, Ikeda sortit soudain un sabre dont la lame neuve luisit cruellement dans la faible lumière. Quand il commença à avancer vers le vieux serviteur, ce dernier regarda autour de lui avec désespoir. Découvrant une *naginata* à ses pieds, il s'en empara et chancela sous son poids. Hélas, il ignorait tout du maniement de cette arme trop lourde pour lui.

— Qu'essayes-tu de faire avec ça, grand-père ? ricana Ikeda.

Seimei étreignit la hallebarde avec force et tenta de se rappeler certains mouvements qu'il avait vu Tora et son maître exécuter pendant leur exercice quotidien au bâton. S'il ne parvenait pas à se servir du fer tranchant, peut-être pourrait-il au moins frapper son adversaire avec le bois. Prenant la *naginata* à deux mains, il s'écarta de quelques pas en sautillant, mais il glissa sur les haricots et atterrit durement sur le sol.

Ikeda éclata de rire. Rouge de colère, le serviteur se releva tant bien que mal. Il rassembla toutes ses forces et ramassa l'arme d'un mouvement ample. À sa grande stupéfaction, la puissance de son geste et le poids de la hallebarde le firent tourner comme une toupie. Il évita la chute de justesse et parvint à s'arrêter. Pris de vertige, il chercha le préfet du regard.

Ce dernier, qui avait assisté à la scène, éclata de rire à nouveau et se plia en deux. C'en fut trop pour Seimei : soulevant la hallebarde avec effort, il chargea.

Ikeda cessa de rire, s'écarta d'un bond et leva son sabre. À cet instant précis, quelqu'un s'encadra dans l'entrée, bloquant la lumière.

Comme le préfet tournait la tête dans cette direction, le vieux serviteur corrigea maladroitement sa trajectoire et abattit sa *naginata* de toutes ses forces. L'extrémité en bois atteignit Ikeda à la tête et le fit s'effondrer à terre où il demeura étendu, inerte comme un sac de grain ; un filet de sang s'échappait de son nez.

— Par le Bouddha ! s'exclama une voix étranglée. C'est bien toi, Seimei, ou mes yeux m'ont-ils joué un tour ?

Les doigts privés de force, le vieux serviteur lâcha son arme.

— Tora ! Où étais-tu donc passé ? chuchota-t-il. Je… J'ai été obligé de l'assommer. Il allait me tuer. (Au bord de l'évanouissement, il s'assit sur un tonneau.) Le maître m'a envoyé voir si tout se déroulait comme prévu, et je suis tombé sur lui.

Regardant le corps immobile du préfet, il frissonna.

— Par le grand Amida, je n'avais jamais rien vu d'aussi beau, déclara Tora. Qui aurait cru que tu étais capable d'une telle action ? Laisse-moi te congratuler.

Il se pencha pour serrer Seimei dans ses bras et le souleva. Le vieil homme se débattit et lui envoya des coups dans les tibias.

— Lâche-moi, enfin ! Et dépêche-toi de le ligoter avant qu'il revienne à lui.

— Bon, eh bien tu peux annoncer au maître que nous avons libéré les prisonniers, dit Tora en le reposant sur le sol.

Puis il s'approcha d'Ikeda et lui envoya son pied dans les côtes. En l'absence de toute réaction, il se pencha pour poser une main sur sa gorge.

— On dirait bien que tu as tué cette ordure d'assassin. Tu t'es servi de cette *naginata* comme un véritable soldat. Pourquoi m'as-tu toujours caché que tu savais te battre ?

Seimei blêmit. Les yeux rivés sur le visage du préfet, il sentit la nausée s'emparer de lui.

— Il est mort ? Je reviens, marmonna-t-il en se dirigeant vers la porte.

Une fois dehors, il vomit. Tora le suivit sans se départir de son large sourire, le sabre d'Ikeda à la main.

— C'est incroyable ! Quand je pense qu'ils ont dissimulé les sabres dans les tonneaux de haricots et que nous n'avons même pas eu l'idée d'y jeter un œil !

Seimei frissonna et se tamponna la bouche avec sa manche.

— Verrouillons cette porte et partons.

Tora claqua la porte derrière eux. Soudain grave, il lança :

— Je te laisse me précéder. Je vais aider ces malheureux.

Le vieux serviteur regarda de l'autre côté de la cour et vit cinq ou six soldats de Yukinari qui portaient ou soutenaient des créatures sales et en haillons dont l'apparence évoquait davantage des squelettes que des êtres humains.

— Oh, comme c'est terrible ! s'écria-t-il, oubliant momentanément sa propre rencontre avec la mort. Oui, va les aider.

Et il s'éloigna d'un pas mal assuré, les tripes retournées à l'idée d'avoir tué un homme.

Akitada saisit son habit et se leva. L'air hivernal glaçait son visage couvert de sueur. Sur la tribune, Joto discutait avec un moine passablement agité qui ressemblait à la brute à l'oreille mutilée qu'ils avaient vue parader sur le marché avec deux autres religieux le jour de leur arrivée. Le supérieur regarda l'inspecteur impérial, puis ce fut au tour de l'inconnu. Ce dernier lui jeta un coup d'œil mi-triomphant, mirailleur qui lui fit l'effet d'une véritable agression.

Près de la porte principale, les soldats de Yukinari se préparaient à bloquer toutes les issues. La garde du gouverneur, elle, se rapprocha discrètement de leur estrade. Le moment était venu. Si Akitada ne mettait pas son plan à exécution, il perdrait son unique occasion d'agir.

Portant la bannière impériale, un garde vint se placer en contrebas, à la verticale de l'inspecteur impérial. Visiblement décontenancé par leur attitude, Joto avait reporté son attention sur les soldats.

Au comble de l'indécision, Akitada vit la foule commencer à chuchoter et à s'animer. Seimei se détacha alors des spectateurs et lui adressa un signe affirmatif de la tête. Le jeune noble retint son souffle. Un instant plus tard, Yukinari se leva et quitta l'estrade. Le sort en était jeté.

Petit à petit, le silence se fit dans la cour. Akitada tira de sa manche le décret impérial et le brandit bien haut afin que tout le monde puisse voir les sceaux dorés et les cordons pourpres. Un roulement de tambour précéda son annonce.

— Écoutez les paroles impériales ! tonna le porte-bannière.

Dans la cour, les gens s'agenouillèrent et se prosternèrent jusqu'à terre.

D'une voix relativement ferme, le jeune noble lut les instructions impériales qui lui donnaient tout pouvoir pour enquêter et poursuivre en justice. Puis il enroula la missive et déclara :

— Vous pouvez vous lever. L'enquête qui m'a été confiée est maintenant achevée. Les scélérats qui ont détourné les trois convois et assassiné ceux qui les gardaient ont été démasqués.

Un murmure d'excitation traversa la foule.

Akitada regarda la tribune et hésita : Kukai n'avait pas bougé, mais Joto avait disparu. Écartant momentanément ce nouveau sujet d'inquiétude, il annonça :

— Les coupables se cachent dans ce temple.

Après un rappel des faits et un bref réquisitoire contre Joto et ses partisans, il marqua un temps d'arrêt.

La foule avait d'abord écouté dans un silence choqué, mais elle était à présent gagnée par la panique. Les quelques moines qui tentèrent de s'enfuir furent maîtrisés par les soldats. Çà et là, de petites rixes éclatèrent.

— Silence ! cria le porte-bannière, sans résultat.

Le visage grave et tendu, Motosuke vint se poster aux côtés d'Akitada. Enfin, celui-ci aperçut Yukinari et Tora. Le capitaine leva un bras et une double rangée de soldats s'avança au pas. La foule recula et se tut brusquement quand elle découvrit le petit groupe pitoyable des religieux libérés. Deux soldats portaient l'ancien supérieur sur une civière.

Couverts de crasse et de plaies, les vieux moines, qui tenaient à peine sur leurs jambes, se protégeaient les yeux du soleil. Lorsqu'ils arrivèrent devant l'estrade des dignitaires et que les soldats posèrent la civière où gisait le supérieur à demi conscient, les mouvements de foule cessèrent.

— Regardez comment Joto a traité les saints hommes de ce monastère, déclara Akitada. En tant que représentant de Son Auguste Majesté et avec votre appui et celui du gouverneur, je veillerai à ce que la justice règne de nouveau dans cette province. Joto, Kukai et tous leurs complices sont en état d'arrestation.

Une plainte parcourut la foule. Nombreux étaient ceux qui avaient perdu des proches suite à la disparition des convois.

Soudain, un cri s'éleva de la tribune. Bras levés, Kukai harangua les fidèles :

— Ne vous fiez pas aux ennemis de Bouddha ! Ils sont venus détruire la vraie foi et vous renvoyer à la misère. C'est un complot contre notre saint supérieur.

Il se retourna vivement et pointa un doigt accusateur sur Akitada et Motosuke :

— Les voilà, vos criminels ! Voici l'homme qui a rempli ses coffres avec vos impôts pour acheter à sa fille une place de concubine auprès de l'empereur. Voilà le fonctionnaire qui a été envoyé de la capitale pour dissimuler les crimes de la noblesse avec la bénédiction des autorités. Il ose même se servir d'un moine malade et sénile contre nous. Laisserez-vous commettre cette vile action ou allez-vous défendre votre foi ?

La foule hésitait. Tout à coup, une femme poussa un cri. Les soldats commencèrent à refouler les spectateurs les plus menaçants, et la marée humaine se mit à bouillonner. Atterré, Akitada tenta d'élever la voix, mais elle lui manqua.

— Au nom de l'empereur, dégagez la cour ! cria Motosuke.

— Dégagez la cour ! répéta le porte-bannière.

— Rentrez chez vous pleurer la mort de vos fils, de vos pères, de vos époux et de vos frères qui ont été odieusement massacrés par Joto et ses hommes, et laissez les autorités rétablir la justice dans cette province ! mugit le gouverneur.

Pendant un moment, l'issue parut incertaine, puis une femme se mit à pleurer. D'autres se joignirent bientôt à elle, et la foule s'ouvrit. Ceux qui se trouvaient sur les côtés se dirigèrent vers l'entrée principale, et ceux qui s'étaient avancés pour en découdre reculèrent. Les soldats dispersèrent les attroupements et rassemblèrent les moines.

Après avoir replacé le décret impérial dans sa manche, Akitada reprit sa place, les mains et les genoux agités de tremblements. Motosuke demeura debout un peu plus longtemps avant de l'imiter. Tous deux gardèrent le silence. Yukinari dirigeait ses hommes au milieu de la foule tandis que les gardes de la province escortaient femmes et enfants jusqu'à l'entrée. Comme la cour se vidait, les soldats entreprirent de regrouper les moines en un seul endroit. Il n'y avait toujours aucune trace de Joto.

C'est alors que Seimei vint les trouver en trébuchant. Akitada se leva aussitôt.

— Qu'y a-t-il, Seimei ? Tu es malade ?

Le serviteur s'essuya le visage d'une main tremblante.

— Non, messire. Je… j'ai surpris Ikeda et… J'ai été obligé de le tuer, sinon il aurait prévenu le supérieur.

Motosuke en resta bouche bée.

— Tu as tué Ikeda ? Tout seul ? dit-il enfin.

— Je ne l'ai pas fait exprès, messire. Je l'ai frappé à la tête avec une hallebarde. (Il frémit.) Je n'avais jamais tué un homme de ma vie. C'était horriblement facile. Que les dieux me pardonnent.

Akitada passa un bras autour de ses épaules pour le réconforter.

— Tu as fait ce qu'il fallait. Nous te sommes très reconnaissants. Ikeda était un meurtrier et un traître. Si tu ne l'avais pas arrêté, beaucoup d'innocents seraient morts aujourd'hui. Grâce à toi, nous avons évité qu'un dangereux complot aboutisse.

— En effet, en effet, approuva Motosuke en tapotant le serviteur dans le dos. Quel courage ! On ne va parler que de toi ! Et je ne manquerai pas de mentionner ton nom dans mon rapport à l'empereur.

Seimei cligna des yeux.

— Merci, messire, murmura-t-il. Ce n'était rien, vraiment.

19

LE CHAPELET

Akitada et Motosuke, suivis de la délégation officielle, firent une visite d'inspection des galeries, des cours et des entrepôts, et tous jetèrent un œil horrifié sur la grille d'aération qui donnait sur la prison souterraine. Les militaires s'étaient rendus maîtres des lieux et les saluaient chaque fois qu'ils passaient devant eux.

Yukinari et Tora s'arrêtèrent devant les appartements du supérieur. Laissant le reste du groupe le précéder, Akitada demanda au capitaine :

— A-t-on retrouvé Joto ?

— Pas encore. (Yukinari se mordit la lèvre.) Jamais je ne me le pardonnerai, Excellence. Si je l'avais eu à l'œil, ce ne serait pas arrivé. Les gardes en faction devant son estrade ont été distraits quand quelques civils s'en sont pris à eux, et pendant la bagarre, personne n'a surveillé les marches derrière la tribune.

— Tant pis ! Il n'a pas pu aller bien loin. D'autres nouvelles ?

— Vous êtes au courant, pour Ikeda ? s'enquit Tora. (Comme son maître acquiesçait, il eut un large sourire.) Ce vieux Seimei ! Il n'a pas sourcillé quand il lui a réglé son compte. Un bon coup au sommet du crâne. (Il rit bruyamment.) Et nous avons attrapé la brute à l'oreille mutilée. Il rôdait à l'arrière du monastère. Figurez-vous que c'est lui, le bâtard qui nous a échappé au temple de Kannon, il a participé à l'assassinat d'Higekuro. Apparemment, c'est un personnage important, ici. Il sait peut-être où est Joto.

— Ils se sont parlé pendant la cérémonie, en tout cas. (Akitada fronça les sourcils.) Qu'en est-il de Gennin et des moines emprisonnés ?

Tora perdit brutalement son entrain.

— Les malheureux ! J'aimerais bien mettre la main sur ce chien d'hypocrite de Joto ! Ils sont à moitié morts. Certains d'entre eux n'avaient pas vu la lumière du jour depuis des années. Ils étaient tellement aveuglés que nous avons dû les guider. Et il y en avait parmi eux qui ne pouvaient même plus marcher. Et encore, je vous parle des chanceux. L'endroit est rempli des tombes que les survivants ont creusées de leurs mains. Le vieux supérieur est en mauvais état, il est trop faible pour parler. Les autres ne sont guère plus vaillants. J'en ai trouvé trois qui sont prêts à raconter leur histoire.

Motosuke les rejoignit à ce moment-là.

— C'est épouvantable, murmura-t-il. Quand je pense que personne ne savait !

Akitada soupira.

— Nous irons leur parler plus tard. Et les enfants, où sont-ils ?

— Les jolis petits garçons de Joto ? (Tora roula des yeux dégoûtés et désigna le bâtiment devant eux.) Je suppose qu'ils sont en train de jouer à la toupie dans ses appartements.

— Leurs familles doivent être inquiètes, observa le gouverneur.

— C'est un peu tard pour ça, répliqua amèrement Akitada. Ils auraient dû y réfléchir à deux fois avant de les confier aux moines. (Devant la surprise de

Motosuke, il chercha à adoucir ses propos.) Je sais que c'est une pratique courante, mais il me semble qu'à un âge aussi tendre... S'ils avaient vécu un peu plus longtemps dans une famille aimante...

Embarrassé, il s'interrompit. Non seulement lui-même n'avait pas passé son enfance au sein d'un foyer chaleureux, mais il n'était guère avisé, d'un point de vue politique, de révéler ses préjugés à l'égard du bouddhisme.

Tora lui donna une tape dans le dos.

— Déridez-vous ! Nous avons réussi, non ? Ils vont rentrer chez eux, et nous boirons à notre chance plus tard.

Le gouverneur prit l'inspecteur impérial par le bras et l'entraîna à l'écart.

— Je reconnais, grand frère, que votre homme est tout à fait capable, mais il a des manières pour le moins singulières. Je suis sûr que cela doit choquer tous les autres. Il ne s'agenouille pas, ne s'incline pas, ne sait absolument pas s'adresser à vous ou répondre à un ordre dans les formes. Vous feriez bien de lui en parler, vous ne pensez pas ?

Akitada trouva l'idée amusante.

— Je ne crois pas être en mesure de changer Tora, dit-il. Et puis, tout ce protocole fait perdre beaucoup de temps.

À cet instant, un soldat accourut vers Yukinari. Après un bref échange, le capitaine se tourna vers Akitada et Motosuke.

— Pardonnez-moi de vous interrompre, mais il y a un problème pour rendre les enfants à leurs parents.

— Que voulez-vous dire ? s'étonna le gouverneur.

— Ils sont enfermés dans une pièce et personne n'a la clé. Les parents sont furieux et menacent d'enfoncer la porte.

— Enfermés ? répéta l'inspecteur impérial, l'estomac noué. Quand a-t-on vu ces enfants pour la dernière fois ?

— Je l'ignore, Excellence. J'ai ordonné à l'un de mes hommes de les regrouper dans les appartements du supérieur dès que nous avons commencé à rassembler les moines, mais ensuite…

Tora les rejoignit et Akitada échangea un regard avec lui.

— Par tous les dieux du ciel, faites que je me trompe, marmonna-t-il, sentant la nausée le gagner. Viens, Tora.

Ils remontèrent la galerie couverte qui menait aux appartements de Joto en courant. Un petit groupe de gens s'était massé devant une double porte : sans cesser de crier, ils frappaient et grattaient les lourds panneaux en bois. Lorsqu'ils aperçurent l'inspecteur impérial et son serviteur, ils reculèrent, affolés.

— Nous allons ouvrir cette porte dans un instant et vos enfants vont vous rejoindre, mais je vous prie d'aller les attendre dehors.

— Je n'irai nulle part ! fulmina un jeune homme aux yeux rageurs. Je veux mon fils, et je tuerai tous les crânes rasés qui ont posé la main sur lui.

Une femme fondit en larmes.

— Très bien, fit Akitada dans un soupir. Restez ici, mais tenez-vous tranquilles. Tora, peux-tu crocheter la serrure ?

Le serviteur acquiesça et tira son fil métallique de sa ceinture.

— J'ai failli ne pas le prendre ce matin, fit-il observer en se mettant au travail. Je trouvais que ça n'allait pas avec ma belle tenue.

Un déclic se fit entendre, et il poussa la porte.

Une scène étrange s'offrit à eux. Toujours vêtu de sa robe de soie pourpre et de son étole richement brodée, Joto trônait dans son fauteuil, sur une estrade. À ses pieds se serraient les enfants, qui fixèrent les arrivants avec des yeux stupéfaits. Sur les genoux du supérieur était assis le plus jeune garçon, celui-là même qui avait servi un jus de fruits à Akitada un peu plus tôt. Le chapelet en grains de quartz rose de Joto était enroulé autour de son petit cou.

Avant que quiconque ait pu prononcer un mot, le père furieux écarta rudement Tora et son maître pour se précipiter vers Joto en criant :

— Espèce de démon, je vais te montrer…

Akitada et son serviteur se jetèrent en avant pour le retenir. Derrière eux, les autres parents se bousculèrent pour entrer, et le jeune noble regretta amèrement de les avoir autorisés à rester.

— C'est très avisé, déclara la voix odieusement onctueuse de l'imposteur. Je vois que vous comprenez la situation.

Joto fit un geste, et le rosaire se resserra autour du cou du garçonnet, qui poussa un cri de frayeur.

— Je tuerai cet enfant si l'un de vous s'approche.

Des cris étranglés retentirent derrière Tora et Akitada. L'homme qu'ils retenaient se contorsionna désespérément.

— Viens ici, Tosuke ! cria-t-il.

Un garçon se redressa lentement avant de courir vers lui. Agrippé à la jambe de son père, il éclata en sanglots.

— Je veux rentrer à la maison, brailla-t-il.

L'instant d'après, tous les enfants, à l'exception du garçonnet assis sur les genoux de l'usurpateur, foncèrent vers leurs parents. Dans le tumulte qui s'ensuivit, Joto se leva et recula de quelques pas en serrant plus étroitement encore son otage.

Quand Akitada et Tora relâchèrent le père de Tosuke, celui-ci prit son fils dans ses bras et s'enfuit. Joto, lui, n'affichait plus le même détachement. Le visage empourpré, il enserrait de sa main libre le cou du garçonnet qui se débattait.

— Je vais le tuer, articula-t-il.

— Tora, fais sortir tout le monde ! ordonna son maître. Referme la porte derrière toi et garde-la bien.

Le jeune homme lui obéit sur-le-champ et poussa parents et enfants dehors. Le silence retomba dans la pièce, et Joto regagna tranquillement son fauteuil. Le visage du petit garçon avait viré au mauve. Le moine était en train de l'étrangler avec son rosaire.

— Relâchez l'enfant, lui dit Akitada. Il n'est pas responsable de votre situation.

— Vous allez m'arrêter ? demanda Joto en plissant les yeux.

— Vous aurez à répondre de certaines accusations, oui.

— Je n'ai pas l'intention de vous faciliter la tâche.

Il relâcha brusquement son étreinte sur le cou de l'enfant. Celui-ci chercha à reprendre son souffle, toussa, puis se mit à gémir. Soudain, il poussa un hurlement qui fit dresser les cheveux d'Akitada.

— Tais-toi, espèce de petit animal ! ordonna le moine.

Il administra une violente gifle au garçonnet, qui poussa un petit cri et se tut, les yeux écarquillés de terreur. Les doigts de Joto laissèrent des marques blanches sur son visage strié de larmes.

— Vous êtes un monstre ! gronda l'inspecteur impérial en serrant les poings.

— Disons plutôt que j'ai décidé de mettre ma vie en balance avec la sienne, rétorqua Joto avec froideur. (Il assura sa prise et attrapa de nouveau les grains du chapelet.) J'ai constaté que mes prétentions l'emportaient sur les siennes. Qu'a-t-il à offrir à l'humanité avec ses sept ans d'existence ?

Il tourna le visage de l'enfant vers lui et poursuivit :

— Sa peau va devenir rêche et ses joues douces vont perdre leur rondeur. Ses lèvres rouges ne procureront plus de réconfort, et sa voix charmante deviendra commune et bourrue. Il ne servira plus à rien. Tandis que moi, il me reste encore à laisser mon empreinte sur cette nation. Sans vous, je serais maintenant sur le chemin du pouvoir, comme conseiller spirituel et temporel de ce pays.

— Son Auguste Majesté ne traite pas avec des moines armés qui le volent et tuent ses sujets.

— Comme je l'ai dit, sans votre intervention, je ne serais pas dans cette situation. Mais il a fallu que vous mettiez le nez dans mes affaires. Nous n'avons sacrifié que quelques porteurs et quelques soldats, c'est une perte mineure en regard d'une entreprise de cette ampleur. Quand vous êtes arrivé, Tachibana est devenu une menace. Pourtant, même à ce moment-là, si Ikeda n'avait pas fait preuve d'une telle négligence, les femmes n'auraient jamais posé problème. (Joto laissa sa voix s'éteindre, puis reprit subitement :) Mais tout n'est pas perdu. J'ai des amis partout. Dans l'immédiat, je quitterai la Kazusa et après quelques années de voyage et de méditation, qui sait ?

— Ne soyez pas ridicule. On ne vous laissera pas partir.

Le moine eut un sourire déplaisant.

— Vous avez beaucoup d'affection pour les enfants, c'est très inhabituel. Prenez ce petit bonhomme, par exemple. Tout à l'heure, il m'a dit que vous lui aviez souri et il en tirait une absurde fierté. N'est-ce pas, Tatsuo ? Tu aimes bien le gentilhomme, pas vrai ?

Le garçonnet déglutit. Ses grands yeux se remplirent de larmes, et il chuchota :

— Emmenez-moi, messire. Je serai bien sage, c'est promis.

— Laissez-le partir ! exigea Akitada d'un ton rude. Je ferai ce que je peux pour vous.

Joto eut un petit rire.

— Non, non, non, vous allez me relâcher. Et vous allez me donner un sauf-conduit pour quitter la province.

— Je ne puis faire cela.

— Dans ce cas, il va mourir.

Le chapelet se resserra soudain autour de la gorge de l'enfant, qui ouvrit la bouche et battit l'air de ses mains.

— Non ! hurla Akitada.

Il fit un pas en avant et s'arrêta net. Jamais il n'arriverait à temps.

Joto relâcha légèrement le rosaire. Quand le garçonnet chercha à reprendre son souffle et à agripper les grains, le moine eut un petit rire.

— Pourquoi prolongez-vous ses souffrances ?

Akitada réfléchit à toute allure, mais aucune solution ne se présenta à lui.

— Très bien, dit-il, vaincu. J'accepte. Laissez-le partir, maintenant.

— Ne me prenez pas pour un imbécile, répliqua l'autre. Lui et moi ne nous séparerons que lorsque je serai en sécurité.

— Relâchez l'enfant. Il est malade. Je prendrai sa place comme otage.

Joto fit non de la tête.

Au désespoir, Akitada se dirigea vers la porte pour organiser le départ du moine. Il tenta de ne pas penser au rapport qu'il ferait à ses supérieurs et se concentra sur les différents moyens de libérer l'enfant. Avant même qu'il ait posé la main sur la poignée, la porte s'ouvrit à toute volée. Sur le seuil se tenait une jeune femme aux yeux hagards. Elle était pâle et semblait épouvantée. Quand elle aperçut le petit garçon, elle s'écria :

— Tatsuo !

— Maman ! gémit l'enfant.

Les événements qui suivirent se déroulèrent à toute vitesse. La femme passa devant l'inspecteur impérial en courant, et Joto se redressa brusquement, renversant son fauteuil.

— N'approchez pas ! hurla-t-il.

Akitada essaya de l'arrêter en la retenant par la manche, mais elle se dégagea si brutalement que le tissu se déchira. Le moine, lui, recula jusqu'au mur du fond avec sa petite victime.

— Si vous approchez, je le tue ! aboya-t-il.

Mais la femme n'écoutait plus. À l'instant où elle toucha le corps de son fils, une secousse agita le bras de Joto. Il y eut un craquement, et les grains roses du chapelet s'échappèrent sur le tatami comme des grêlons sur un toit de chaume. Le garçonnet tomba mollement dans les bras de sa mère. Elle se leva et le tint délicatement contre elle en lui chuchotant des paroles tendres.

L'espace d'une seconde, Akitada éprouva un immense soulagement et fut rempli de gratitude envers le destin qui avait sauvé l'enfant en rompant le rosaire. Puis il vit la façon dont sa tête retombait en arrière et ses yeux sans vie tournés vers le ciel. Au comble du chagrin, il fut pris d'un accès de rage folle et saisit l'assassin à la gorge pour l'étrangler. Tandis qu'il commençait à serrer, leurs yeux se croisèrent, et chacun soutint le regard de l'autre pendant ce qui parut une éternité. L'inspecteur comprit alors qu'il ne pouvait pas tuer Joto et que ce dernier en était parfaitement conscient.

— Pourquoi ? sanglota Akitada en secouant le religieux. Pourquoi ? Je vous aurais laissé partir.

L'autre se contenta de le fixer en silence. Avec une exclamation de dégoût, le jeune noble l'écarta violemment et se détourna.

La femme berçait toujours son fils en lui fredonnant une chanson. Au bout d'un petit moment, elle fronça les sourcils d'un air inquiet.

— Tatsuo ? Ne t'endors pas maintenant, mon petit moineau. Dis quelque chose à ta mère, implora-t-elle.

Dieux du ciel, songea Akitada. Qu'ai-je fait ? Il se précipita vers la porte pour appeler à l'aide.

Dehors, Tora, Motosuke et les autres dignitaires attendaient avec angoisse ; leur espoir s'évanouit quand ils virent son visage.

— Il a tué l'enfant, annonça-t-il d'une voix dure.

Son serviteur fut le premier à réagir. Il prit un sabre à l'un des soldats et se dirigea vers Joto.

— Il va nous falloir des chaînes, lança-t-il par-dessus son épaule.

Soudain, la femme poussa un cri qui resterait à jamais gravé dans la mémoire d'Akitada. Elle posa tendrement son fils mort sur le sol et s'avança d'un pas mal assuré vers Tora et le moine. À mi-chemin, elle chancela et faillit tomber. Tora bondit en avant pour la rattraper.

Il ne fut pas assez rapide. Elle passa sous son bras, lui arracha son sabre et le leva à deux mains. Joto jeta un cri perçant et se protégea le visage derrière ses bras. Lorsque la mère de Tatsuo le frappa, le sabre fut dévié du visage, mais il lui trancha l'avant-bras. Le sang se mit jaillir à flots, éclaboussant tout, et le supérieur hurla. La deuxième fois, elle enfonça profondément la lame dans sa poitrine. Joto écarquilla les yeux, émit un gargouillis, puis tomba après une ultime convulsion. Du sang déborda de sa bouche et ses yeux devinrent vitreux.

Avant que Tora ne puisse l'en empêcher, la femme sortit l'arme de son corps et embrocha une nouvelle fois le cadavre.

Son serviteur retrouva Akitada devant l'immense statue du Bouddha, dans la grande salle des prières faiblement éclairée. Il fixait le visage lisse et doré à l'expression lointaine.

— Messire ?

Il ne répondit pas. Tora soupira et traîna les pieds.

— Un certain lieutenant Nakano désire vous parler.

— Dis-lui de s'en aller.

— Nakano a reconnu l'un des moines.

— Laisse-moi, Tora !

Le serviteur hésita, puis lâcha :

— L'homme qu'il a reconnu est l'ancien lieutenant de la garnison. Il s'appelle Ono. Il a dirigé l'un des convois, et on le croyait mort. Et maintenant, on le retrouve dans la bande de Joto.

Akitada se retourna. Tora paraissait inquiet.

— Va en informer le gouverneur, dit-il d'une voix lasse. Mais par le Bouddha et par l'âme de tes parents, laisse-moi seul, à présent !

Il se replongea dans la contemplation de la statue. Au bout d'un moment, il entendit les pas du serviteur s'éloigner, et le silence se fit dans la pénombre du grand hall.

Les lèvres du Bouddha étaient douces, pleines et bien dessinées, comme celles de l'enfant. Mais le Bouddha ne souriait pas. Ses yeux regardaient vaguement en direction d'Akitada, et ils semblaient terriblement lointains. À la lueur vacillante des chandelles et des lampes à huile, on avait l'impression que la statue respirait.

— Pourquoi l'enfant, Amida ? chuchota le jeune homme. Pourquoi détruire la graine avant que la plante n'ait fleuri et porté des fruits ?

Il n'y eut pas de réponse. Certains croyaient que le Bouddha était partout, dans toutes les créatures, en chaque homme. D'autres invoquaient son nom encore et encore dans l'espoir qu'il se manifeste ou pour s'assurer une place au paradis. Le petit garçon avait passé ses journées à chanter. Était-il monté au paradis ? Et Joto ? Lui aussi avait loué Amida. Quel était donc cet endroit, cet enfer où les gens luttaient, aimaient dans la douleur et priaient des dieux indifférents dans l'espoir d'une vie meilleure ?

Soudain, une mite surgie de nulle part vola droit sur la flamme d'une chandelle et périt dans un grésillement bref, ne laissant que des ailes carbonisées et une petite trace de fumée.

La femme allait être jugée pour le meurtre de Joto. Peut-être que, toute à son chagrin, elle s'en moquait. Son mari était venu contempler le corps sans vie de leur fils, et les larmes avaient ruisselé en silence sur ses joues. Il avait enlacé son épouse avec une expression d'amour et de désespoir, il lui avait chuchoté des mots tendres, l'avait suppliée de penser à ses autres enfants, à lui, à leurs vieux parents. Mais elle s'était murée dans un silence absolu et n'avait même pas réagi quand les soldats l'avaient emmenée.

Les femmes étaient parfois des créatures féroces qui vivaient selon leurs propres règles, incompréhensibles pour les hommes. Ceux-ci obéissaient à des lois simples, à leurs propres ambitions, à leurs devoirs tels qu'ils les envisageaient ; ils considéraient le pouvoir qu'ils exerçaient sur les autres comme un droit. Peu leur importait que les femmes et les enfants subissent les conséquences de leurs échecs.

Akitada leva de nouveau les yeux vers le visage doré. Toutes les représentations du Bouddha étaient masculines. Leurs grandes oreilles indiquaient leur aptitude à entendre les prières, et la protubérance arrondie au sommet du crâne symbolisait l'omniscience. Peut-être Amida pouvait-il lire dans ses pensées.

Lorsqu'un brusque courant d'air agita les flammes des chandelles, une ombre passa sur le visage d'or, et Akitada eut l'impression fugace que les yeux aux paupières lourdes l'avaient regardé et que le Bouddha avait incliné la tête.

— Messire ? (C'était Tora, qui était arrivé sur la pointe des pieds.) Le palanquin vous attend. Il est temps de rentrer.

Le jeune inspecteur poussa un long soupir et tourna le dos à la statue.

— Oui, dit-il, je dois rentrer. Pauvre femme ! Nous dirons que Joto m'a attaqué et qu'elle a pris ton sabre pour me sauver la vie.

Tora ouvrit la bouche pour parler mais se contenta d'acquiescer.

Tandis que le palanquin regagnait la ville, Moto-suke perdit peu à peu son air bouleversé. Les yeux fixés sur le visage blême et résolu d'Akitada, il dit nerveusement :

— Je sais ce que vous devez éprouver. Le pauvre enfant… Vous ne pouviez pas prévoir ! Mais songez à tout le bien qui est sorti de cette journée. Et puis, il vous faut penser à l'avenir. Vous avez mené cette enquête de main de maître, et je me ferai un devoir d'en informer Son Auguste Majesté. Vous irez loin au service de notre nation, j'en suis certain.

Akitada souleva le store : ils pénétraient dans la cité. Alignés le long de la route, les gens baissaient respectueusement la tête sur le passage du palanquin.

Le gouverneur lui jeta un autre regard inquiet et poursuivit ses encouragements forcés :

— Dans l'ensemble, nous avons tout de même eu une chance incroyable. Ces méchantes femmes se sont pendues, Ikeda a été tué par votre admirable Sei-mei, et cette malheureuse créature a pris la vie de Joto. Seul Bouddha sait quels problèmes tous ces assassins auraient causés s'ils avaient vécu.

Akitada ne répondit rien. Il glissa la main dans sa ceinture et toucha les petits grains lisses et froids de quartz rose. Ceux du chapelet.

20

L'AUDIENCE

Le lendemain, ils se réunirent dans la résidence du gouverneur pour une audience préliminaire informelle. Akitada et Motosuke, encadrés des officiels locaux, étaient installés dans la salle de réception, Seimei et deux clercs du bureau du gouverneur avaient pris place au pied de leur estrade, prêts à écrire. L'interrogatoire des témoins était imminent.

Akitada n'avait pas fermé l'œil de la nuit. Retrouverait-il un jour sa tranquillité d'esprit ? Il en doutait fort. Les traits tirés, les yeux rouges, il accomplissait machinalement tous ses devoirs. Après avoir lu les chefs d'accusation retenus contre Joto et ses complices, il demanda au magistrat en chef d'entendre l'ensemble des faits reprochés aux accusés.

Ledit magistrat, un homme robuste à la barbe noire très fournie, regimba :

— Votre Excellence n'est pas sans savoir que le supérieur du temple des Quatre Nobles Vérités a beaucoup d'appuis dans la province. Par ailleurs, le clergé bouddhiste est très admiré à la capitale. Plusieurs princes impériaux sont eux-mêmes supérieurs de monastère. Qui peut nous assurer que nous

355

n'allons pas tous avoir des comptes à rendre dans cette affaire ?

— Joto est mort, répliqua Akitada, et si vous voulez bien patienter un peu, vous allez entendre des témoignages accablants à son encontre. Les crimes que ses partisans et lui-même ont commis sont d'une telle ampleur et d'une telle nature que personne à la capitale ne pourra passer sur leurs méfaits, pas même la hiérarchie bouddhiste.

Le magistrat se racla nerveusement la gorge.

— Que Votre Excellence ne le prenne pas mal, mais il semble qu'il y ait un très grand nombre de prisonniers, et nous sommes déjà fort occupés avec deux autres procès pour meurtre. Ne devrions-nous pas faire venir davantage de magistrats et de personnel judiciaire de la capitale ?

L'inspecteur impérial fit un effort pour compatir. On avait confié à cet homme une affaire très complexe et politiquement délicate, et il craignait autant les répercussions sur sa carrière que la surcharge de travail. Mais c'était ainsi, et il ne pouvait lui apporter de garanties qui eussent apaisé ses craintes.

— Nous n'avons pas le temps, objecta-t-il. Le personnel du gouverneur vous assistera, vous et les autres juges. Une bonne partie des formalités administratives a déjà été effectuée et les témoins sont à votre disposition. De toute façon, les chefs d'accusation sont peu ou prou les mêmes pour tous les prévenus.

Le magistrat s'inclina sans prononcer un mot.

Trois vieux moines entrèrent au milieu des murmures de compassion. Deux avaient l'air gravement malades. Les yeux chassieux, flageolant sur leurs jambes maigres, ils s'avancèrent en battant des paupières sous la lumière des chandelles. Ils avaient beau s'être lavés, rasé la tête, le visage et avoir revêtu des robes propres, ils paraissaient très désorientés. Akitada reconnut le troisième sans difficulté : c'était celui qu'ils avaient vu la nuit de leur visite clandestine au temple. Il semblait en meilleur état que les autres, mais il portait toujours les traces des coups qu'il avait reçus. Motosuke renifla et se tamponna les yeux avec sa manche.

— Mettez-vous à l'aise et prenez votre temps, je vous en prie, déclara l'inspecteur impérial comme ils s'agenouillaient. Vous avez des accusations à porter contre le moine Joto, si nous avons bien compris.

Le plus valide des trois prit la parole :

— Ce moine insignifiant que vous avez devant vous se nomme Shinsei, commença-t-il. Nous sommes vraiment redevables à Vos Excellences de nous avoir libérés de notre tombeau afin d'inculper le monstre qui nous a enterrés vivants. J'étais le bras droit de Gennin du temps où il était supérieur. Joto n'était qu'un moine parmi les autres à l'époque, cela ne faisait pas très longtemps qu'il était avec nous. Quand il a pris le pouvoir, je me trouvais en visite dans un autre monastère, mais mon ami Tosai m'a envoyé un avertissement. Je suis revenu quelque temps après en me faisant passer pour un cuisinier. J'espérais ainsi être plus libre de mes mouvements et aider Gennin et les moines emprisonnés dans la pièce souterraine.

Le vieil homme poussa un profond soupir avant de reprendre :

— Hélas, ces démons surveillaient le monastère de beaucoup trop près. Tout ce que je pouvais faire, c'était leur glisser en cachette un peu de nourriture et quelques remèdes. Gennin était déjà malade. Mes frères m'avaient reconnu, bien sûr, mais ils sont demeurés loyaux et ont gardé mon secret tout en faisant mine d'obéir à Joto. Et puis, une nuit, la colère m'a délié la langue et j'ai été enterré à mon tour.

— Comment Joto a-t-il réussi à devenir supérieur ? s'enquit Motosuke.

Shinsei le regarda avec tristesse.

— Parce que nous l'avons laissé faire, Excellence. Quand il est arrivé, ses manières et ses talents, et notamment son érudition, nous sont apparus bien supérieurs aux nôtres. Kukai, que vous connaissez déjà, je crois, était particulièrement impressionné. Sur sa recommandation, Gennin a chargé Joto des enseignements et des prédications. Lorsque les gens ont commencé à affluer pour l'écouter, nous étions tellement heureux que nous avons pressé le supérieur de lui confier des fonctions encore plus importantes. Je suis parti peu après.

— J'espère que le révérend père Gennin va se rétablir et qu'il pourra nous expliquer plus précisément comment Joto s'est emparé du pouvoir, dit Akitada. Mais pour le moment, pouvez-vous nous parler des crimes commis par cet homme et ses partisans ?

— Leurs crimes ? s'écria Shinsei. Ils ont violé toutes les lois de Bouddha ! Ils ont corrompu ses enseignements, ils ont perverti les fidèles qui venaient s'instruire et, avec leur concupiscence répugnante, ils ont séduit les enfants qui leur avaient été confiés. Mais ce sont les crimes séculiers que vous désirez connaître. Vous pouvez les inculper pour vol, car ils se sont approprié les richesses du temple, vous pouvez les inculper pour enlèvement et séquestration, car ils ont enlevé et emprisonné notre supérieur et les moines qui lui étaient officiellement restés fidèles, et vous pouvez les inculper pour meurtre, car neuf d'entre nous sont morts par manque de soins et de nourriture alors qu'ils étaient enterrés vivants dans cette pièce souterraine. L'un des nôtres, Kukai, a participé à ces atrocités.

Les officiels qui encadraient Motosuke et Akitada s'animèrent brusquement et se répandirent en commentaires et en questions. Au bout d'un moment, l'inspecteur impérial leva la main pour rétablir le silence.

— Gentilshommes, dit-il, vous venez d'entendre le récit de crimes odieux qui justifient l'application sévère de la loi. Mais ce n'est pas tout. Le moine Joto s'est rendu coupable d'autres forfaits.

— Oui, venons-en au vol des impôts, précisa Motosuke.

Comme Shinsei et ses compagnons ignoraient tout à ce propos, Akitada les laissa partir. Lorsque la porte s'ouvrit de nouveau, Tora entra, un coffre en cuir dans les bras.

— Oui, c'est bien l'un de nos coffres, déclara le gouverneur, en voici la preuve.

Il désigna la trace de brûlure sur le côté et expliqua comment elle avait été faite.

— Dis-nous où tu as trouvé ce coffre, Tora, le pressa son maître.

— Dans l'un des entrepôts du monastère. Celui où étaient dissimulées les hallebardes. Sans parler des sabres dans les tonneaux de haricots ! Un véritable arsenal.

Akitada s'en voulait de ne pas avoir réagi en découvrant des haricots dans les deux entrepôts puisque seul le second servait à stocker de la nourriture. Mais il avait commis des erreurs bien plus graves encore, il n'en était que trop conscient.

Les officiels se passèrent le coffre en cuir en échangeant des réflexions à voix basse.

— Qu'est devenu l'or ? demanda le magistrat en chef. Et comment les moines ont-ils mis la main dessus ?

— L'or a sans doute été dépensé pour construire de nouveaux bâtiments, entre autres choses, répondit l'inspecteur impérial. Et les moines ont attaqué les convois. Nous avons découvert un témoin de leur dernier pillage. Seimei ?

Ce dernier déroula la peinture d'Otomi et la suspendit à un clou. Puis il alla à la porte et fit entrer Ayako et sa sœur. Vêtues de leur plus belle robe, elles s'agenouillèrent devant l'estrade.

La vue de la mince silhouette d'Ayako et de son visage étroit aux yeux pénétrants fut presque intolérable à Akitada. Les poings serrés, il se força à reprendre :

— Voici les filles d'Higekuro, qui dirigeait une école d'arts martiaux bien connue dans cette ville. La plus jeune se nomme Otomi, et c'est elle qui a peint le rouleau que vous voyez. Malheureusement, elle est sourde-muette. Sa sœur Ayako va lui servir d'interprète en utilisant le langage des signes.

Puis il les interrogea avec circonspection. Les deux sœurs confirmèrent que le rouleau représentait une scène à laquelle Otomi avait assisté alors qu'elle visitait un temple dans la province de Shimosa. À mesure que la jeune peintre racontait, par l'intermédiaire de sa sœur, le pillage du convoi, et le massacre qui s'était ensuivi, les officiels se figèrent, profondément choqués. Après s'être concerté à voix basse avec ses collègues, le magistrat en chef intervint :

— Mais, dans ce cas, cela signifie que toutes les familles des victimes vont demander justice.

— Et elles l'obtiendront, juge, répondit l'inspecteur impérial d'un ton las. Il vous appartiendra d'y veiller.

— Vous m'avez mal compris, Excellence. Je parlais de troubles civils, d'émeutes, d'attaques contre les autorités qui tentent de protéger les prisonniers !

— Vos craintes sont sans fondement, rétorqua sèchement Akitada. Faites confiance à la garnison, messire. Le capitaine Yukinari a déjà fait la preuve de ses capacités.

Le visage empourpré, le magistrat ravala ses protestations.

Le jeune noble avait douloureusement conscience de ne pas être à la hauteur de la tâche : profondément troublé par ses sentiments à l'égard d'Ayako, il s'était laissé aller à l'emportement. Lorsqu'ils en arrivèrent à l'assassinat brutal d'Higekuro et à la prise en chasse de ses filles par les moines, il eut conscience de la sécheresse de ses questions et de ses commentaires, mais il poursuivit sur sa lancée, pressé d'en finir. Ayako garda son calme et répondit patiemment tout en évitant avec soin son regard.

Le plus dur restait à venir. Il devait prouver aux magistrats que les deux jeunes femmes étaient des témoins dignes de foi, mais il savait qu'il serait à la fois cruel et dangereux de prendre Otomi – qui était déjà terriblement pâle – par surprise.

— Si cela vous est possible, je vais vous demander d'identifier une personne.

— Bien sûr, répondit Ayako.

Quelle présence elle avait ! Dès l'instant où elle était entrée, elle avait fait preuve dans son attitude d'une noblesse qu'il ne se serait pas attendu à trouver chez une femme ou une personne du commun.

— Le soir où votre sœur et vous-même avez été attaquées, l'un de vos assaillants s'est échappé. Il est actuellement emprisonné et va être amené devant vous d'un instant à l'autre.

Ayako écarquilla brièvement les yeux avant de déclarer :

— S'il s'agit de celui auquel il manque une partie de l'oreille, Otomi le désignera comme l'homme qui a dirigé l'attaque du convoi. (Elle se dirigea vers le rouleau et désigna le moine assis.) Si vous regardez d'assez près, vous pouvez voir son oreille mutilée.

Akitada lui fut reconnaissant de lui avoir facilité la tâche.

— J'espère qu'elle le reconnaîtra, mais cela ne risque-t-il pas d'être trop éprouvant pour elle ?

— Ma sœur fera son devoir, répliqua Ayako avec raideur.

Deux soldats traînèrent alors dans la salle un homme très grand, vêtu d'une robe de moine couverte de sang. Quand ils le jetèrent au pied de l'estrade, l'homme se redressa en prenant appui sur ses bras puissants et se mit à genoux.

— Tourne-toi, lui ordonna l'inspecteur impérial.

Otomi, en le voyant, lâcha un sanglot étranglé. D'un doigt tremblant, elle désigna tour à tour le prisonnier et sa peinture avant de s'évanouir.

En la rattrapant, Ayako affirma :

— Ma sœur reconnaît cette personne comme celle qui se trouvait à bord du bateau et qui a dirigé l'attaque du transport d'impôts.

Penchée sur Otomi, elle tenta de la faire revenir à elle.

Le prisonnier se releva d'un bond et cria :

— Je n'ai rien entendu de tel ! Elle n'a même pas dit un mot !

— À genoux, et décline ton nom, fit sèchement Akitada.

— Daishi, cracha l'homme d'une voix rauque. De toute façon, ça ne vous regarde pas. Vous n'avez pas le droit d'arrêter les disciples du saint Joto.

L'un des soldats le poussa à genoux et tira un fouet à lanières de cuir de sa ceinture avant de jeter un regard plein d'espoir sur l'inspecteur impérial.

— Ni Joto ni toi n'êtes des membres légitimes de ce monastère, répliqua ce dernier. Je veux ton véritable nom.

— Daishi, répéta le prisonnier d'un air de défi.

Le soldat leva son fouet.

— Très bien, s'empressa de dire Akitada. C'est sans importance pour le moment. Vous êtes tous en état d'arrestation pour trahison et meurtre. Bientôt, vous serez soumis à la question jusqu'aux aveux complets de chacun d'entre vous. Tu connais la procédure, je suppose ?

— Vous ne pouvez rien contre moi.

Malgré son arrogance, un léger voile de sueur apparut sur le visage de Daishi.

— Peut-être seras-tu capable de supporter plusieurs flagellations sévères sans avouer, mais je te garantis que tes complices ne tarderont pas à t'accabler, eux. Leurs aveux confirmeront les autres preuves, comme la peinture exécutée par cette jeune femme qui a été témoin de votre pillage du convoi. Regarde-la de près. Il manque un bout d'oreille au moine assis sur le bateau.

Quand l'homme tourna la tête et aperçut le rouleau, il porta spontanément la main à son oreille droite. Le lobe en avait été arraché ou tranché, et la mutilation avait laissé une affreuse cicatrice rouge. Il parut ébranlé.

— C'est un mensonge éhonté ! s'écria-t-il. Elle n'a assisté à rien du tout. C'est juste une image de dragon tempête. Il n'y avait pas d'orage… (Il se reprit.) Il n'y a pas d'orage à cette époque de l'année.

Motosuke poussa un grognement.

— Vous l'avez entendu. On dirait un chat protestant de son innocence alors que la queue d'un poisson lui sort de la gueule.

— Et non seulement tu as dirigé l'attaque du convoi, continua Akitada, mais tu étais également à la tête du groupe d'assassins qui ont tué Higekuro et tenté de supprimer ses filles.

— Tu te souviens de moi, salaud ? lança Tora. On t'a vu dans le jardin du temple. Et on a attrapé deux gars de ta bande, ce soir-là.

— Oui, il était là. Moi aussi je l'ai vu, confirma Ayako de sa voix claire.

— Veux-tu une autre preuve que tu es perdu ? lui demanda l'inspecteur impérial.

L'espace d'un instant, le faux moine regarda autour de lui comme un animal pris au piège. Quand ses yeux se posèrent sur Otomi, il arracha ses chaînes des mains de ses gardiens stupéfaits et se précipita vers elle.

Ayako était toujours à genoux, sa sœur en larmes dans les bras, lorsque la brute aux yeux fous les attaqua, hurlant, jurant, ses doigts griffus tendus vers elles.

Tora attrapa le petit bureau de Seimei et l'envoya à travers la pièce, atteignant l'homme entre les jambes. Ce dernier tomba sur le meuble et le brisa. Les gardes, qui n'avaient pas eu la présence d'esprit d'intervenir, se ruèrent alors sur lui.

Seimei jura pour la première fois de sa vie. Quand Akitada posa un regard incrédule sur son vieux domestique d'ordinaire si poli, celui-ci contemplait d'un air outré ses papiers dispersés. Il n'avait pas lâché son pinceau, et l'encre avait éclaboussé sa robe et le bout de son nez. Il leva ensuite les yeux vers son maître.

— Euh… Y a-t-il un autre bureau ? Enfin, si vous désirez poursuivre ce… cet interrogatoire inhabituel, messire.

Après avoir reporté la faute sur Akitada, il renifla et se tamponna le visage avec une feuille de papier pour essuyer l'encre.

— Inutile, nous avons terminé, dit son maître. (Il se tourna vers les deux soldats qui avaient obligé Daishi à s'agenouiller.) Emmenez-le.

Ayako aida sa sœur à se relever, puis, s'inclinant légèrement face à l'estrade, elle déclara :

— Si vous n'avez plus besoin de nous, nous allons partir. Ma sœur a besoin de repos, comme vous le voyez.

Akitada ne sut que répondre, mais Motosuke s'en chargea à sa place :

— Vous avez rendu un grand service à cette province et à votre nation. Nous n'oublierons pas notre dette à votre égard.

Ayako inclina la tête.

— Je vous remercie, Excellence, mais ce n'est pas nécessaire. Notre famille a toujours honoré ses obligations envers son pays.

Et, sans un regard pour Akitada, elle quitta la pièce avec sa sœur. Misérable, le jeune noble demeura silencieux.

— Eh bien ? s'enquit le gouverneur après s'être éclairci la gorge. Y a-t-il autre chose ?

— Non, c'est tout.

21

FLOCONS DE NEIGE

Le ciel était bas, des nuages de plomb flottaient au-dessus du tribunal. Quelques rafales de neige tourmentaient déjà les féroces dragons qui montaient la garde sur l'avant-toit de la résidence du gouverneur. Les flocons dansaient autour d'Akitada tandis qu'il évitait les porteurs qui chargeaient les biens meubles de Motosuke sur de nombreuses charrettes en vue de son départ pour la capitale.

Une fois sorti de l'enceinte, le jeune homme dirigea ses pas vers la préfecture. Le menton rentré dans le col de sa veste, il songea avec tristesse que sa grande aventure était loin d'avoir tourné comme il l'avait espéré. Quelques semaines plus tôt, il avait eu hâte de quitter Heian-kyo pour découvrir le monde, enrichir son expérience et connaître enfin le succès. Il avait atteint ces objectifs, mais à quel prix ! Des hommes étaient morts, et sa mission lui avait laissé le goût amer de l'humiliation et de la détresse. Il avait perdu quelque chose d'inestimable : la foi en lui. Tout ce qui lui restait était le sens du devoir que lui avaient inculqué ses parents et ses maîtres. Le devoir envers son empereur et sa famille passait avant ses propres désirs et devait constituer en soi une raison suffisante de continuer. Cette perspective n'avait rien de réjouissant.

C'était le devoir qui avait poussé Akitada à sortir lors de sa dernière journée en ville. La préfecture, sa première étape, était beaucoup plus petite que le siège de la province : elle se limitait à un modeste bâtiment administratif, une prison et des quartiers pour la police.

Il trouva Akinobu à son bureau, penché sur une immense pile de documents. Le nouveau préfet l'accueillit avec un sourire las.

— Je suis désolé de ne pouvoir offrir du thé à Votre Excellence. Je doute que nos moyens nous le permettent. Un peu de saké, peut-être ?

— Non, merci. J'ai déjà bu de l'excellent thé du gouverneur, et d'ailleurs je ne suis pas habitué à de tels raffinements. Tout comme les privilèges qui s'y rattachent, ma mission prend fin au moment où la vôtre débute. Je vous présente mes sincères félicitations à l'occasion de votre nomination.

Akinobu fit la grimace.

— À vrai dire, je suis simplement le clerc en chef, et ce travail ressemble beaucoup à celui que j'effectuais pour le gouverneur.

Du menton, il désigna les montagnes de papiers qui encombraient son bureau.

— La crise actuelle est exceptionnelle, je suppose, observa Akitada avec un soupir. J'ai la désagréable impression de n'avoir apporté que des ennuis à cette province.

— Non, Votre Excellence. Ce sont nos ennuis qui sont venus à votre rencontre. Nous vous sommes très reconnaissants de votre aide précieuse. J'avais l'intention de vous rendre visite avant votre départ demain matin.

— Appelez-moi Akitada, je vous en prie. Et ne vous sentez pas obligé de vous déplacer tout exprès.

C'est moi qui vous suis reconnaissant de votre assistance. Sachez que j'ai la plus haute considération pour vos compétences. (Les deux hommes se sourirent et s'inclinèrent.) Mais ma visite a aussi un autre motif. J'aimerais m'entretenir avec l'un de vos prisonniers, un homme surnommé le Balafré.

— Est-il lié à l'affaire des impôts ? s'enquit Akinobu en haussant les sourcils.

— Non. Il s'agit d'une tout autre affaire. Il est emprisonné pour le meurtre d'une prostituée, Jasmine, et je le soupçonne d'avoir tué deux autres femmes.

— Ici ? Il n'est arrivé que le cinquième jour du mois, pourtant.

— Pas ici, non. L'une des jeunes femmes a été assassinée à la capitale et l'autre à Fujisawa.

— Mais… (Akinobu hésita un instant.) Pardonnez-moi, mais pourquoi m'en informez-vous seulement aujourd'hui ?

— Parce que je n'ai fait le lien entre ces trois affaires que ce matin. Mes yeux se sont ouverts tardivement, si vous préférez. Et je n'en suis encore qu'aux suppositions. J'ai besoin de m'entretenir avec cet homme pour confirmer mes soupçons.

— Je crains que vous ne le connaissiez très mal. Il nie farouchement tout ce dont on l'accuse et prétend que c'est son complice, un simple d'esprit, qui a tué cette Jasmine.

— Oui. Il a bien failli m'envoyer sur une fausse piste, moi aussi, mais, avec les éléments dont je dispose dans le meurtre de Fujisawa et son mobile dans celui d'ici, j'ai la quasi-certitude qu'il est l'auteur des deux crimes. Le jour du meurtre, Jasmine lui a annoncé qu'elle le quittait pour un autre. Je crois qu'il lui a tranché la gorge et qu'ensuite il a livré son cadavre au déséquilibré pour qu'il la mutile davantage. L'idiot est bel et bien obsédé par le sang et les armes blanches, et il est certainement dangereux, mais il n'a pas tué cette femme.

— C'est bien ce que je pensais. Quels sont ces autres meurtres dont vous le soupçonnez ?

— Au cours de la fête des Chrysanthèmes à Heian-kyo, il a tué une jeune aristocrate pour lui voler ses bijoux. (Akitada tira la fleur bleue de sa ceinture et la posa sur le bureau.) En voici une petite partie. Jasmine, la prostituée, l'a vendue à un colporteur d'ici, qui me l'a vendue à son tour le jour de mon arrivée.

— C'est extraordinaire !

Akinobu se pencha pour saisir le fragment. Après l'avoir examiné, il regarda son visiteur.

— J'ai toujours cru que seules les femmes de la cour impériale portaient ce type de bijoux.

Akitada croisa son regard et tendit la main sans répondre. Le préfet lui rendit la fleur avant de s'emparer d'un rouleau écrit.

— Le Balafré a quitté Heian-kyo le dixième jour de septembre, et il a passé les deux mois suivants à voyager sur le Tokaido en direction de l'est.

Le jeune noble hocha la tête.

— Les dates correspondent. Il est parti de la capitale aussitôt après le meurtre. Au début de ce mois, il se trouvait à Fujisawa. La victime était également une prostituée qui a eu la gorge tranchée. C'est arrivé au moment où nous traversions cette ville, et mon serviteur Tora a été arrêté par erreur parce qu'il avait le visage couvert de coupures et d'ecchymoses.

Akinobu se redressa.

— Vous voulez dire qu'il y a des témoins pour ces assassinats ?

— Oui, les deux premiers en tout cas. À Fujisawa, le meurtrier a été vu par d'autres prostituées, et à la capitale par un vagabond. Chaque fois, les témoins ont décrit un homme au visage couvert d'horribles cicatrices.

— Alors vous avez sûrement raison. (Le secrétaire se leva.) Je tiens à vous prévenir : le Balafré a déjà été interrogé et il n'a rien avoué du tout.

Akitada savait ce que cela signifiait. Pendant son interrogatoire, l'homme avait été fouetté avec des verges en bambou, une forme de torture particulièrement douloureuse. Il était rare de ne pas obtenir d'aveux dans de telles conditions.

Ils sortirent dans le froid humide et traversèrent la cour jusqu'à la petite prison. Les toits des bâtiments étaient recouverts d'une mince pellicule blanche, et çà et là des plaques de neige commençaient à se former sur le gravier.

Assis dans le vestibule glacial, un gardien se réchauffait les mains au-dessus d'un brasero. Au premier mot d'Akinobu il empoigna son trousseau de clés et déverrouilla une lourde porte. Celle-ci s'ouvrit sur un couloir étroit et faiblement éclairé par des lampes à huile accrochées aux murs. Les cellules s'alignaient de part et d'autre, fermées par des barreaux qui donnaient sur l'obscurité. Akitada eut cependant l'impression qu'une énorme fournaise leur faisait face. En s'approchant, il découvrit une petite pièce avec un simple foyer en pierres au centre duquel brûlait un grand feu. La fumée noire montait vers un trou pratiqué dans le toit en pente et s'échappait en tourbillonnant vers le ciel d'un gris d'acier. Les chevrons étaient noirs de suie, les murs éraflés et tachés par la saleté et par des générations de corps ensanglantés, et l'air rendu suffocant par la chaleur et la fumée. Devant ce spectacle, le jeune noble songea aux terribles peintures de l'enfer exposées dans les temples bouddhistes pour rappeler aux pécheurs ce qui les attendait dans l'au-delà.

Des têtes apparurent derrière les barreaux, celle d'un géant à face de lune et celle d'un prédateur au bec de vautour. Le gardien ouvrit la porte d'une troisième cellule.

— Sors de là, ordure ! Tu as de la visite ! beugla-t-il.

L'homme qui émergea de l'obscurité en agitant ses chaînes semblait parfaitement à sa place : il avait un visage à donner des cauchemars aux âmes les plus sensibles. Akitada, que la description de Tora avait préparé à la rencontre, fit un pas en arrière. Le prisonnier s'en aperçut et eut un sourire mauvais.

À la lueur vacillante du feu, son visage n'avait plus rien d'humain : gonflées, les cicatrices violacées déformaient ses traits de façon grotesque, et ses yeux injectés de sang luisaient d'une excitation contenue. Une nouvelle fois, ses lèvres enflées et blanchies s'étirèrent en un large sourire qui révéla des dents jaunes pareilles à des crocs. Grand et large d'épaules, il avait l'attitude arrogante et moqueuse d'un démon à forme humaine.

L'inspecteur impérial le jaugea en silence et en conclut que l'assassin de Jasmine correspondait à la créature démoniaque de l'histoire contée par le Rat. Le meurtre qu'il avait évoqué avait réellement eu lieu, presque trois mois plus tôt.

Étrangement, les trois crimes commis dans trois villes différentes par un seul et même homme avaient finalement été élucidés grâce à un extraordinaire concours de circonstances.

Malgré la chaleur du foyer, Akitada frissonna, et sa main se referma autour de la petite fleur dissimulée dans sa manche. Les fantômes des victimes avaient parfois de curieuses façons d'obtenir vengeance. Le fragment de cloisonné avait accompagné le tueur jusqu'à Kisarazu tandis que le témoin du premier meurtre suivait le même itinéraire, et Jasmine, la dernière victime, avait transmis un indice qui avait échoué entre les mains de la seule personne capable d'en comprendre la signification. Mais le jeune homme avait été lent à réagir, ignorant les signes qui lui étaient adressés : il avait rêvé d'une belle-de-jour ensanglantée et reçu une lettre l'informant de la disparition de dame Asagao, la favorite de l'empereur. Or Asagao signifiait belle-de-jour. Et il avait également appris que son ami Tasuku, le beau Tasuku qui avait tant de succès auprès des femmes et dont les liaisons avec certaines dames de la cour faisaient jaser, avait soudain renoncé au monde pour se faire moine. Peut-être Akitada apprendrait-il le fin mot de l'histoire à son retour.

— Vous vous sentez bien, Excellence ? demanda Akinobu en lui touchant la manche.

L'inspecteur impérial acquiesça et s'adressa au prisonnier avec effort.

— Quel est ton nom, et d'où es-tu ?

L'homme s'inclina.

— On m'appelle Roku, le diminutif d'Heiroku, je suis de la famille Sano et à votre service, mon seigneur, déclara-t-il d'une voix étonnamment raffinée. Veuillez excuser mon apparence. Ces stupides chiens de fonctionnaires de province m'ont confondu avec un meurtrier de bas étage. Peut-être Votre Honneur pourrait-elle éclaircir l'affaire ?

Cet homme ne manquait pas d'aplomb : accusé d'un crime qu'il niait et confronté à la perspective de nouvelles tortures, il continuait à jouer les innocents avec une aisance déconcertante. Akitada décida d'entrer dans son jeu.

— Ton langage m'indique que tu as grandi à la capitale et reçu une bonne éducation. Comment un homme tel que toi a bien pu échouer ici ?

Le visage grotesque prit une expression calculatrice.

— Entre personnes du même monde, on se reconnaît toujours, n'est-ce pas ? J'ai en effet grandi à

Heian-kyo, et j'ai fréquenté l'école bouddhiste près de Rashomon. Mes parents souhaitaient me voir devenir maître d'école, mais j'avais trop d'ambition pour cela. J'ai appris à manier le sabre dans différentes salles d'armes et j'étais tout juste parvenu à me faire un nom quand mes ennuis ont commencé. Mon talent m'avait fait des ennemis. L'un d'eux m'a lancé un défi, et le combat a mal tourné.

Il porta la main à son visage couturé et eut un sourire en coin.

— Il m'avait déjà bien tailladé quand je l'ai tué. Ses amis m'ont accusé de meurtre, et il m'a fallu partir chercher fortune ailleurs. Voilà comment je me suis retrouvé ici. Malheureusement, je n'ai pas tardé à être arrêté pour l'assassinat d'une putain. Un fou dangereux a pourtant avoué, mais les autorités ont refusé de le croire et ont tenté de m'arracher des aveux sous la contrainte.

Akinobu soutint calmement le regard entendu du Balafré. Comme Akitada ne faisait pas le moindre commentaire, le prisonnier se tourna lentement. Dans le dos, sa chemise blanche était maculée de sang séché. Il la souleva pour exhiber les zébrures enflées et mal refermées laissées par les coups de verge. Puis il se pencha et releva les jambes tachées de son pantalon, découvrant deux mollets à vif.

Le jeune noble en eut la nausée. Il était surprenant que l'homme tînt encore debout. Il chercha à s'endurcir en se rappelant que les méfaits de Roku étaient bien pires que tout ce qu'il avait souffert et dit :

— Puisque je m'apprête à regagner la capitale, je vais t'emmener. Là-bas, les autorités auront vite fait de tirer les choses au clair.

Le prisonnier fit volte-face.

— Non, inutile de vous donner cette peine. Cela embarrasserait mon clan. Si vous pouviez juste glisser un mot pour moi...

Akitada eut un geste dédaigneux de la main.

— C'est absurde ! Ici, je ne puis rien faire, mais il me sera facile de te faire prendre la route. Le clan Sano n'est pas assez important pour être embarrassé.

Sur ce, il s'éloigna. Derrière lui, le Balafré se mit à jurer d'une voix sonore jusqu'à ce que le fouet du gardien lui fasse ravaler son souffle avec un gémissement.

Akinobu suivit son visiteur dehors. Celui-ci avala l'air pur à grandes goulées et tira la langue pour goûter les flocons.

— Vous n'êtes pas sérieux, Excellence, protesta le préfet. Il ment, c'est évident.

— Je le sais parfaitement, et j'ai bien l'intention de l'emmener. Je vais envoyer mon rapport par messager spécial aujourd'hui même.

— Mais, et le crime qu'il a commis ici ? Et le meurtre de Fujisawa ? C'est un dangereux personnage.

Le visage du jeune noble exprima la lassitude d'un homme qui n'attendait plus grand-chose de la vie.

— Il voyagera sous haute escorte. Le meurtre dont il doit répondre à la capitale lui vaudra un procès et une exécution rapides dans le plus grand secret, ce qui est bien plus que vous ne pourriez obtenir ici en l'absence d'aveux.

La dernière étape d'Akitada était aussi la plus difficile. Ses pas ralentirent lorsqu'il aperçut l'école d'Higekuro. Les flocons lui effleuraient le visage en une caresse glacée, mais il ne se donna pas la peine de sortir les mains de ses manches pour les chasser. En passant devant la demeure du riche voisin, il constata que le portail avait été abîmé par les haches de la police et que le verrou brisé avait été remplacé par les scellés de l'administration de la province. Que de chaos et de tragédies avait connus cette petite rue ces derniers jours ! se dit le jeune homme, les yeux levés vers les gros nuages. La neige étouffait les bruits et estompait les contours. La rue avait retrouvé sa tranquillité à présent, mais pour lui c'était une tranquillité sans joie.

Les portes d'entrée de l'école étaient grandes ouvertes. Tandis qu'il approchait, Hidesato sortit, un balai et une pelle à la main. Après avoir vidé des débris dans la rigole, il s'apprêtait à remonter quand il vit Akitada. Son air paisible fit place à une expression inquiète.

— Je suis venu faire mes adieux, expliqua le jeune Sugawara.

Le soulagement évident du sergent lui fit mal. Après un coup d'œil alentour, Hidesato appuya pelle et balai contre le mur du bâtiment et s'inclina.

— J'espère que Votre Excellence regagnera son foyer sans encombre.

— Merci. Je vois que tu te rends utile ici.

Le militaire rougit.

— Otomi et Ayako avaient besoin d'aide, répondit-il avant d'ajouter : Tora est ici.

Akitada ne fut pas surpris – il s'était attendu à ce que son serviteur reste auprès de la jeune peintre –, mais il n'en fut pas moins blessé pour autant. Leur première rencontre lui revint en mémoire. Jamais il n'aurait imaginé éprouver un jour de tels sentiments d'amitié à l'égard de cet ancien soldat fils de paysan.

Hidesato ne tenait pas en place.

— Euh… Je vous suis très reconnaissant, messire, de m'avoir blanchi du meurtre dont on m'accusait, marmonna-t-il.

— Ce n'est rien. Tôt ou tard, tu aurais été innocenté, même sans mon concours.

Le sergent secoua la tête.

— Ayako et moi, ce ne serait jamais arrivé sans Tora et vous. Je ne suis plus un jeune homme, et je n'avais jamais espéré trouver un foyer et une famille, sans parler d'une femme comme elle. Je n'oublierai jamais ce que vous avez fait pour moi.

Dissimulant sa souffrance et sa rage, Akitada lui tourna le dos et pénétra dans la salle d'exercice. Les portes qui donnaient sur le jardin étaient grandes ouvertes, elles aussi. Dehors, des nattes et des stores brisés s'empilaient contre la clôture. Assis près d'un brasero dans la lumière grise du matin, Tora nettoyait l'arc d'Higekuro. Peut-être Hidesato s'en servirait-il bientôt. Des appartements privés venait une délicieuse odeur de cuisine.

Tora accueillit son maître avec un large sourire. Encore un homme heureux, songea ce dernier avec amertume.

— L'endroit a retrouvé un bon aspect, pas vrai ?

Akitada regarda autour de lui et acquiesça. Les tatamis couverts de sang avaient disparu ; frottés et cirés, le plancher et les piliers brillaient, et toutes les armes étaient parfaitement alignées.

— Vous avez fait du beau travail, déclara-t-il d'un ton morne avant de s'éloigner.

Il avait cru trouver Ayako aux fourneaux, mais Otomi était seule. Accroupie au-dessus d'un rouleau de soie, elle continua son ouvrage – une représentation de la déesse de la Miséricorde – sans remarquer la présence d'Akitada. Les yeux de celui-ci se posèrent sur l'estrade près de la fenêtre, déserte à l'exception d'une paire de sandales en paille à moitié tressées.

Brusquement, une grande tristesse s'empara de lui : un homme tel qu'Higekuro était mort alors que tant d'autres tellement moins dignes de vivre avaient survécu. En un sens, cette mort était aussi scandaleuse que celle de l'enfant. Mais lui, au moins, n'était pas mort en vain. Son vœu le plus cher, trouver des époux pour ses deux filles, s'était réalisé. La vie poursuivrait son cours : Tora, Hidesato et Ayako s'occuperaient de l'école tandis qu'Otomi peindrait, et les deux couples élèveraient leurs enfants dans cette demeure. Leur bonheur ne tarderait pas à effacer le souvenir du sang répandu.

Il revint lentement sur ses pas.

— Où est Ayako ? demanda-t-il à Tora.

— Aucune idée. (Le serviteur tenta d'éluder d'autres questions mais, voyant l'expression d'Akitada, il cria :) Hidesato ?

Le sergent rentra sur-le-champ, comme s'il avait attendu dehors que le jeune noble s'en aille enfin.

— Où est Ayako ?

Hidesato scruta le visage d'Akitada et hésita un instant.

— Au temple de Kannon… comme chaque jour depuis… depuis la mort de son père.

— Merci. Te verrai-je ce soir, Tora ?

L'entrain de son serviteur lui était presque insupportable.

— Bien sûr ! Nous avons pratiquement fini, ici. Dites à Ayako que le repas est prêt.

À pied, le trajet pour se rendre au temple était assez long, mais Akitada n'était pas pressé. Désormais, tout lui apparaissait sous un autre jour.

Il croisa des gens chaussés de bottes en paille qui portaient des foulards et des vestes de toutes les couleurs, et lorsqu'il entendit des rires d'enfant assourdis retentir dans les arrière-cours son humeur s'assombrit encore davantage.

Au-dessus de lui, la fumée des feux de cuisine qui sortait par les cheminées se mêlait à la brume blanche de la neige. Ses pas étaient inaudibles dans la moelleuse blancheur, aussi avait-il l'impression de traverser un nuage.

La sensation d'irréalité s'accentua quand il arriva devant le temple désert. Là, le silence était absolu, et les bâtiments lui évoquèrent le palais d'une princesse céleste. Quel contraste avec les toits menaçants qu'il avait vus s'élever au-dessus de la masse sombre des arbres quelques nuits plus tôt ! À présent, une couche de neige argentée recouvrait les tuiles et enveloppait les toits retroussés d'un blanc duveteux. Ceux-ci paraissaient s'élever dans l'air comme les ailes des aigrettes. Derrière le palais enchanté, les arbres, gardiens silencieux du lieu, formaient un entrelacs complexe de branches blanches et noires.

Akitada s'arrêta. Il lui semblait qu'un simple mortel ne pouvait traverser ce monde surnaturel sans se perdre définitivement. Pourtant, il n'avait pas le choix. Il gagna rapidement les piliers laqués de rouge de l'entrée. Sur le sol enneigé, une seule série d'empreintes conduisait au bâtiment principal. Il les suivit en veillant bien à ne pas les recouvrir des siennes.

Elle n'était pas à l'intérieur, mais une chandelle et une fine spirale d'encens blanc brûlaient encore aux pieds de la déesse. Akitada traversa la grande salle de prières et sortit sur la véranda du fond.

Les yeux fixés sur le bosquet silencieux et enneigé, Ayako était adossée à un pilier, sobrement vêtue d'une robe sombre matelassée.

— Je savais que tu finirais par venir, dit-elle sans tourner la tête.

— J'étais très occupé.

Il avait répondu machinalement, tant il était absorbé par la contemplation de la jeune femme. Il chercha à graver dans sa mémoire la courbe de sa joue, la colonne gracieuse de son cou, la façon fière dont elle redressait les épaules. Devinant les hanches rondes qui surmontaient les longues jambes, il la déshabilla mentalement une fois de plus, caressant sa douce peau dorée et respirant son parfum.

— J'ai attendu ici tous les jours, reprit-elle en le regardant enfin d'un air tendre.

— Tout a changé, répondit Akitada en lui rendant son regard.

Elle acquiesça. Puis elle le prit au dépourvu en constatant :

— Tu es toujours en colère contre moi et contre Hidesato.

— Oui. Je sais bien que je n'en ai pas le droit.

Elle se détourna de nouveau.

— Tu penses que je l'ai emmené aux bains et que j'ai fait l'amour avec lui au même endroit que toi et moi.

Il eut honte de sa jalousie, mais fut incapable de mentir.

— Oui, reconnut-il à voix basse.

— Tu te trompes. (Elle soupira.) Peut-être cela te réconfortera-t-il, je ne sais pas. Cela ne changera rien, en tout cas, parce que toi et moi, nous appartenons à des mondes différents. Même si mon père est né dans une bonne famille, nous avons perdu tout statut dans cette nation, nous ne sommes plus nobles, et nous ne sommes pas du peuple. Mon père l'avait accepté. Il nous a enseigné que les relations avec les autres sont fondées sur des qualités que l'on trouve rarement dans ton monde. Il croyait à l'honneur, mais selon ses critères, même le Rat a de l'honneur, peut-être même davantage qu'un noble de la capitale.

La rage s'empara d'Akitada.

— Comment oses-tu m'accuser de manquer d'honneur ? aboya-t-il. Toi, qui t'es donnée à un simple sergent venu se réfugier chez vous pour échapper à la justice ! Qui sait s'il ne se débarrassera pas de toi lorsque l'envie lui prendra de passer à autre chose ? Pour un homme comme lui, tu n'es qu'une commodité, un moyen de subsistance, un lit chaud la nuit.

Sa fureur la fit tressaillir, et elle se tourna pour lui faire face.

— Pardonne-moi, dit-elle tristement. Je ne voulais pas te blesser ainsi.

Sa voix était pleine de larmes, et elle resserra son vêtement contre elle comme pour se protéger de la froideur de son mépris.

— J'ai appris, pour l'enfant, et je regrette de ne pouvoir t'aider.

— Ayako, supplia-t-il, contrit. Il n'est pas trop tard. Viens avec moi. Sois ma femme, ajouta-t-il après un bref silence.

— Non, il est bien trop tard. Il était déjà trop tard lorsque nous nous sommes rencontrés. Je le savais, mais je n'ai pas pu résister, et de cela je te demande pardon. Je ne pourrais vivre à tes côtés sans t'obliger à devenir comme nous. Voilà pourquoi je dois choisir Hidesato.

— Non !

— Si.

Très droite, elle se découpait sur un monde envahi de flocons, ses cheveux noirs encadrant son visage étroit où brillaient ses yeux étranges. Son corps était tendu et ses mains étreignaient la balustrade laquée de rouge avec tant de force que ses os saillaient à travers la peau. Mais sa voix était calme et claire dans le silence.

— Hidesato est un brave homme, et il a plus d'honneur que tu ne lui en accordes, car il ne m'a jamais touchée. Après ton départ, je deviendrai sa femme, parce que c'est ce qu'aurait voulu mon père, et que tel est donc mon désir. Ensemble, nous offrirons un foyer à Otomi et nous gagnerons notre vie.

Akitada la regarda en silence. Les flocons s'accumulaient dans ses cheveux noirs comme des perles de cristal. Lentement, il hocha la tête, vaincu par sa détermination et son sens du devoir.

— Tu dois partir maintenant, chuchota-t-elle. Je t'en prie, Akitada, va-t'en, va-t'en vite.

Il tendit la main pour essuyer ses larmes, puis se ravisa et obéit.

Akitada occupa la fin de sa dernière journée à marcher jusqu'à la tombée de la nuit. Depuis le temple de la déesse de la Miséricorde, il erra jusqu'au Champ des Miséreux avant de dériver au nord en direction de la garnison. De loin, il observa Yukinari qui dirigeait l'exercice d'une troupe de fantassins. Le capitaine devait assister à leur départ le lendemain, aussi le jeune noble s'éloigna-t-il sans l'avoir salué.

Ses pas le menèrent vers le quartier résidentiel, et il s'engagea dans la ruelle qui longeait la demeure Tachibana. Comme le portail de derrière battait au vent, il entra pour contempler le jardin. Le cabinet de travail était enseveli sous un grand manteau blanc. Quand le jeune homme se posta devant le petit bassin, les poissons du défunt seigneur émergèrent des profondeurs, dans l'espoir que leur propriétaire était revenu les nourrir. Mais seule la neige tombait et fondait sur l'eau noire. Les unes après les autres, les silhouettes dorées et argentées s'enfoncèrent dans la vase. Akitada s'apprêtait à sortir lorsqu'il se retourna une dernière fois : il avait souillé de ses empreintes les chemins immaculés. Ceux-ci ne seraient peut-être plus jamais balayés. En partant, il referma soigneusement le portail derrière lui.

Dans le crépuscule naissant, il se laissa porter vers les lumières colorées et l'animation du marché sans prêter la moindre attention à ses pieds gelés. Quand il emprunta une rue où s'alignaient des maisons de plaisirs, c'est à peine s'il répondit aux invitations chuchotées, indifférent aux visages poudrés, aux yeux souriants et aux doigts tentateurs posés sur sa manche. La musique des cithares et des luths lui parvint, tout comme les voix aiguës des femmes et les rires gras de leurs clients. Dans des quartiers plus pauvres, il vit des couples pressés s'engouffrer dans des venelles ou s'étreindre furtivement sous les porches des boutiques fermées. Là, il se sentit comme un fantôme condamné à observer les vivants.

Il faisait nuit lorsqu'il revint au tribunal trempé, gelé, et trop fatigué pour éprouver quoi que ce fût.

Tora et Seimei faisaient les bagages. Du thé avait été mis à chauffer sur le brasero, et un plateau couvert de nourriture était posé sur son bureau. Il se rappela alors qu'il n'avait rien mangé depuis le matin.

— Ça fait longtemps que tu attends ? demanda-t-il à Tora.

— Ne vous en faites pas, Seimei me parlait de votre mère et de vos sœurs.

Akitada grimaça à la perspective de ce qui l'attendait à la capitale : une existence qu'il avait voulu fuir. Sa veuve de mère régentait la vie de ses sœurs et la sienne d'une main de fer et d'une langue acerbe.

— Vous semblez fatigué, nota Seimei avec sympathie. Les visites d'adieu sont toujours pénibles. J'ai mis votre repas de côté pour le cas où vous ne seriez pas invité à dîner.

— Tout à l'heure, Seimei. Je dois d'abord régler Tora.

Il considéra le jeune serviteur avec tristesse, remarquant qu'il portait de nouveau son habit bleu.

— Je croyais que tu l'avais échangé, fit-il en le désignant du menton.

— J'ai décidé de le récupérer. La couleur et la coupe me vont plutôt bien. Et puis ça peut servir, parfois, de faire bonne impression.

Il adressa un clin d'œil à Seimei, qui gloussa.

— Je vois, dit Akitada d'un ton accablé. Quels que soient la voie que tu empruntes et les vêtements que tu portes, je suis certain que tu réussiras, Tora. Tu me manqueras.

Il se détourna pour dissimuler son émotion. Ouvrant son coffre à documents, il maugréa :

— Voici tes gages. J'ai ajouté une prime pour ton aide et tes conseils dans la résolution du vol des impôts. Et voici un cadeau pour t'aider dans ta nouvelle vie.

Il tendit un paquet à Tora, qui ne fit aucun geste pour le prendre.

— Vous n'avez plus besoin de moi ? demanda-t-il d'une voix blanche.

— Je t'ai dit un jour que tu étais libre de partir quand tu le désirais. Maintenant que tu as des projets et que mon travail ici est achevé, je ne veux pas te retenir davantage.

— Quels projets ? (Tora haussa brusquement le ton.) Vous êtes toujours vexé à cause de ce que j'ai dit sur les fonctionnaires, pas vrai ? Et moi qui croyais que vous m'aviez donné une nouvelle chance !

Il lui arracha le paquet des mains, le déchira et lança un œil sur son contenu.

— Très généreux, commenta-t-il, sarcastique, avant de jeter le lingot d'or et les pièces d'argent aux pieds de son maître. Prends bien soin de toi, grand-père, fit-il à Seimei en partant d'un air furieux.

Akitada le regarda s'éloigner, totalement désarçonné.

— Mais qu'est-ce que…

— Il espérait que vous alliez l'emmener, expliqua Seimei, la mine sombre, en se laissant tomber sur un coussin. Il ne parlait plus que de ça, il voulait tout savoir sur la capitale, sur votre famille, sur votre demeure, et sur les tâches qui lui seraient confiées. Il avait peur d'être congédié, mais je lui ai dit que vous trouveriez bien un moyen de le garder. J'ai eu tort de lui donner de faux espoirs. (Le vieux serviteur s'essuya les yeux avec sa manche.) Nous n'avons pas passé beaucoup de temps ensemble, mais je vais regretter sa présence. C'est bien vrai ce que l'on dit : « Toute rencontre est le début d'un adieu. »

Akitada l'avait écouté avec une surprise croissante. Soudain plein d'espoir, il courut derrière Tora et le rattrapa juste à l'entrée du tribunal. Planté devant le panneau d'informations, la tête rentrée dans les épaules, le jeune homme semblait étudier les avis.

— J'ignorais que tu voulais m'accompagner, Tora.

Ce dernier ne lui accorda pas un regard.

— Ne vous en faites pas. Je ne suis plus recherché, apparemment, et je trouverai bien un autre travail. Il y a beaucoup de combats en ce moment. Peut-être irai-je me réenrôler dans l'armée.

— Mais tu ne vas pas épouser Otomi ?

Stupéfait, Tora fit volte-face.

— Moi, me marier ?

Le soulagement envahit Akitada. La perte d'Otomi était son gain à lui.

— Dans ce cas, peut-être accepterais-tu de m'accompagner à la capitale. Ton travail ne sera guère intéressant, je le crains, et tes gages peu élevés, mais il y a de très jolies filles là-bas.

22

BELLE-DE-JOUR

Dans un austère cabinet du Bureau des Censeurs, deux hommes d'âge mûr se faisaient face, séparés par des piles bien ordonnées de documents. Ce cabinet était celui de Minamoto Yutaka, le redouté président des censeurs, un personnage si puissant qu'il répondait directement au grand chancelier. De haute taille, cadavérique, il avait des cheveux grisonnants et clairsemés, un nez pointu, et des lèvres minces aux commissures constamment abaissées. Très raide, les mains dans ses manches de brocart vert foncé, il observait son interlocuteur, les yeux plissés.

Ce dernier avait un physique à l'opposé du sien. Vêtu d'un vert plus clair, Soga Ietada, le ministre de la Justice, était presque obèse et pourvu d'une abondante chevelure raide ainsi que d'une moustache et de sourcils fournis ; même le dos de ses mains était poilu. Il tenait son thé tout en s'éventant.

— Certains, à la cour, avaient prédit une issue fort différente à cette affaire, déclara Soga d'une voix un peu geignarde avant de reposer sa tasse vide.

La moue de perpétuel mécontentement du président s'accentua.

— Les Fujiwara sont bénis de Bouddha. Non seulement Motosuke est sorti blanchi de cette regrettable affaire, mais on le considère à présent comme l'homme qui a déjoué un dangereux complot.

Le ministre agita violemment son éventail.

— Nous aurions dû empêcher Moto…

Minamoto ouvrit de grands yeux et leva la main pour interrompre son interlocuteur.

— Vous ne savez plus ce que vous dites, Ietada. C'est naturellement avec un grand soulagement et un grand plaisir que nous avons appris le retour de Fujiwara Motosuke et sa nomination au Grand Conseil de l'État. Nous avons été tout aussi enchantés d'apprendre que sa fille était entrée dans la maison impériale.

— Si elle donne naissance à un héritier, Motosuke sera peut-être le prochain grand chancelier, dit Soga, qui avait retrouvé sa voix.

— C'est possible. (Le président pinça les lèvres et sourit d'un air mauvais.) Et il se peut qu'un jour votre jeune Sugawara devienne ministre de la Justice.

Soga Ietada blêmit.

— Ce développement était totalement imprévu. Cet Akitada était un moins-que-rien, et maintenant tout le monde parle de son brillant avenir. Le pire, c'est qu'on s'imagine que nous soutenons le clan Fujiwara parce que je vous ai recommandé Sugawara.

Minamoto eut un sourire désagréable.

— Si vous espériez une issue différente, vous auriez dû choisir un autre homme. Même vous, vous n'avez pas pu être aveugle à ce point ! J'ai examiné le cursus de Sugawara Akitada et lu ses rapports. I est sorti premier de sa promotion à l'université, tan en études chinoises qu'en droit, ce qui n'est pas ur mince exploit. Cela aurait dû lui assurer une positior prometteuse dans l'administration, et pourtant il a échoué dans vos archives poussiéreuses. Ses rapport sont plus que satisfaisants et révèlent une intelligence surprenante chez l'un de vos clercs. Un tel homme aurait dû être surveillé de plus près.

— C'est justement ce que j'ai fait, gémit Soga. Depuis qu'il avait mis son nez dans des affaires de meurtre, il commençait à être gênant et à avoir une certaine notoriété, voyez-vous. En désespoir de cause, j'ai suggéré son nom pour cette mission. Votre Excellence m'avait assuré elle-même que, quelle que soit la personne envoyée, elle échouerait. Cet échec l'aurait définitivement relégué dans une administration de province éloignée.

Le président se pencha en avant, fixant un regard froid sur le ministre.

— Ne rejetez pas la faute sur autrui ! Malheureusement, vous vous êtes trompé dans vos calculs. Je n'ai jamais rien eu à voir avec votre vengeance personnelle, même si je risque de regretter de vous avoir fait confiance.

Soga pâlit.

— Je… je… je n'ai jamais eu l'intention de…

— Il suffit, le coupa brutalement Minamoto. Le sujet est clos.

Dès que son visiteur eut pris congé, le président appela son secrétaire d'un claquement de mains.

— Faites entrer Sugawara, ordonna-t-il.

Akitada trébucha sur le seuil, perdit l'équilibre et s'agenouilla maladroitement tout en empêchant de justesse son couvre-chef de tomber. Il avait attendu dans le couloir pendant plus d'une heure. Dans cet intervalle, son ministre était passé devant lui sans même le saluer. Et lorsqu'il était ressorti un instant plus tôt en s'épongeant le visage, il lui avait adressé un regard tellement courroucé que le jeune noble en était resté bouche bée.

À présent, il était prosterné devant l'un des hommes les plus puissants du gouvernement, un homme dont on disait qu'il n'avait ni amis ni ennemis tant il était redouté. Akitada perdit courage à l'idée du sort qui l'attendait.

— Approchez, lui ordonna une voix aussi glaciale que le sol sur lequel le jeune homme était agenouillé.

Il se rapprocha du bureau et jeta un coup d'œil furtif sur le grand homme. Il ne fut guère rassuré. Des yeux froids – ceux d'un serpent devant sa proie – le jaugeaient derrière des paupières mi-closes.

— Vous êtes bien la personne que nous avons envoyée dans la province de Kazusa inspecter le gouverneur sortant ?

— Oui, Votre Excellence.

— J'ai lu votre rapport. En ce qui concerne les impôts volés, il révèle des méthodes d'investigation d'une incroyable absence de rigueur, une irréflexion dans l'action qui frôle la folie, et un scandaleux manque de considération pour les règles de comportement les plus essentielles. Si vous avez réussi dans cette mission, c'est uniquement grâce à la chance et aux circonstances. Qu'avez-vous à dire ?

— Je regrette profondément mes erreurs et je m'efforcerai d'en tirer les leçons.

Il y eut un long silence. Quand Akitada releva brièvement la tête, le président regardait au loin, comme si son subordonné n'était même plus digne de considération.

— Si vous suggérez, dit enfin Minamoto, que vous espérez vous voir confier une mission du même ordre ou toute autre position à responsabilité, vous êtes encore moins intelligent que je ne le pensais. Nous ne pouvons nous permettre d'employer des incompétents.

Paralysé d'appréhension, le jeune homme attendi la suite.

— Toutefois, vous avez une écriture nette, et vou semblez avoir assez bien mené l'examen des compte de la province. Ces aptitudes sont d'une certaine utilité dans l'administration. Et comme d'autres paraissent plus impressionnés que moi par vos activités à Kisarazu, je vais recommander votre mutation au ministère du Protocole. Le poste de chef des registres s'est libéré. Cela représente une promotion d'un demi-échelon et une augmentation de traitement. À mon avis, vous ne méritez ni l'une ni l'autre.

Le cœur d'Akitada se glaça. Le ministère du Protocole ? Il devrait tenir à jour les registres concernant tous les fonctionnaires, leur rang, leur charge, leur nomination et leur renvoi. Et il serait chargé de toute l'organisation des cérémonies. Ce poste fournissait un statut et un revenu, mais pas le moindre défi ni la moindre perspective d'avenir.

Il ne pouvait se soumettre. Croisant le regard du président, il déclara :

— Je décline respectueusement, Votre Excellence. J'ai une formation juridique, et j'avais espéré me voir confier une autre mission dans mon domaine de compétence. Si c'est impossible, je préfère reprendre mon ancien poste au ministère de la Justice.

Il n'eut pas plus tôt prononcé ces mots qu'il prit conscience d'avoir commis un manquement sans précédent à l'étiquette. Dans sa confusion, il se prosterna.

Pendant un moment, il n'y eut pas d'autre bruit que la respiration de Minamoto et le cliquètement de ses ongles sur son bureau qui indiquaient clairement sa colère.

Lorsqu'il reprit la parole, sa voix exprimait une dérision glaciale.

— Vous refusez donc une promotion ? Sans doute n'êtes-vous pas pleinement conscient de vos fautes, articula-t-il avec une lenteur exagérée. Je vais donc vous indiquer quelques-unes de vos erreurs de jugement. On vous a envoyé enquêter sur une simple question comptable, au lieu de quoi vous avez pris sur vous d'employer la force militaire et civile afin de découvrir certaines irrégularités dans un monastère. Au cours de cette entreprise, vous avez laissé dans votre sillage une série de meurtres et une montagne de paperasse. Relevez la tête ! tonna-t-il soudain. (Akitada se redressa brusquement, et le président désigna des piles de documents.) Vous avez sous les yeux un petit échantillon de ce que votre séjour dans la province de Kazusa a provoqué. Voici les rapports des quatre différents ministères que vous avez réussi à impliquer dans cette enquête. Voici les dossiers relatifs aux biens confisqués du monastère accompagnés des recours du clergé bouddhiste de la capitale et de Kazusa. Cette pile-ci est composée des missives envoyées par des nobles et des dignitaires de haut rang qui exigent soit votre exil comme ennemi de la vraie foi, soit l'interdiction ferme et définitive du bouddhisme. (Les yeux de Minamoto transpercèrent le jeune homme.) Vous avez clairement outrepassé vos attributions. Qu'avez-vous donc à dire pour votre défense ?

Akitada déglutit. Il n'était que trop conscient de ses nombreuses bévues et de sa responsabilité dans la mort d'innocents comme de coupables, mais ses intentions avaient été pures.

— J'ai bien peur, Votre Excellence, d'avoir estimé que les activités du moine Joto constituaient une menace à l'égard de notre gouvernement. Dans toutes les décisions que j'ai prises en conséquence, j'ai toujours respecté le serment que j'avais prêté quand je suis entré au service de Son Auguste Majesté. Ne pas mettre tous les moyens en œuvre dans cette affaire aurait été un manquement à mon devoir.

— Vous osez vous défendre ? (Le président se pencha vers lui en ricanant.) Vous n'aviez ni l'expérience ni la maturité nécessaires pour formuler un te jugement. C'est ridicule ! Comment un simple moine d'une province reculée pourrait-il représenter une quelconque menace pour notre gouvernement ? Il aurait fallu porter immédiatement l'affaire devant les tribunaux de la province, au lieu de quoi vous avez attendu, sans nul doute pour vous attirer une reconnaissance personnelle, et les criminels ont eu le temps de faire davantage de victimes.

C'était vrai. Higekuro n'aurait pas perdu la vie s'il avait agi plus promptement, et s'il n'avait pas fait courir de tels risques à Tatsuo et aux autres, le petit garçon serait sur le point de découvrir ses cadeaux du nouvel an. Tout cela pesait lourdement sur sa conscience. Abattu, il se prosterna de nouveau.

— Tout à l'heure, j'ai dit que votre succès n'était dû qu'à la chance. Peut-être faut-il vous rappeler que c'est le hasard qui a mis la peinture de la sourde-muette entre vos mains. Si vous êtes parvenu à élucider le meurtre du seigneur Tachibana, c'est uniquement parce que ses assassins ont fait preuve d'une incroyable négligence. Heureusement pour vous, le capitaine de la garnison avait un alibi, sinon vous l'auriez fait arrêter et juger pour meurtre. Et l'arrestation des partisans de Joto n'a été possible que grâce à des festivités organisées au monastère qui vous ont permis de dissimuler sur place toute une garnison de soldats. Un imbécile aurait réussi ! Quoi qu'il en soit, vos décisions ont été si mauvaises que le supérieur a tué un enfant et vous a attaqué. La mère de l'enfant, en tuant ce moine rebelle pour vous sauver la vie, nous a privés du témoignage du principal suspect.

Akitada cogna son front contre le tatami. Devant la justesse de ces critiques, il avait honte des espoirs de récompense qui l'avaient accompagné pendant le long trajet de retour. Il chercha en vain des mots d'excuse.

— Puisque vous insistez, reprit Minamoto, vous êtes autorisé à reprendre vos anciennes fonctions au ministère de la Justice. Bien entendu, cela ne justifie pas une augmentation d'échelon. Vous pouvez disposer.

Akitada se redressa et gagna la sortie à reculons en exécutant une série de courbettes protocolaires. Lorsqu'il toucha la porte du talon, il s'éclaircit la gorge. Alors qu'il paraissait plongé dans la lecture d'un document, le grand homme releva impatiemment la tête.

— Je supplie Votre Excellence de bien vouloir pardonner ma curiosité, commença-t-il nerveusement, mais je me demandais quelle suite avait été réservée à l'affaire.

— Cela ne vous regarde plus. Nous avons ordonné que les moines coupables soient défroqués et condamnés aux travaux forcés près de la frontière nord. S'ils se conduisent bien, ils seront autorisés à s'enrôler dans l'armée postée aux marches du pays. L'ancienne hiérarchie du monastère a été rétablie, et un nouveau préfet a été nommé. (Devant la consternation du jeune homme, le président ajouta à contrecœur :) Les vifs éloges de l'ancien gouverneur Fujiwara ont valu des promotions à deux de ses gens. Son secrétaire Akinobu, va être nommé vice-gouverneur. Le poste de gouverneur ira bien évidemment au frère de Son Auguste Majesté, qui demeurera à Heian-kyo. L'autre promotion concerne le commandant de la garnison, le capitaine Yukinari, qui rejoindra prochainement la garde impériale. Je crois que c'est tout.

Akitada se réjouit pour Akinobu et Yukinari, mais une autre question le tourmentait davantage.

— J'ai amené un prisonnier à la capitale, Excellence. Il est accusé de la disparition de dame…

— Silence ! rugit Minamoto en se levant d'un bond. (Il pointa un doigt frémissant sur le jeune noble.) Vous devez tout oublier à ce sujet, sinon vous vous exposez à un exil définitif. Vous ne devez poser aucune question, ne mentionner aucun élément de votre enquête et ne contacter aucune personne liée de près ou de loin à cette affaire. C'est bien compris ?

— Oui. Pardonnez-moi.

— Sortez !

Akitada s'enfuit en courant et se retrouva avec soulagement dans la cour, où il prit une profonde inspiration avant de franchir le grand portail. Bien qu'il fût de son devoir d'aller annoncer aussitôt son retour au ministère de la Justice, l'expression de haine qu'il avait vue sur le visage de Soga le poussa à s'éloigner dans la direction opposée.

Une fine couche de neige recouvrait les rues et les toits, et des branches de pin décoratives signalaient l'arrivée de la nouvelle année. Les gens marchaient d'un pas pressé ; l'excitation et la joie se lisaient sur leur visage. Demain, l'empereur notifierait les nouvelles affectations et les promotions. Les heureux bénéficiaires de la bienveillance impériale avaient coutume de célébrer leur bonne fortune en compagnie des fonctionnaires moins chanceux. Akitada avait d'ailleurs été convié chez son ami Kosehira à une grande réception donnée par son cousin Motosuke, qui séjournait chez lui en attendant que sa propre résidence soit prête à l'accueillir.

En regagnant son domicile, le jeune homme se demanda comment il expliquerait à sa mère ce nouvel échec. Elle serait furieuse contre lui. Ils avaient à peine de quoi vivre, et il était revenu avec une bouche de plus à nourrir. La réaction de dame Sugawara vis-à-vis de Tora avait été mitigée. Après avoir exprimé son mécontentement à son fils, elle avait tout de même pris Tora à son service.

Penser à ce dernier réconforta un peu Akitada. Ils allaient pouvoir reprendre leur exercice matinal, et il avait l'intention de lui montrer la ville le soir même. Peut-être les choses finiraient-elles par s'arranger, après tout. Au moins, il avait échappé au ministère du Protocole, se dit-il avec un sourire.

Le lendemain soir, guère fringant après la nuit qu'il avait passée dehors en compagnie de Tora, Akitada se mit en route pour la réception. Initier le Tigre du Tokaido aux plaisirs de la capitale – au rang desquels les tavernes figuraient en bonne place – avait fini par effacer l'image des yeux reptiliens de Minamoto, mais il en payait le prix car il souffrait d'un mal de tête tenace et d'une douleur sourde derrière les yeux.

Akitada était sans doute le seul invité à se rendre à pied chez Kosehira. Les torches illuminaient la rue et la cour de son ami où se serraient une bonne cinquantaine d'attelages en tout genre. Les bœufs avaient été dételés et mastiquaient du foin tandis que leurs conducteurs parlaient ou jouaient aux dés autour de petits feux.

Akitada, qui connaissait les lieux, pénétra dans la grande demeure où se trouvaient les salles de réception. L'endroit fourmillait de domestiques. L'un l'aida à ôter ses bottes, un autre prit son manteau matelassé, et un troisième lui tendit un miroir pour qu'il puisse rajuster son couvre-chef.

Des rires et des éclats de voix lui parvinrent. Le jeune homme se mit à parcourir les pièces à la recherche de la silhouette ronde et du visage enjoué de son ami Kosehira. La foule des invités était impressionnante. À en juger par les couleurs des robes de cour et celles des rubans sur les chapeaux, les amis de Motosuke étaient illustres. Peut-être, songea-t-il encore piqué au vif par son entretien avec le président Minamoto, était-il préférable de laisser un message de félicitations à l'ancien gouverneur et de rentrer discrètement chez lui.

Trop tard ! Kosehira l'avait repéré.

— Voici le héros du jour ! s'écria-t-il. Viens donc, Akitada, tout le monde est impatient de te rencontrer.

Akitada rougit d'embarras et jeta un regard inquiet autour de lui. Il reconnut trois princes impériaux, deux ministres, plusieurs conseillers impériaux – les futurs collègues de Motosuke – et un oncle du souverain. D'un pas bondissant, son ami l'entraîna dans la pièce en le tirant par la manche. Sa bonne humeur était visiblement contagieuse, car Akitada ne croisa que des visages souriants. On lui posa des questions auxquelles il répondit brièvement et prudemment, espérant ne pas violer une règle qu'on aurait omis de lui signaler.

Les idées encore confuses, il refusa le saké qu'on lui proposait, craignant de commettre un impair sous l'emprise de la boisson. Quelle ironie que tant de grands personnages semblent se réjouir de son succès alors que les deux hommes qui tenaient son avenir entre leurs mains le considéraient comme un imbécile incompétent !

Kosehira guida son ami dans la pièce voisine à travers la cohue. Motosuke était assis à la place d'honneur, rayonnant dans sa robe de soie mauve, le visage empourpré par la boisson et la joie. Dès qu'il aperçut Akitada, il se leva pour l'embrasser et le conduisit jusqu'à un coussin près du sien.

— Voici l'homme à qui je dois ma bonne fortune, annonça-t-il. Si jamais vous êtes en mauvaise posture, faites appel à lui et votre avenir sera assuré.

Des rires et une nouvelle salve de questions accueillirent ses propos. Cette fois-ci, la réticence du jeune homme à évoquer les événements de Kazusa fut vaine, car Motosuke se lança dans le récit détaillé et pittoresque de toutes leurs aventures, émaillé de commentaires tellement flatteurs sur Akitada que ce dernier regretta que le sol ne s'ouvrît pas sous ses pieds.

Kosehira finit par venir à sa rescousse.

— Trêve de bavardages, cousin, décréta-t-il irrévérencieusement au nouveau conseiller. Il y a ici quelqu'un qui désire voir Akitada.

Ils quittèrent le bâtiment principal par une galerie couverte et gagnèrent les appartements de Kosehira. Akitada était intrigué mais, loin de l'éclairer, son ami ne se départit pas de son air mystérieux. Les voix et les rires s'éteignirent, la lueur des torches et des lanternes fut masquée par les arbres, et le silence paisible du jardin d'hiver les enveloppa.

Akitada aperçut le lac au bord duquel Kosehira lui avait organisé sa fête d'adieu avant son départ pour l'est du pays.

— Comme le jardin est différent de la dernière fois ! déclara-t-il. Dis-moi, il y a vraiment quelqu'un qui m'attend, ou voulais-tu t'échapper pour discuter tranquillement ?

— Tu ne vas pas tarder à le savoir, répliqua Kosehira avec des airs de conspirateur.

Ils pénétrèrent dans le couloir mal éclairé qui menait au bureau du jeune Fujiwara. Devant la porte, ce dernier posa la main sur la manche de son ami.

— Il est là. Rejoins-nous dès que tu le pourras.

Puis il s'éloigna.

Akitada fit coulisser le panneau. Seule la lune et l'éclat blanc de la neige donnaient un peu de clarté à la pièce. Sur la véranda se tenait la silhouette immobile d'un jeune moine en robe noire qui égrenait lentement un chapelet.

Il devait y avoir erreur : il n'avait certainement rien à faire avec un moine ! Il s'apprêtait à s'éclipser sur la pointe des pieds lorsqu'une voix douce demanda :

— Est-ce toi, Akitada ?

Il reconnut immédiatement cette voix et eut un coup au cœur.

— Oui, Tasuku. C'est Kosehira qui m'envoie.

L'autre désigna un coussin à côté de lui et Akitada alla s'asseoir. La découverte du visage de son ami lui causa un nouveau choc. Non seulement les cheveux épais et brillants avaient été rasés, mettant à nu un crâne qui se teintait d'un bleu argenté, surnaturel sous cette lumière, mais le beau visage de Tasuku semblait émacié. La rondeur juvénile de ses joues, de son menton et de sa bouche avait disparu, tout comme son teint hâlé. Ses yeux brillaient toujours d'un feu sombre, mais les lèvres autrefois pleines étaient comprimées. Pis, les os de ses poignets saillaient, et ses épaules autrefois musclées tombaient comme si la mince étoffe de chanvre noir était trop lourde à porter.

— Tasuku, s'écria Akitada, tu as été malade ?

— Je m'appelle Genshin à présent, rétorqua-t-il avec un petit sourire triste. Je vais bien. Et toi ? Il paraît que tu es revenu couvert d'honneurs. Apparemment, nous avons eu bien tort de chercher à te dissuader d'entreprendre ce voyage.

Akitada laissa errer son regard sur le jardin enfoui sous la neige et sur le lac au bord duquel ils avaient composé des poèmes tant de mois plus tôt. S'il avait su alors qu'il allait être confronté à des morts violentes, il aurait accepté ses conditions d'existence. Une fois de plus, le corps inerte de l'enfant, le crâne fendu d'Higekuro, le carnage autour de lui, le sang coulant de la bouche de Joto et le corps frêle du seigneur Tachibana lui revinrent à l'esprit.

Sur la grande terrasse de la demeure principale, les invités de Motosuke admiraient le paysage baigné de lune. Quelqu'un s'appuya contre la balustrade pour regarder par-dessus les arbres. Ainsi s'était tenue Ayako. Akitada soupira.

— Non. Vous aviez raison, en fin de compte. Je n'avais jamais rien accompli d'aussi difficile.

Son ami lui jeta un bref regard et leva les yeux vers la lune.

— La même lune, dit-il, mais comme nous sommes changés…

Le Tasuku d'autrefois aurait composé un long poème sur le bonheur perdu. Oui, ils étaient bel et bien changés.

— Tu ne me demandes pas pourquoi j'ai renoncé au monde ?

— Non, Tasuku. Pardonne-moi, Genshin. Cela m'attriste, mais je comprends.

Les yeux brûlants cherchèrent les siens.

— Comment ça ?

Au lieu de répondre, Akitada tira la petite fleur bleue de sa ceinture et la tendit à son ami.

Il l'entendit retenir son souffle et vit les doigts minces se refermer sur la fleur.

— Pardonne-moi de t'avoir fait souffrir.

— J'ai fait des progrès dans ma discipline. Bientôt, je l'espère, les affaires de ce monde ne m'affecteront plus. J'ai demandé à te voir pour te faire mes adieux, et pour me détacher de tout ce qui me tourmente encore. On m'a dit que c'était toi qui avais ramené son assassin.

Le sang d'Akitada ne fit qu'un tour quand il se remémora l'avertissement de Minamoto.

— Je ne tiens pas à te peiner davantage, répondit-il, évasif.

Le moine sourit, et la douceur de son sourire rappela à Akitada l'ancien Tasuku.

— Seul l'oubli permet de se libérer de la douleur, et seule la vérité peut m'aider à oublier.

Son ami acquiesça.

— Dame Asagao et toi, vous étiez amants, n'est-ce pas ?

— Oui. Je n'ai aucune excuse, mais il se trouve qu'Asagao et moi avons grandi ensemble. Nos parents étaient voisins. J'étais déjà amoureux d'elle à l'époque, mais elle est partie pour entrer au service de la nouvelle impératrice. De temps en temps, je lui rendais visite, je lui apportais des lettres de sa famille. Je la savais malheureuse. Et puis, un jour, elle m'a confié que l'empereur l'avait honorée de son… attention.

Il ferma les yeux. Au bout d'un moment, il prit une profonde inspiration et poursuivit :

— J'étais fou de jalousie et j'ai tourné ma colère contre elle. Elle n'y pouvait rien, la pauvre. (Les yeux brûlants de Tasuku cherchèrent une nouvelle fois ceux de son ami.) Je l'ai séduite, Akitada. Nous nous retrouvions en secret dans le pavillon d'été d'une vieille villa située dans un quartier désert de la ville. Un palanquin la conduisait du palais jusqu'à la maison de son ancienne nourrice, et de là je l'emmenais dans notre retraite.

Il soupira, s'abandonnant dans la contemplation du jardin enneigé qui étincelait sous la lune. Akitada attendit la suite.

— Je n'étais pas digne d'elle. (Ses accents angoissés résonnaient étrangement dans sa bouche de moine.) Elle prenait des risques considérables pour m'offrir son amour, elle compromettait sa réputation et l'avenir de sa famille pour être avec moi, mais cela ne me suffisait pas. Je la voulais pour moi seul, je lui réclamais sans cesse des preuves de son amour, et je me pavanais parce que la favorite de l'empereur me préférait. Mais ce n'était pas encore assez.

Sa voix se brisa.

Le froid hivernal s'insinuait à travers les planches épaisses de la véranda. Akitada frissonna, regrettant de ne pouvoir se réfugier à l'intérieur et d'avoir laissé son manteau matelassé à un domestique. Bizarrement, malgré la minceur de sa vêture, son compagnon semblait indifférent à l'air glacial.

— La nuit fatale, j'ai exigé d'elle une preuve supplémentaire. J'ai insisté pour qu'elle passe avec moi toute la journée et toute la nuit suivantes. Je savais qu'elle serait découverte. Elle a pleuré, m'a supplié à genoux. Elle a juré que la vie lui importait peu mais qu'elle ne pouvait blesser Sa Majesté qui ne lui avait jamais témoigné que de la bonté. Je me suis montré inflexible, mais elle n'a pas cédé. Lorsqu'elle est partie, elle m'a demandé de la raccompagner, et j'ai refusé.

Un silence prolongé s'installa. Akitada tendit la main et la posa sur la manche rêche de son ami. Sous la pauvre étoffe, son bras paraissait bien maigre.

— Je suis désolé. Cela a dû être terrible. Lors de notre soirée d'adieu… tu avais son éventail, n'est-ce pas ?

Tête rasée penchée en avant, le moine acquiesça légèrement.

— Elle l'avait oublié. C'était tout ce qui me restait d'elle, car je ne l'ai jamais revue. Des semaines ont passé. Je croyais qu'elle avait regagné le palais. Puis j'ai entendu la première rumeur concernant sa disparition. J'étais fou d'inquiétude de ne pas savoir ce qui lui était arrivé. Voilà dans quel état d'esprit je me trouvais le soir de ta fête de départ.

— Comment peux-tu supporter le récit de ce qui s'est passé ?

Tasuku releva la tête.

— J'ai assisté à la mort de son assassin.

— Quoi ?

— Il est mort dans d'atroces souffrances. Il a connu la fin que j'aurais dû connaître. C'est moi qui ai commis l'offense, moi qui ai placé la tentation sur son chemin. Mais j'ai été épargné. Épargné alors même qu'ils savaient. Épargné parce que j'étais devenu moine. (Il s'arrêta un instant pour contempler le ciel étoilé.) Mais pas totalement épargné. Le secrétaire personnel de l'empereur m'a rendu visite au monastère. Il m'a informé que le meurtrier de dame Asagao avait été condamné et qu'il avait demandé à voir un bonze avant son exécution. Ce bonze, ce devait être moi.

— Je ne leur ai rien dit sur toi, Tasuku, intervint Akitada.

Son ami sourit.

— Je le sais bien, mais ils ont tout découvert. Je crois qu'elle avait conservé certains de mes poèmes. Et l'homme à qui je louais le pavillon d'été m'a formellement reconnu. Quoi qu'il en soit, j'ai refusé d'accéder à la demande du tueur en arguant de mon manque d'expérience, mais on m'a dit que le condamné avait exigé que ce soit moi et personne d'autre. Là, j'ai compris qu'ils savaient. Le secrétaire de l'empereur m'a appris quand et où Asagao était morte, et il m'a abandonné à mon horrible culpabilité.

— C'était cruel.

— Cruel ? Non. J'ai assisté à la mort du malheureux. Son supplice a duré une éternité. Personne ne m'a touché, moi.

Akitada s'exclama avec colère :

— Ils ne t'ont peut-être pas touché, mais cela n'en demeure pas moins une terrible vengeance ! Et cet animal ne mérite pas ta compassion. Il a tué deux pauvres femmes après en avoir usé et abusé, et il aurait poursuivi sa carrière sanguinaire si je n'avais pas deviné qu'il avait assassiné dame Asagao.

— Tu as deviné ?

Les yeux noirs sondèrent Akitada.

— Peut-être dame Asagao y est-elle pour quelque chose. (Il frissonna de nouveau.) Le fragment de cloisonné est tombé entre mes mains à Kisarazu.

Son ami écarta les doigts et regarda le petit bijou dans sa paume.

— Ceci faisait partie d'une parure pour cheveux offerte par l'empereur.

— Son assassin l'avait donné à sa troisième victime. Elle l'a vendu à un colporteur qui me l'a revendu. Au même moment, une étrange histoire de fantôme circulait dans la ville, l'histoire d'un démon au visage de feu qui avait tué une noble dame dans un temple abandonné de la capitale. On disait qu'il lui avait dérobé ses bijoux, tranché la gorge, et qu'il l'avait jetée dans un puits.

Tasuku frémit.

— D'une façon ou d'une autre, le mystère de sa disparition et la petite fleur se sont mêlés, dans mes rêves fiévreux, à l'histoire de fantôme. Plus tard, j'ai remarqué des similitudes entre cette histoire et un autre meurtre. J'ai fait part de mes soupçons à l'empereur dans un rapport et ramené le prisonnier avec moi. Mais j'étais loin d'imaginer qu'ils t'impliqueraient dans cette affaire. J'en suis désolé.

Akitada examina avec anxiété le visage de son ami, en quête de réconfort. À son grand soulagement Tasuku, qui avait recouvré son calme, lui adressa son doux sourire.

— Merci, mon cher Akitada.

Il fourra les mains dans ses manches et, les yeux fixés sur la lune, murmura :

— Comme des flocons de neige qui fondent sous la lune, comme l'appel de la chouette qui s'éteint à l'aurore, ainsi s'achève notre rêve d'existence.

Puis il se leva avec un soupir, s'inclina devant son ami et quitta la véranda sans un bruit.

Akitada demeura immobile. Sans le savoir, Tasuku avait rouvert sa blessure. Il ferma les yeux et fut transporté sur la véranda du temple de la déesse de la Miséricorde. Quelque part dans la nuit, une chouette lança un cri solitaire et lugubre. Dans le jardin en contrebas, une femme se réfugia dans les bras d'un homme. Puis la nuit se métamorphosa en un jour gris et brumeux où tourbillonnait la neige. Les flocons se déposaient sur sa chevelure telle une parure en perles de cristal ou en gouttes de rosée.

— Ah ! Te voilà ! Tu es tout seul dans le noir ? (Kosehira posa la main sur l'épaule de son ami.) Tasuku est parti ? Pauvre diable !

— Oui, il est parti.

Akitada se leva lentement ; avec ses membres ankylosés et ses pensées macabres, il avait l'impression d'être un vieillard.

— Moi aussi, je dois y aller. La journée a été longue.

— C'est ridicule, mon ami. (Kosehira le dévisagea avec inquiétude.) Tu ne dois pas te laisser abattre par la décision de Tasuku. Il était fatigué du monde et a choisi une autre vie. Mais toi, un bel avenir t'attend. Tout le monde le dit. Tu feras de grandes choses un jour. Je le sens.

D'une main ferme, il saisit le bras d'Akitada et l'entraîna vers les voix et les rires, les sons de cithares et de flûtes, pour le ramener dans le monde des hommes.

NOTE SUR LA PÉRIODE

Pendant l'ère Heian (794-1185), l'organisation du gouvernement japonais était encore, dans l'ensemble, calquée sur celle de la Chine centralisée des Tang. Le Japon était dirigé depuis la capitale, Heian-kyo (Kyoto), par un empereur et une administration complexe composée par l'aristocratie de cour. Les provinces éloignées étaient administrées par des gouverneurs dépêchés de la capitale avec leur propre personnel pour lever les impôts et assurer le maintien de l'ordre. À la fin de leur mandat de quatre ans, un inspecteur *(kageyushi)* venait vérifier leurs comptes. Mais les distances étaient très importantes et les transports quasi inexistants. Bandits et pirates écumaient terre et mers. Les grands propriétaires terriens, et aussi les monastères importants, constituaient leurs propres armées pour défendre leurs domaines. Vers la fin de la période Heian, le pouvoir militaire lié à ces intérêts privés allait devenir une menace pour les gouverneurs et l'empire.

Les événements narrés dans ce roman sont fictifs, mais ils s'inscrivent dans le contexte politique et culturel du XIᵉ siècle. Akitada appartient à la classe dominante et sert le gouvernement central, mais il évolue à la marge de leur pouvoir déclinant. Bien né, diplômé de l'université, il parle couramment le chinois – la langue de la fonction publique –, est imprégné d'idéaux confucéens, et se bat pour gravir les échelons de l'administration et acquérir davantage de pouvoir et de privilèges. Contrairement à la plupart de ses pairs, il fraye avec les gens du peuple, n'a aucun talent pour la poésie et est plutôt hostile au bouddhisme.

À ses débuts, la culture japonaise était très influencée par la Chine ancienne. Par conséquent, le calendrier suivait le cycle sexagésimal chinois, et la cour se réunissait périodiquement pour choisir le nom des ères. En résumé, il y avait douze mois et quatre saisons comme en Occident, mais l'année commençait environ un mois plus tard. Au XIe siècle, la semaine de travail comptait six jours, commençait au lever du soleil et était suivie d'un jour de repos. Comme dans le système chinois, la journée était divisée en douze segments de deux heures. L'heure était indiquée par des clepsydres et annoncée par des gardes, des veilleurs de nuit et les cloches des temples. En général, seuls l'aristocratie et certains membres du clergé savaient lire et écrire. Pour un fonctionnaire du gouvernement, cela signifiait lire et écrire le chinois en plus du japonais. C'est aux femmes de l'aristocratie, qui lisaient et écrivaient dans leur langue maternelle, que l'on doit la belle et riche littérature de l'époque. Murasaki Shikibu, dame de cour de l'impératrice Akiko, a écrit le premier roman au monde, le *Genji-monogatari* ou *Dit de Genji*.

Au XIe siècle, deux religions coexistent pacifiquement au Japon, le shintoïsme et le bouddhisme. Le shintoïsme, la croyance la plus ancienne du pays, associe le culte des ancêtres à la vénération de la nature. Ses divinités sont des esprits ou *kami*. Il est à l'origine de nombreux tabous. Le bouddhisme, importé de Chine via la Corée, s'est imposé grâce à la noblesse de cour à partir du VIe siècle. Il met l'accent sur l'au-delà, qui comprend à la fois un enfer et un paradis. Le pays comptait alors de nombreux temples, monastères et couvents bien dotés.

À l'époque, de nombreuses superstitions – de la croyance aux fantômes aux monstres surnaturels en passant par l'interdiction d'accéder à certains lieux certains jours de l'année, les interdits de direction – rendaient l'existence très contraignante. La médecine était primitive par bien des aspects et pratiquée à la fois par des médecins formés à l'université, des moines et des apothicaires. Les traitements comprenaient des remèdes à base de plantes, l'acupuncture et l'utilisation de moxas (bâtonnets ou branches d'armoise brûlés au contact de la peau). Cette médecine se fondait également sur le calendrier et les correspondances yin-yang.

Le bouddhisme imposait un régime alimentaire sans viande essentiellement composé de riz, céréales diverses, fruits, légumes et poisson. La boisson la plus répandue était le saké, et non le thé. Les hommes ne se rasaient pas le sommet du crâne et portaient leurs cheveux longs relevés en chignon, tandis que les femmes les portaient lâchés, traînant jusqu'au sol ou attachés par un ruban. Les femmes de la noblesse se noircissaient les dents. En fonction de la classe sociale, les habits étaient en soie ou en chanvre. Chez les plus riches, la superposition de simples vêtements évoquant les kimonos à venir produisait un effet somptueux, alors que les paysans se contentaient d'un pantalon court et d'une chemise, ou parfois même d'un simple pagne. L'époque des samouraïs était encore loin, cependant les arts martiaux commençaient à prendre de l'importance. Les nobles apprenaient à monter à cheval, à se servir d'un arc et d'un sabre et à combattre, mais la plupart préféraient écrire de la poésie et participer à la vie de cour. Les sabres en bois *(kendo)* étaient déjà connus, mais pour l'homme du peuple l'arme de choix était le bâton *(bo)*, qui était facile à se procurer et moins cher, d'où l'habileté de Tora dans son maniement *(bo-jutsu)*.

Dans cette société, le rôle des femmes était limité. Les dames de l'aristocratie passaient l'essentiel de leur vie dans les demeures de leurs parents ou de leur époux, tandis que les femmes du peuple travaillaient aux côtés des hommes. Les femmes de la noblesse pouvaient être propriétaires, mais elles étaient sous le contrôle des hommes de leur famille. Celles des classes inférieures avaient plus de liberté, mais peu de temps pour en profiter. Ayako n'est bien évidemment pas représentative des femmes de son époque, même si les faveurs sexuelles étaient librement accordées et prises dans toutes les classes sociales. Quant aux nobles, non seulement ils pratiquaient la polygamie, mais ils avaient également des maîtresses.

La question de la police et de la justice est importante dans un roman d'intrigue criminelle. Sous certains aspects, le Japon du XIe siècle était relativement moderne. Il possédait une police, des juges, des prisons et un début de code pénal. Cependant, comme le bouddhisme interdisait de tuer, le châtiment le plus sévère infligé à un meurtrier était l'exil accompagné de travaux forcés et de la confiscation de ses biens et de ceux de sa famille. La torture était autorisée au cours des interrogatoires car les aveux étaient nécessaires à la condamnation. Les prisons étaient souvent pleines, mais elles se vidaient périodiquement suite à des amnisties générales. Par conséquent, les crimes en tout genre florissaient, à la grande frustration des citoyens respectueux de la loi.

La province de Kazusa appartient à ce qui est devenu la préfecture de Chiba, et la célèbre route du Tokaido qui reliait les provinces orientales à la capitale existait déjà. Toutefois, la majeure partie des indications concernant le voyage d'Akitada et la vie à Kisarazu sont le fruit de mon imagination.

Certaines intrigues de *L'Énigme du dragon tempête* sont librement inspirées d'anciens contes japonais. Celle des brigands et l'affaire de la disparition de la dame d'honneur m'ont été suggérées par certains passages des *Contes d'Uji (Ujishûi-monogatari)*, et l'histoire des trois moines est tirée du *Sannin hoshi*.

REMERCIEMENTS

Je suis redevable à un groupe de merveilleux amis et collègues écrivains, Jacqueline Falkhenhan, John Rosenman, Richard Rowand et Bob Stein, d'avoir lu les premières versions de cet ouvrage. Ils m'ont généreusement accordé leur aide et je leur en suis très reconnaissante. En outre, j'ai la chance d'avoir une correctrice bienveillante et attentionnée, Alicia Bothwell-Mancini, dont la clairvoyance m'a permis de resserrer et d'améliorer ce roman. Enfin et surtout, je remercie chaleureusement tous les collaborateurs de Jean Naggar pour leur travail exceptionnel concernant la publication à l'étranger. Aucun auteur ne pourrait rêver être mieux représenté.

TABLE

Impression réalisée sur Presse Offset par

C P I
Brodard & Taupin

La Flèche (Sarthe), 46358
N° d'édition : 4050
Dépôt légal : avril 2008

Imprimé en France